AS MUSAS

Obra do autor publicada pela Editora Record

A fúria
A paciente silenciosa
As musas

ALEX MICHAELIDES

AS MUSAS

Tradução de
Marta Chiarelli

10ª edição

EDITORA RECORD
RIO DE JANEIRO • SÃO PAULO
2025

EDITORA-EXECUTIVA
Renata Pettengill

SUBGERENTE EDITORIAL
Mariana Ferreira

ASSISTENTE EDITORIAL
Pedro de Lima

REVISÃO
José Roberto O'Shea
Júlia Moreira
Nerval Mendes

CAPA
Layout adaptado de Will Staehle

IMAGENS DE CAPA
Shutterstock / Lysogor Roman (paisagem)
Shutterstock / mbond77 (rachaduras)
Shutterstock / ded pixto (busto)

DIAGRAMAÇÃO
Abreu's System

TÍTULO ORIGINAL
The Maidens

CIP-BRASIL. CATALOGAÇÃO NA PUBLICAÇÃO
SINDICATO NACIONAL DOS EDITORES DE LIVROS, RJ

M569m
10ª ed. Michaelides, Alex, 1977-
As Musas / Alex Michaelides; tradução de Marta Chiarelli. – 10ª ed. – Rio de Janeiro: Record, 2025.

Tradução de: The Maidens
ISBN 978-65-55-87245-3

1. Ficção cipriota. I. Chiarelli, Marta. II. Título.

21-70722 CDD: 894.33
CDU: 82-3(564.3)

Camila Donis Hartmann – Bibliotecária – CRB-7/6472

Texto revisado segundo o novo Acordo Ortográfico da Língua Portuguesa.

Impresso no Brasil

ISBN 978-65-55-87245-3

Para Sophie Hannah,
por me dar a coragem das minhas convicções.

Narra teu primeiro amor —
Tolos do acaso, o sonhar;
Até a cova os expor,
Os defuntos a dançar.

Alfred Tennyson, "A Visão do Pecado"

Prólogo

Edward Fosca era um assassino.

Isso era um fato. Não algo que Mariana soubesse no nível intelectual, como um palpite. Seu corpo sabia. Ela sentia nos ossos, no sangue e nas profundezas de suas células.

Edward Fosca era culpado.

E, no entanto — ela não tinha como provar, e talvez nunca conseguisse provar. Esse homem, esse monstro, que havia assassinado pelo menos duas pessoas, poderia, muito provavelmente, acabar em liberdade.

Era tão presunçoso, tão cheio de si. *Ele acha que se safou*, pensou ela. Achava que tinha vencido.

Mas não tinha. Ainda não.

Mariana estava determinada a ser mais esperta que ele. Tinha que ser.

Passaria a noite inteira acordada até se lembrar de tudo o que havia acontecido. Ficaria sentada ali, naquele quartinho em Cambridge, pensando, e encontraria a resposta. Olhando fixamente para a barra alaranjada do aquecedor elétrico na parede, incandescente, brilhando no escuro, entregou-se a uma espécie de transe.

Em pensamento, voltaria bem ao início e se lembraria de tudo. De todos os detalhes.

E o pegaria de jeito.

Parte 1

Ninguém me disse que o luto se parecia tanto com o medo.

C. S. Lewis, *A anatomia de uma dor*

I

Alguns dias antes, Mariana estava em casa, em Londres.

Ajoelhada no chão, rodeada de caixas. Fazia mais uma tentativa pouco convicta de separar os pertences de Sebastian.

Aquilo não estava funcionando. Um ano após a morte dele, a maioria de seus objetos continuava espalhada pela casa, em pilhas e caixas semivazias. Ela parecia incapaz de concluir a tarefa.

Mariana ainda estava apaixonada por ele — esse era o problema. Mesmo sabendo que nunca mais veria Sebastian — mesmo ele tendo partido para sempre —, ela ainda estava apaixonada e não sabia o que fazer com esse sentimento. Havia tanto desse amor ainda, e era tão caótico: vazando, derramando, transbordando de dentro dela, como o enchimento expelido através das costuras desfeitas de uma velha boneca de pano.

Se pelo menos conseguisse encaixotar seu amor, como tentava fazer com os pertences dele. Que visão triste aquela — a vida de um homem reduzida a um monte de itens indesejados, tendo como destino uma venda em brechó.

Mariana enfiou a mão na caixa mais próxima. Tirou dela um par de tênis.

Examinou-os — os tênis verdes de sempre, que ele usava para correr na praia. Ainda estavam ligeiramente úmidos, com grãos de areia entranhados na sola.

Se livra disso, pensou. *Joga no lixo. Vai.*

Mas, mesmo enquanto ainda elaborava esse pensamento, já sabia que era uma impossibilidade. Os tênis não eram ele; não eram Sebastian — não eram o homem que ela amava e que amaria para sempre —, eram apenas um par de tênis velhos. Ainda assim, separar-se deles seria um ato de automutilação, como pressionar uma faca no braço e cortar um pedaço de pele.

Em vez disso, Mariana levou o par de tênis junto ao peito. Embalou--o como se fosse uma criança. E chorou.

Como chegara a esse ponto?

No período de apenas um ano, que normalmente teria passado voando, sem ela nem perceber — e que agora se estendia atrás dela como uma paisagem desolada e arrasada por um furacão —, a vida que ela conhecera tinha sido destruída, deixando-a desse jeito: 36 anos, sozinha e bêbada numa noite de domingo; agarrada aos tênis de um homem morto como se fossem relíquias — o que, de certo modo, eram mesmo.

Algo belo, algo sagrado, tinha morrido. Tudo que restara eram os livros que ele havia lido, as roupas que usara, os objetos que tocara. Ela ainda sentia o cheiro dele nesses objetos, ainda sentia o gosto dele na ponta da língua.

Por isso não conseguia jogar fora seus pertences — não se livrando deles, poderia manter Sebastian vivo, de algum jeito, só um pouquinho. Se praticasse o desapego, iria perdê-lo por inteiro.

Pouco tempo antes, num surto de curiosidade mórbida, e na tentativa de entender contra o que exatamente estava lutando, Mariana havia relido todos os escritos de Freud sobre luto e perda. Ele argumentava que, logo após a morte de um ente querido, a perda tinha que ser psicologicamente aceita, e o falecido, deixado para trás, caso contrário havia o risco de a pessoa sucumbir ao luto patológico, que ele chamou de melancolia — e que nós chamamos de depressão.

Mariana entendia isso. Sabia que devia deixar Sebastian para trás, mas não podia — porque ainda estava apaixonada por ele. Estava apaixonada, mesmo ele tendo saído de cena para sempre, ido para trás do véu — "atrás do véu, atrás do véu" —, de onde era isso mesmo? Tennyson, provavelmente.

Atrás do véu.

Era essa a sensação. Desde a morte de Sebastian, Mariana não via mais o mundo em cores. A vida estava esmaecida, cinza e distante, atrás de um véu — atrás de uma névoa de tristeza.

Ela queria se esconder do mundo, de todo o seu barulho e sofrimento, e se abrigar ali, em seu trabalho, em sua casinha amarela.

E era onde teria ficado se Zoe não tivesse ligado de Cambridge para ela naquela noite de outubro.

A ligação de Zoe, depois da sessão com o grupo de segunda-feira à noite — foi assim que isso começou.

Foi assim que o pesadelo começou.

2

O grupo de segunda-feira à noite se reunia na sala da casa de Mariana.

Era uma sala espaçosa. Passou a ser utilizada para as sessões de terapia logo depois que Mariana e Sebastian se mudaram para lá.

Eles gostavam muito da casa. Ficava no sopé de Primrose Hill, na zona noroeste de Londres, e era do mesmo tom de amarelo das prímulas que floresciam na encosta do morro durante o verão. Madressilvas escalavam uma das paredes externas, cobrindo-a de flores brancas de perfume adocicado, e, nos meses de verão, o aroma delas penetrava na casa pelas janelas abertas, subindo a escada e permanecendo por um tempo nos corredores e cômodos, enchendo-os de um cheiro doce.

Estava excepcionalmente quente naquela noite de segunda-feira. Apesar de ser começo de outubro, um veranico prevalecia, como o convidado persistente de uma festa se recusando a perceber nas folhas secas das árvores os sinais de que talvez fosse hora de ir embora. O sol de fim de tarde inundava a sala, banhando-a com uma luz dourada tingida de vermelho. Antes da sessão, Mariana fechou as persianas, mas deixou as janelas de guilhotina um pouco abertas, para o ar entrar.

Em seguida, dispôs as cadeiras num círculo.

Nove cadeiras. Uma para cada integrante do grupo e uma para Mariana. Na teoria, deviam ser idênticas — mas não era assim que a vida funcionava. Apesar de suas melhores intenções, ela havia acumulado, ao longo dos anos, uma variedade de cadeiras de materiais diferentes e de diversos formatos e tamanhos. Sua atitude blasé em relação às cadeiras talvez fosse característica de seu modo de conduzir os grupos. Mariana era informal, até incomum, em sua abordagem.

Terapia, principalmente terapia em grupo, foi uma escolha profissional irônica para Mariana. Desde pequena ela nutria sentimentos contraditórios — e até uma certa desconfiança — em relação a grupos.

Mariana havia sido criada na Grécia, nos arredores de Atenas. Morava com a família numa grande casa velha, caindo aos pedaços, no topo de um monte coberto por um tapete preto e verde de oliveiras. Quando criança, Mariana se sentava no balanço enferrujado no jardim e contemplava abaixo dela a cidade antiga, que se estendia até as colunas do Partenon, no topo de outro monte a distância. Era tão vasta, parecia não ter fim; ela se sentia tão pequena e insignificante, o que interpretava como mau augúrio.

Acompanhar a mulher que trabalhava na casa deles na ida às compras no mercado movimentado e repleto de gente, no centro de Atenas, sempre deixava Mariana nervosa. E se sentia aliviada, e um tanto perplexa, por voltar ilesa para casa. Grupos grandes de pessoas continuaram a intimidá-la pelo resto da vida. Na escola, ela se sentia deslocada, incompatível com os colegas de turma. E era difícil se livrar desse sentimento de inadequação. Anos depois, na terapia, ela entendeu que o pátio da escola era simplesmente um macrocosmo do núcleo familiar: o que significava que seu desconforto tinha menos a ver com o momento que vivia e com o local onde estava — menos a ver com o pátio da escola em si, ou com o mercado em Atenas, ou com qualquer outro grupo dentro do qual se visse de repente — e mais com a família na qual fora inserida e com a casa isolada onde vivera.

A casa deles era sempre fria, mesmo numa Grécia ensolarada. E havia um certo vazio nela — uma ausência de calor, físico e emocional. Isso se devia em grande parte ao pai de Mariana, que, apesar de ser um homem admirável em vários aspectos — bonito, forte, de mente afiada —, era também extremamente complexo. Mariana suspeitava de que ele havia sofrido danos irreparáveis na infância. Ela não chegou a conhecer os avós paternos, e ele raramente os mencionava. O pai dele era marinheiro, e, quanto menos fosse dito sobre a mãe, melhor. Ela trabalhava nas docas, contava ele, com uma expressão tão constrangida no rosto que Mariana concluiu que havia sido prostituta.

Seu pai foi criado nas favelas de Atenas e nos arredores do porto de Pireus — ainda criança, começou a trabalhar nos navios e logo se envolveu no comércio e na importação de café, trigo e — Mariana imaginava — outros itens menos palatáveis. Quando completou 25 anos, comprou o próprio barco e, a partir disso, montou seu negócio de transporte marítimo de carga. Com muito suor, sangue e frieza, criou um pequeno império para si.

Era um pouco como um rei, pensava Mariana — ou ditador. Só mais tarde ela descobriu que era riquíssimo. Não que se pudesse notar, pelo jeito austero e espartano como viviam. Talvez a mãe — sua mãe inglesa, gentil e delicada — pudesse tê-lo amansado se tivesse vivido mais tempo. Mas morreu tragicamente jovem, assim que Mariana nasceu.

Mariana cresceu bastante consciente dessa perda. Sendo terapeuta, ela sabia que o primeiro senso de identidade de um bebê vem do olhar dos pais. Nascemos sendo observados — as expressões faciais dos nossos pais, o que vemos refletido no espelho dos olhos deles, determinam a maneira como nos vemos. Mariana havia perdido o olhar da mãe — e seu pai, bem, ele tinha dificuldade de encará-la. Costumava olhar por cima do ombro de Mariana quando se dirigia a ela. Mariana procurava ajustar e reajustar sua posição, dando um passo ao lado, colocando-se no campo de visão do pai, esperando ser vista — mas, de algum modo, sempre permanecia na visão periférica dele.

Nas raras ocasiões em que olhou bem dentro dos olhos dele, encontrou tanto desdém, tanta decepção. Os olhos do pai lhe diziam a verdade: ela não era boa o suficiente. Por mais que tentasse, Mariana tinha sempre a sensação de que ficava aquém das expectativas dele, conseguindo fazer ou dizer a coisa errada — ela parecia irritá-lo só por existir. Ele discordava dela o tempo todo, fosse no que fosse, sendo um Petruchio para sua Catarina — se ela dissesse que fazia frio, ele afirmava que fazia calor; se ela dissesse que o dia estava ensolarado, ele insistia em que estava chuvoso. Mas, apesar das críticas e da atitude contestadora do pai, Mariana o amava. Ele era tudo que ela possuía, e ela ansiava ser digna do seu amor.

Houve pouquíssimo amor em sua infância. Mariana tinha uma irmã mais velha, mas não eram muito íntimas. Elisa tinha sete anos a mais e não demonstrava o menor interesse pela tímida irmã caçula. E, assim, Mariana passava os longos meses de verão solitária, brincando sozinha no jardim sob o olhar austero da mulher que trabalhava na casa deles. Então, não é de admirar que tenha crescido um pouco isolada e desconfortável diante de outras pessoas.

A ironia de Mariana ter se tornado terapeuta de grupo não lhe passava despercebida. Mas, paradoxalmente, essa ambivalência com relação aos outros lhe serviu muito bem. Na terapia em grupo, o grupo, não o indivíduo, é o foco do tratamento: ser terapeuta de grupo significa — até certo ponto — ser invisível.

Mariana era boa nisso.

Em suas sessões, sempre que possível, se mantinha fora dos debates do grupo. Interferia apenas quando o assunto morria, ou quando parecia útil fazer uma interpretação, ou quando algo dava errado.

Nessa segunda-feira, o pomo da discórdia surgiu quase que instantaneamente, exigindo uma rara intervenção. O problema — como de costume — foi Henry.

3

Henry foi o último a chegar. Estava ofegante, com o rosto vermelho, e parecia ligeiramente trôpego. Mariana se perguntou se estaria chapado. Não seria surpresa para ela. Suspeitava de que Henry estivesse exagerando nas doses de remédios — mas, sendo sua terapeuta, e não sua médica, não havia muito o que pudesse fazer a respeito.

Henry Booth tinha apenas 35 anos, mas parecia mais velho. O cabelo ruivo era salpicado de fios grisalhos, e o rosto, cheio de rugas, como a camisa amarrotada que usava. Sua testa estava sempre franzida, dando a impressão de viver sob permanente tensão, como uma mola de compressão. Mariana associava a figura dele à de um boxeador, ou lutador, preparando-se para desferir — ou receber — o próximo golpe.

Henry murmurou uma desculpa pelo atraso e se sentou — segurando um copo descartável de café.

E o copo de café foi o problema.

Liz logo se manifestou. Liz tinha setenta e poucos anos, era professora aposentada; uma defensora ferrenha do "apropriadamente correto", segundo ela mesma dizia. Mariana a considerava um tanto cansativa, irritante até. E tinha adivinhado o que Liz estava prestes a dizer.

— Isso não é permitido — disse Liz, apontando o dedo para o copo de café de Henry e tremendo de indignação. — Não temos permissão para trazer nada de fora. Nós todos sabemos disso.

Henry resmungou.

— Por que não?

— Porque regras são regras, Henry.

— Vai se foder, Liz.

— O quê? Mariana, você ouviu o que ele me disse?

Liz caiu imediatamente no choro, e daí em diante tudo descambou — terminando em mais um confronto acalorado entre Henry e os outros integrantes do grupo, todos unidos na fúria contra ele.

Mariana acompanhava com atenção, mantendo um olhar protetor sobre Henry, para ver suas reações. Apesar de toda a valentia, era um indivíduo extremamente vulnerável. Na infância, tinha sofrido terríveis maus-tratos e abuso sexual nas mãos do pai até ser resgatado por uma assistente social e ficar pulando de um lar adotivo para outro. Mesmo assim, apesar de todo esse trauma, Henry era uma pessoa incrivelmente inteligente — e, durante algum tempo, tinha parecido que sua inteligência poderia ser suficiente para salvá-lo: aos 18 anos, entrou para a faculdade de física. Porém, em poucas semanas, o passado chegou para cobrar seu preço; Henry teve um colapso nervoso de grandes proporções — e nunca mais se recuperou totalmente. O que se seguiu foi uma triste história de automutilação, dependência química e colapsos nervosos recorrentes, levando-o a repetidas internações hospitalares — até seu psiquiatra o encaminhar para Mariana.

Mariana tinha um carinho especial por Henry, talvez por conta de sua vida desafortunada. Mas, mesmo assim, ficou na dúvida na hora de incorporá-lo ao grupo. A questão não era a saúde mental em pior estado que a dos demais integrantes: indivíduos seriamente afetados podiam se manter nos grupos e ser curados com bastante eficiência — mas também podiam causar uma perturbação na ordem a ponto de levar os grupos à sua desintegração. Assim que qualquer grupo se estabelece, inveja e agressividade são suscitadas — e não apenas por forças externas, dos excluídos do grupo, mas também de forças negativas e perigosas *dentro* do próprio grupo. E, desde que havia se juntado a eles, poucos meses atrás, Henry tinha sido uma fonte constante de conflitos. Ele os trazia a tiracolo. Havia em Henry uma agressividade latente, uma raiva fervilhante, quase sempre difícil de conter.

Mas Mariana não desistia facilmente; enquanto conseguisse manter o controle do grupo, estava determinada a trabalhar com Henry. Ela acreditava no grupo, nesses oito indivíduos sentados em círculo — confiava no círculo, em seu poder de cura. Em seus momentos mais excêntricos, Mariana podia ser bastante mística em relação ao poder dos círculos: o círculo no Sol, na Lua, na Terra; os planetas girando no céu; o círculo de uma roda; o domo de uma igreja — ou uma aliança de casamento. Platão dizia que a alma era um círculo — o que para Mariana fazia sentido. A vida também era um círculo, não era? — do nascimento à morte.

E, quando a terapia em grupo funcionava bem, um tipo de milagre ocorria dentro desse círculo — o nascimento de uma entidade à parte: um espírito de grupo, uma mente de grupo; uma "grande mente", mais que a soma das partes; mais inteligente que a terapeuta ou que os integrantes considerados separadamente. Era sábia, curadora e contentora. Mariana tinha sido testemunha ocular de seu poder em diversas ocasiões. Em sua sala de estar, ao longo dos anos, muitos fantasmas tinham sido evocados nesse círculo e, em seguida, enviados para o descanso eterno.

Hoje era a vez do fantasma de Liz. Ela simplesmente não deixava para lá o copo de café. Ele despertou nela tanta raiva e ressentimento — o fato de Henry pensar que as regras não se aplicavam a ele, que poderia infringi-las com tanto desdém; e então Liz se deu conta, de repente, de como Henry lhe lembrava o irmão mais velho, que tinha sido tão mimado e tirânico. Toda a raiva reprimida de Liz voltada ao irmão começou a aflorar, o que era bom, pensou Mariana — precisava aflorar. Contanto que Henry conseguisse aguentar ser usado como saco de pancada psicológico.

O que, é óbvio, ele não conseguia.

De repente, Henry levantou num salto, dando um grito angustiante. Atirou o copo de café no chão. Foi copo para um lado e tampa para o outro, no meio do círculo — e uma poça de café se espalhou pelas tábuas do assoalho.

Imediatamente, os demais integrantes do grupo soltaram o verbo, histéricos em sua indignação. Liz caiu no choro outra vez, e Henry fez menção de se retirar. Mas Mariana o persuadiu a ficar e falar sobre o que havia acontecido.

— É só a porra de um copo de café, qual é o problema? — disse Henry, parecendo uma criança inconformada.

— A questão não é o copo de café — disse Mariana. — A questão são os limites, os limites deste grupo, as regras que seguimos aqui. Já falamos sobre isso antes. Não podemos participar de terapia se nos sentimos inseguros. Limites nos dão segurança. Os limites são o objeto da terapia.

Henry lhe dirigiu um olhar inexpressivo. Mariana sabia que ele não entendia. Limite, por princípio, é a primeira coisa que uma criança perde quando sofre maus-tratos e abuso sexual. Todos os limites de Henry foram destroçados na infância. Consequentemente, ele não compreendia esse conceito. Nem tinha noção de quando deixava alguém desconfortável, como normalmente acontecia, ao invadir o espaço pessoal ou psicológico desse alguém — ficava próximo demais quando falava com os outros e demonstrava um nível de carência que Mariana jamais observara em outro paciente. Nada lhe bastava. Ele teria se mudado para a casa dela se Mariana tivesse permitido. Dependia dela demarcar a fronteira entre eles: definir os parâmetros do relacionamento deles de um modo saudável. Era sua função como terapeuta.

Mas Henry sempre a pressionava, importunava, tentava irritá-la... e de jeitos que, para ela, ficavam cada vez mais difíceis de administrar.

4

Mais tarde, depois que os outros foram embora, Henry ficou fazendo hora — aparentemente para ajudar a arrumar a bagunça. Mas Mariana sabia que não era só isso; era sempre assim com Henry. Ele rondava ali, em silêncio, observando-a. Ela tentou encorajá-lo.

— Vamos lá, Henry. Hora de ir embora... Você está precisando de alguma coisa?

Henry fez que sim com a cabeça, mas não falou nada. Então pôs a mão no bolso.

— Aqui — disse ele. — Eu te trouxe uma coisa.

E tirou do bolso um anel. Uma bugiganga de plástico, de um vermelho berrante. Parecia um desses brindes que vêm em caixas de cereal.

— É pra você. Um presente.

Mariana fez que não com a cabeça.

— Você sabe que eu não posso aceitar isso.

— Por que não?

— Você precisa parar de me trazer coisas, Henry. Entendeu? Está realmente na hora de você ir para casa.

Mas ele não saiu do lugar. Mariana pensou por um instante. Não tinha planejado confrontá-lo dessa maneira, não agora — mas de repente pareceu o certo a fazer.

— Escuta aqui, Henry — disse ela. — A gente precisa conversar sobre uma coisa.

— O quê?

— Na quinta-feira à noite, depois que a sessão do meu grupo da noite terminou, eu olhei pela janela. E vi você lá fora. Do outro lado da rua, perto do poste de luz. Vigiando a casa.

— Não era eu, cara.

— Era, sim. Eu te reconheci. E não foi a primeira vez que te vi lá.

Henry ruborizou e desviou o olhar. Fez que não com a cabeça.

— Não era eu, não...

— Olha. É natural que você fique curioso em relação aos outros grupos que eu oriento. Mas isso é assunto para conversarmos *aqui*, no grupo. Não está certo se comportar assim. Não está certo me espionar. Esse tipo de atitude me faz sentir invadida, e ameaçada, e...

— Eu não estou espionando! Eu estava lá fora, e só. Qual é a porra do problema?

— Então você admite que esteve lá?

Henry deu um passo à frente.

— Por que não pode ser só você e eu? Por que você não pode me atender, sem *eles*?

— Você sabe por quê. Porque eu te vejo como parte de um grupo... Não posso te atender individualmente também. Se você precisa de terapia individual, posso recomendar um colega...

— Não, eu quero *você*...

Henry fez outro movimento brusco em direção a ela. Mariana se manteve firme no lugar. Ergueu a mão.

— Não. Para aí. Ouviu? Isso já é perto demais. Henry...

— Peraí. Escuta...

Antes que ela pudesse impedi-lo, Henry levantou o suéter preto e grosso — e lá, em seu torso branco e sem pelos, jazia uma visão terrível.

Uma lâmina de barbear tinha sido usada, e cruzes profundas foram entalhadas na pele dele. Cruzes vermelho-sangue, de tamanhos diferentes, marcadas no tórax e no abdome. Algumas cruzes ainda estavam frescas, ainda sangrando, pingando sangue; outras exibiam casquinhas, vertendo contas vermelhas endurecidas — como lágrimas de sangue coagulado.

Mariana sentiu o estômago revirar. Ficou nauseada de tanta repulsa e quis desviar o olhar, mas não se permitiria fazer isso. Aquilo era um grito de socorro, óbvio que era, uma tentativa de obter cuidados — porém, mais que isso, era também uma agressão emocional, um ataque psicológico a seus sentidos. Henry finalmente tinha conseguido transpor as defesas de Mariana e atingi-la, e ela o odiava por isso.

— O que você fez, Henry?

— Eu... Eu... não consegui me controlar. Tive que fazer isso. E você... tinha que ver.

— E, agora que eu vi, como acha que estou me sentindo? Pode imaginar como estou transtornada? Eu quero te ajudar, mas...

— Mas o quê? — Ele riu. — O que te impede?

— A hora certa para eu te dar apoio é durante a sessão em grupo. Você teve uma oportunidade hoje, mas não aproveitou. Todos poderíamos ter ajudado. Estamos todos aqui para te ajudar...

— Eu não quero a ajuda *deles*... Quero *você*. Mariana, eu preciso de você...

Mariana sabia que deveria fazer com que ele fosse embora. Não cabia a ela limpar aqueles ferimentos. Ele precisava de cuidados médicos. Ela deveria ser firme, para o bem dele e para seu próprio bem. Mas não teve coragem de expulsá-lo, e, não pela primeira vez, a empatia de Mariana prevaleceu sobre seu bom senso.

— Espera... Só um segundo.

Ela foi até a cômoda, abriu uma gaveta e vasculhou-a. Retirou dela um kit de primeiros socorros. Estava prestes a abri-lo quando o telefone tocou.

Verificou o número. Era Zoe. Ela atendeu.

— Zoe?

— Você está podendo falar? É importante.

— Me dá um minuto. Já ligo de volta.

Mariana desligou e se virou para Henry. Empurrou o kit de primeiros socorros para ele.

— Henry, pode levar. Limpa isso aí. Vai ver seu médico, se for preciso. Ok? Te ligo amanhã.

— Simples assim? E você ainda se considera a porra de uma terapeuta?

— Já chega. Para. Você tem que ir embora.

Ignorando os protestos dele, Mariana conduziu Henry com firmeza até o hall de entrada. Fechou a porta assim que ele saiu. Teve o impulso de trancá-la, mas resistiu.

Então foi até a cozinha. Abriu a geladeira e pegou uma garrafa de sauvignon blanc.

Estava bem abalada. Precisava botar a cabeça no lugar antes de ligar para Zoe. Não queria ser um fardo maior do que já era para aquela menina. O relacionamento delas tinha se desequilibrado desde a morte de Sebastian — e Mariana estava determinada a restabelecer o equilíbrio. Respirou fundo para se acalmar. Em seguida, encheu uma taça de vinho e fez a ligação.

Zoe atendeu o telefone ao primeiro toque.

— Mariana?

Mariana soube de imediato que algo estava errado. Havia uma tensão na voz de Zoe, uma urgência que Mariana associava a momentos de crise. *Ela parece estar com medo*, pensou. Sentiu o coração bater um pouco mais rápido.

— Querida, tudo... tudo bem? O que aconteceu?

Um segundo se passou até Zoe responder. Ela falou baixinho.

— Liga a televisão — disse ela. — Liga no noticiário.

5

Mariana pegou o controle remoto.

Ligou a televisão portátil velha de guerra, apoiada no micro-ondas — um dos bens sagrados de Sebastian, comprada quando ele ainda era estudante, e na qual ele assistia a críquete e rúgbi enquanto fingia ajudar Mariana a preparar as refeições nos fins de semana. Era um tanto temperamental, e ficou piscando por um instante antes de voltar à vida.

Mariana sintonizou na BBC. Um jornalista de meia-idade narrava a reportagem. Estava ao ar livre; já escurecia e era difícil ver o local exato — um campo, talvez, ou um prado. Ele falava diretamente para a câmera.

— ...e foi encontrado em Cambridge, na reserva natural conhecida como Paradise. Estou aqui com a pessoa que fez a descoberta... O senhor pode me dizer o que aconteceu?

A pergunta foi feita a alguém fora do quadro — então a câmera girou até um homem baixo, nervoso, o rosto vermelho, com uns sessenta e poucos anos. Ele piscava sob o efeito da luz da câmera, parecendo ofuscado. Falava de modo hesitante.

— Foi algumas horas atrás... Eu sempre levo meu cachorro para passear às quatro, então deve ter sido por aí... Talvez às quatro e quinze, quatro e vinte. Ando com ele margeando o rio, seguindo a trilha... Estávamos atravessando o Paradise... e...

Ele titubeou e não completou a frase. Tentou novamente.

— Foi o cachorro... Ele desapareceu na relva alta, junto da água. Não veio quando chamei. Pensei que tivesse achado um pássaro, uma raposa ou coisa assim... Então fui até lá dar uma olhada. Andei no meio das árvores... até a beira do pântano, perto da água... E era lá que estava...

O olhar do homem adquiriu uma aparência estranha. Um olhar que Mariana conhecia muito bem. *Ele viu algo terrível*, pensou ela. *Não quero ouvir. Não quero saber o que é.*

O homem continuou, implacavelmente, agora mais rápido, como se precisasse botar tudo para fora.

— Era uma menina... Não devia ter mais que vinte anos. Tinha cabelo comprido, ruivo. Pelo menos, acho que era ruivo. Tinha sangue por todo lado, tanto sangue...

Ele ficou reticente, e o jornalista o instigou.

— Ela estava morta?

— Positivo. — O homem fez que sim com a cabeça. — Tinha sido esfaqueada. Várias vezes. E... o rosto dela... Meu Deus, era horrível... Os olhos dela... Os olhos estavam abertos... arregalados... arregalados...

Ele parou de falar, e seus olhos se encheram de lágrimas. *Está em choque*, pensou Mariana. *Não deveria continuar sendo entrevistado, alguém tem que parar isso.*

Como seria de esperar, naquele momento — talvez se dando conta de que tinha ido longe demais —, o jornalista interrompeu a entrevista e a câmera girou de volta para ele.

— Notícia de última hora aqui em Cambridge. Um corpo foi encontrado e a polícia investiga o caso. Acredita-se que a vítima esfaqueada seja uma jovem de vinte e poucos anos...

Mariana desligou a televisão. Olhou fixamente para o aparelho por um segundo, atordoada, incapaz de se mover. Então se lembrou do telefone em sua mão. Levou-o até a orelha.

— Zoe? Você ainda está aí?

— Eu... Eu acho que é a Tara.

— O quê?

Tara era uma grande amiga de Zoe na faculdade. Estavam no mesmo ano no Saint Christopher's College, da Universidade de

Cambridge. Mariana hesitou, tentando não deixar transparecer na voz sua aflição.

— Por que você diz isso?

— Deve ser ela... Ninguém viu a Tara... desde ontem... Já andei perguntando a todo mundo, e eu... eu estou com tanto medo, não sei o que...

— Calma. Quando foi que você viu a Tara pela última vez?

— Ontem à noite. — Zoe fez uma pausa. — E, Mariana, ela... ela estava tão esquisita, eu...

— Esquisita como?

— Ela disse umas coisas... umas coisas sem pé nem cabeça.

— Como assim "sem pé nem cabeça"?

Houve uma pausa, e Zoe respondeu num sussurro.

— Não posso explicar agora. Mas você pode vir até aqui?

— Com certeza. Mas, Zoe, só uma coisa. Você já entrou em contato com a faculdade? Precisa contar a eles... Precisa contar ao diretor.

— Eu não sei o que dizer.

— Diga para eles o que acabou de me contar. Que você está preocupada com ela. Eles vão entrar em contato com a polícia e com os pais da Tara...

— Os pais dela? Mas... e se eu estiver errada?

— Tenho certeza de que você *está* errada — disse Mariana, com mais confiança na voz do que realmente sentia. — Tenho certeza de que a Tara está bem, mas precisamos nos certificar. Você entende, não entende? Quer que eu ligue para eles por você?

— Não, não, tudo bem... Eu ligo.

— Bom. Então vai dormir, ok? Amanhã cedo eu estarei aí.

— Obrigada, Mariana. Te amo.

— Também te amo.

Mariana desligou o telefone. O vinho branco que havia servido para si permanecia intocado na bancada. Pegou a taça e bebeu tudo de uma vez.

Sua mão tremia quando segurou a garrafa e se serviu de mais uma dose.

6

Mariana foi para o andar de cima e começou a arrumar uma bolsa pequena, caso tivesse que passar uma ou duas noites em Cambridge.

Tentava não se deixar levar pelos pensamentos, mas era difícil — estava muito aflita. Havia um homem solto por aí — era o que se supunha, que se tratasse de um homem, tamanha a violência do ataque —, cuja saúde mental estava perigosamente afetada, e que tinha assassinado brutalmente uma jovem... uma jovem que devia morar a poucos metros de onde sua querida Zoe dormia agora.

A possibilidade de a vítima ter sido Zoe era um pensamento que Mariana procurava ignorar, mas não conseguia reprimir por completo. Sentia um mal-estar movido por um tipo de medo que só sentira uma vez na vida — no dia em que Sebastian morreu. Um sentimento de impotência, uma fraqueza, uma terrível incapacidade de proteger aqueles a quem se ama.

Ela olhou para a mão direita. Não conseguia parar de tremer. Fechou-a em punho e apertou com força. Ela não permitiria que acontecesse — não podia desmoronar. Não agora. Ficaria calma. Manteria o foco.

Zoe precisava dela — era tudo o que importava.

Se pelo menos Sebastian estivesse ali; ele saberia o que fazer. Ele não ficaria pensando, procrastinando, arrumando uma bolsa para a viagem.

Teria pegado as chaves e saído porta afora assim que encerrasse a ligação com Zoe. É o que Sebastian teria feito. Por que ela não fez o mesmo?

Porque você é covarde, pensou.

A verdade era essa. Quem dera tivesse um pouco da força de Sebastian. Um pouco da coragem dele. *Vamos lá, amor*, conseguia ouvi-lo dizer, *me dá a sua mão e vamos juntos enfrentar esses desgraçados.*

Mariana foi para a cama e ficou lá deitada, pensando, enquanto pegava no sono. Pela primeira vez depois de mais de um ano, seus últimos pensamentos antes de adormecer não foram sobre seu falecido marido.

Em vez disso, ela se viu pensando em outro homem: uma figura obscura com uma faca que causou tanto horror àquela pobre menina. A mente de Mariana se concentrava nele enquanto suas pálpebras se agitavam e fechavam. Ela ficava se perguntando sobre esse homem. Tentava imaginar o que estaria fazendo naquele exato instante, onde estaria...

E no que estaria pensando.

7

7 de outubro

Quando se mata um ser humano, não tem volta.

Entendo isso agora.

Vejo que me tornei uma pessoa totalmente diferente.

É um pouco como renascer, acho. Mas não um nascimento comum — é uma metamorfose. O que surge das cinzas não é a fênix, mas uma criatura mais feia: deformada, incapaz de voar, um predador que usa as garras para cortar e dilacerar.

Eu me sinto sob controle agora, escrevendo isto. Num momento de calma e sanidade.

Mas há em mim mais de uma pessoa.

É só questão de tempo até meu outro eu surgir, com sede de sangue, tendo perdido a sanidade e buscando vingança. E não descansará até encontrá-la.

Sou duas pessoas dentro da mesma mente. Parte de mim guarda meus segredos — só essa parte conhece a verdade —, mas ela está presa, trancada, sedada, impedida de falar. Só encontra um jeito de escapar quando o carcereiro se distrai por um tempo. Quando me embebedo ou estou prestes a pegar no sono, essa parte tenta falar. Mas não é fácil. A comunicação vem aos trancos e barrancos — um plano de fuga codificado de um campo de prisioneiros de guerra. Quando chega muito perto, um guarda embaralha a mensagem. Um muro se ergue. Um vazio enche a minha mente. A lembrança que eu estava procurando evapora.

Mas vou perseverar. Devo perseverar. De algum modo encontrarei meu caminho através da fumaça e da escuridão, e vou entrar em contato com ele — o meu lado são. O lado que não quer ferir as pessoas. Há muita coisa que ele pode me dizer. Muita coisa que preciso saber. Como, e por quê, acabei assim — tão distante do que queria ser, com tanto ódio e mágoa, tanta perversidade por dentro...

Ou estarei mentindo para mim? Será que fui sempre assim e não quis admitir?

Não — acho que não.

Afinal, todo mundo tem o direito de ser o herói da própria história. Logo, tenho o direito de ser o herói da minha. Mesmo que não seja.

Eu sou o vilão.

8

Na manhã seguinte, ao sair de casa, Mariana pensou ter visto Henry.

Do outro lado da rua, se esgueirando atrás de uma árvore.

Mas, quando olhou para trás, ela não viu ninguém. Devia ser imaginação sua, concluiu — e, mesmo que não fosse, tinha coisas mais importantes com que se preocupar agora. Afastou Henry dos pensamentos e pegou o metrô até King's Cross.

Na estação, embarcou no trem expresso para Cambridge. O dia estava ensolarado, e o céu era de um azul perfeito, com apenas alguns fiapos de nuvens brancas. Sentou-se à janela, olhando para fora enquanto o trem passava por cercas vivas verdejantes e vastidões de trigo dourado ondulando ao vento, feito um mar amarelo em movimento.

Mariana se sentiu grata pelo sol batendo no rosto — estava tremendo, mas de ansiedade, não de frio. Não conseguia parar de se preocupar com o que tinha acontecido. Não tivera notícias de Zoe desde a noite anterior. Mariana havia mandado uma mensagem de texto para ela de manhã, mas ainda esperava uma resposta.

Talvez fosse alarme falso; talvez Zoe estivesse enganada?

Mariana esperava que sim — e não só porque conhecia Tara pessoalmente; eles a hospedaram durante um fim de semana em Londres, poucos meses antes de Sebastian morrer. Porém, por puro egoísmo, Mariana estava mais preocupada com Tara pelo bem de Zoe.

Zoe teve uma adolescência difícil por vários motivos, e conseguiu superá-los, mais que superá-los — "transcender triunfantemente", era como Sebastian definia —, culminando com a oferta de uma vaga no curso de literatura inglesa na Universidade de Cambridge. Tara foi a primeira amiga que Zoe fez por lá assim que chegou à faculdade, e perder Tara, pensou Mariana, em circunstâncias tão terríveis, poderia tirar Zoe do prumo por completo.

Por alguma razão, Mariana não parava de pensar na conversa que tinham tido ao telefone. Alguma coisa a incomodava.

Não sabia o quê, exatamente.

Foi o jeito de Zoe falar? Mariana teve a sensação de que Zoe estava omitindo alguma informação. Foi a leve hesitação, o tom evasivo, quando perguntou a Zoe que coisas "sem pé nem cabeça" Tara tinha dito?

Não posso explicar agora.

Por que não?

O que será que Tara disse a ela?

Talvez não seja nada, pensou Mariana. *Para — para com isso.* Faltava quase uma hora de viagem de trem; ela não podia ficar ali se levando à loucura. Estaria em frangalhos quando chegasse. Precisava se distrair.

Enfiou a mão na bolsa e puxou uma revista — a *British Journal of Psychiatry*. Folheou a publicação, mas não conseguiu se concentrar em nenhum dos artigos.

Sua mente inevitavelmente voltava a Sebastian. Pensar em retornar a Cambridge sem ele deixava Mariana apreensiva. Não voltava lá desde a morte dele.

Costumavam ir juntos para ver Zoe, e Mariana tinha boas lembranças daquelas visitas: lembrava-se do dia em que acompanharam Zoe quando ela se mudou para o Saint Christopher's College e a ajudaram a desfazer as malas e se acomodar. Foi um dos momentos mais felizes que passaram juntos, sentindo-se os pais orgulhosos da filhinha adotiva que tanto amavam.

Zoe parecera tão pequena e vulnerável enquanto se preparavam para deixá-la naquele dia, e, quando se despediram, Mariana viu Sebastian olhando para Zoe com tanto carinho, tanto amor, misturado com ansiedade, como se estivesse contemplando a própria filha, o que, de certo modo, ele estava. Depois que saíram do quarto de Zoe, não conseguiram ir logo embora de Cambridge, então andaram juntos à margem do rio, de braços dados, como costumavam fazer quando jovens. Porque ambos estudaram lá — e a Universidade de Cambridge, como a própria cidade, estava intrinsecamente ligada ao romance deles.

Foi onde se conheceram, quando Mariana tinha apenas 19 anos.

Aquele encontro foi por acaso. Não tinha por que acontecer — os dois eram de faculdades diferentes e faziam cursos diferentes: Sebastian estudava economia; Mariana, literatura inglesa. Era assustador, para ela, pensar que poderiam não ter se conhecido. O que teria acontecido? Como teria sido a vida? Melhor — ou pior?

Ultimamente, Mariana vinha vasculhando suas memórias — revirando o passado, tentando vê-lo com nitidez; tentando compreender e contextualizar a jornada que empreenderam juntos. Procurava se lembrar das pequenas coisas que fizeram, reconstituir conversas esquecidas, imaginar o que Sebastian teria dito ou feito a cada momento. Mas não tinha certeza do que havia de real nessas lembranças; quanto mais se lembrava, mais parecia que Sebastian estava se tornando um mito. Agora ele era todo espírito — todo história.

Mariana tinha 18 anos quando se mudou para a Inglaterra. Era um país que ela havia idealizado desde a infância. Talvez fosse inevitável, visto que sua mãe inglesa tinha deixado tanto do país para trás naquela casa em Atenas: estantes de livros e prateleiras em cada cômodo, uma pequena biblioteca entulhada de obras em inglês — romances, peças, poesia —, todas misteriosamente transportadas para lá antes de Mariana nascer.

Imaginava com carinho a chegada da mãe a Atenas — carregada de baús e malas cheias de livros em vez de roupas. E, na ausência da mãe, a menina solitária se voltava para os livros dela em busca de consolo e companhia. Durante as longas tardes de verão, Mariana aprendeu a gostar de sentir um livro nas mãos, do cheiro do papel, da sensação de virar a página. Ela se sentava no balanço enferrujado à sombra, mordia uma maçã verde crocante ou um pêssego maduro e se perdia numa história.

Por meio dessas histórias, Mariana se apaixonou por uma visão da Inglaterra e da "inglesidade" — uma Inglaterra que provavelmente nunca existiu fora das páginas desses livros: uma Inglaterra de chuva de verão morna e vegetação molhada e macieiras em flor; de rios sinuosos e salgueiros e pubs em zonas rurais com lareiras crepitantes. A Inglaterra dos 5 Famosos no Caso, de Peter Pan e Wendy, de rei Artur e Camelot, de *O morro dos Ventos Uivantes* e Jane Austen, de Shakespeare — e de Tennyson.

E foi ali que Sebastian entrou na história de Mariana, quando ela era uma menina. Como todos os heróis, ele marcou presença muito antes de surgir. Mariana ainda não sabia como ele era, esse herói romântico em sua mente, mas tinha certeza de que era real.

Estava em algum lugar — e um dia iria encontrá-lo.

E então, anos mais tarde, quando foi estudar em Cambridge, o lugar era tão bonito, tão onírico, que ela sentiu como se tivesse entrado num conto de fadas — numa cidade encantada de um poema de Tennyson. E Mariana teve certeza de que o encontraria lá, naquele lugar mágico. Encontraria o amor.

Mas a triste realidade, obviamente, foi que Cambridge não era um conto de fadas; era só um lugar, como outro qualquer. E o problema da "viagem" de Mariana — como descobriu anos depois na terapia — foi ela ter se levado junto. Na escola, quando criança, lutando para se adaptar, vagava pelos corredores nos intervalos, sozinha e desassossegada feito um fantasma — gravitando em direção à biblioteca, onde encontrava refúgio e se sentia à vontade. E depois, como aluna do Saint Christopher's College, o mesmo padrão se repetiu: Mariana passava a maior parte do tempo na biblioteca, fazendo poucas amizades com alunos igualmente tímidos e estudiosos. Nenhum rapaz da turma se interessava por ela, nem a convidavam para sair.

Talvez não fosse atraente o suficiente? Ela se parecia mais com o pai que com a mãe, com seus cabelos e olhos pretos. Anos depois Sebastian dizia com frequência a Mariana o quão bonita ela era, mas o problema é que ela jamais se sentiu assim. E desconfiava de que, se *era* bonita, isso se devia a Sebastian: aquecida pelo calor do raio de sol dele, ela desabrochou como uma flor. Mas isso foi mais tarde — no começo, na adolescência, Mariana tinha pouquíssima confiança em sua aparência, e o fato de sua visão ser ruim não ajudava, forçando-a a usar óculos feios de lentes grossas desde os 10 anos. Aos 15 anos ela se adaptou às lentes de contato, e se perguntava se isso mudaria sua aparência e faria com que se sentisse diferente. Ficava diante do espelho, examinando o reflexo — tentando, sem sucesso, se ver direito, e jamais satisfeita com o que via. Mesmo naquela idade Mariana tinha alguma noção de que ser atraente tinha algo a ver com o mundo interior: com uma confiança intrínseca que lhe faltava.

No entanto, assim como os personagens ficcionais que ela adorava, Mariana acreditava no amor. Apesar dos dois primeiros períodos pouco promissores na faculdade, ela se recusava a perder a esperança.

Como a Cinderela, ela esperou pelo baile.

O baile do Saint Christopher's College acontecia nos Backs — faixas de gramado que se estendiam até a beira da água. Tendas eram montadas, repletas de comida, bebida, música e dança. Mariana havia combinado de se encontrar com alguns amigos, mas não conseguiu encontrá-los na multidão. Precisara de toda a sua coragem para ir sozinha ao baile, e já estava arrependida. Ficou perto do rio, sentindo-se totalmente deslocada no meio daquelas meninas lindas de vestido de baile e dos rapazes em trajes formais, todos transbordando sofisticação e confiança. Seus sentimentos, percebeu Mariana, sua tristeza e sua timidez, eram incompatíveis com o clima festivo à sua volta. Ficar lá de lado — observando a vida da margem — era o seu lugar; foi um erro sequer pensar que seria diferente. Ela resolveu desistir e voltar para o quarto.

Mas, naquele instante, ouviu barulho de algo caindo na água.

Olhou ao redor. Houve mais barulho na água, além de sons de risadas e gritos. Perto de onde estava, no rio, alguns rapazes se divertiam em barcos a remo e em canoas — e um deles perdeu o equilíbrio e caiu.

Mariana viu o jovem se debatendo na água e depois vindo à tona. Nadou até a margem e saiu, emergindo como se fosse uma estranha criatura mitológica, um semideus nascido das águas. Tinha só 19 anos naquela época, mas parecia um homem, e não um menino. Era alto, musculoso, e estava encharcado; a camisa e a calça colando no corpo, os cabelos loiros grudados no rosto, cegando-o. Ergueu as mãos, afastou os cabelos, conseguiu enxergar — e viu Mariana.

Foi um instante estranho, atemporal — aquele primeiro instante em que se viram. O tempo pareceu desacelerar, achatar-se e se alongar.

Mariana ficou hipnotizada, presa pelo olhar dele, incapaz de desviar o rosto. Foi um sentimento estranho, como se reconhecesse alguém — alguém de quem tivesse sido íntima e não conseguisse precisar bem onde e quando perderam contato.

O jovem ignorou os chamados irreverentes dos amigos. E, com um sorriso peculiar e largo, dirigiu-se a ela.

— Oi — disse. — Eu sou o Sebastian.

E pronto.

"Estava escrito" é a expressão grega. O que significa simplesmente que, daquele momento em diante, o destino deles estava selado. Quando revisitava o passado, Mariana tentava recuperar os detalhes daquela primeira noite fatídica — sobre o que conversaram, por quanto tempo dançaram, quando se beijaram pela primeira vez. No entanto, por mais que tentasse, os detalhes lhe escapavam entre os dedos feito grãos de areia. Só se lembrava de que estavam se beijando quando o sol nasceu — e, depois disso, tornaram-se inseparáveis.

Passaram o primeiro verão juntos em Cambridge — três meses aconchegados nos braços um do outro, imperturbáveis pelo mundo exterior. O tempo parava nesse lugar atemporal; estava sempre ensolarado, e eles passavam dias fazendo amor; ou se embebedando nos longos piqueniques nos Backs; ou no rio, navegando sob pontes de pedra, vendo passar os salgueiros nas margens e as vacas pastando nos campos abertos. Sebastian conduzia a canoa da mesma forma que se conduz uma gôndola, de pé na popa, mergulhando a vara no leito do rio para impulsioná-la, enquanto Mariana, sob efeito do álcool, deixava correr os dedos na água, encarando os cisnes que ficavam para trás. Embora não soubesse, Mariana já estava tão apaixonada que não tinha para onde fugir.

De certo modo, um se tornou o outro — fundiram-se, como mercúrio.

Isso não quer dizer que não tivessem lá suas diferenças. Em contraste com a criação privilegiada de Mariana, Sebastian cresceu sem dinheiro. Os pais dele eram divorciados, e ele não tinha uma boa relação com nenhum dos dois. Sua sensação era de que eles não haviam lhe proporcionado um bom começo de vida e que, desde o início, teve de trilhar o próprio caminho. De diversas formas, Sebastian dizia que se identificava com o pai de Mariana, com o ímpeto dele em vencer na vida. Dinheiro era importante para Sebastian também, porque, ao contrário de Mariana, ele crescera sem nenhum e aprendera a respeitá-lo; e estava determinado a ter uma vida confortável na cidade "para que a gente possa garantir um futuro seguro para nós dois — e para os nossos filhos".

Essas foram suas palavras quando ele tinha apenas 20 anos: tão maduro. E tão ingênuo em presumir que passariam o resto da vida juntos. Naquela época eles viviam no futuro, fazendo planos sem parar — e jamais falavam do passado e dos anos infelizes que antecederam o seu encontro. De diversas maneiras, a vida de Mariana e Sebastian começou mesmo quando eles se encontraram — naquele momento em que se viram pela primeira vez à margem do rio. Mariana acreditava que o amor deles duraria para sempre, que jamais terminaria...

Pensando bem, havia algo de sacrílego naquela suposição? Talvez uma húbris grega: um misto de confiança excessiva, presunção, arrogância e insolência?

Talvez.

Pois aqui estava ela, sozinha nesse trem, na viagem que fizeram juntos inúmeras vezes, em várias fases da vida e com diferentes estados de espírito — em sua maior parte felizes, às vezes não —, conversando ou não, lendo ou dormindo, a cabeça de Mariana recostada no ombro de Sebastian. Esses eram os momentos corriqueiros, mundanos, que ela daria tudo para ter de novo.

Quase conseguia imaginá-lo ali — no vagão, sentado ao seu lado — e, ao olhar de relance pela janela, uma parte sua esperava ver o rosto de Sebastian refletido no vidro, ao seu lado, sobrepondo-se à paisagem em movimento.

Mas, em vez disso, Mariana viu um rosto diferente.

O de um homem, que a encarava.

Ela piscou, um tanto alarmada. Virou a cara para olhar para ele. O homem estava sentado à sua frente, comendo uma maçã. Ele sorriu.

9

O homem continuou encarando Mariana — embora chamá-lo de homem fosse, concluiu, um tanto generoso de sua parte.

Parecia mal ter chegado aos 20 anos: tinha um rosto de menino, cabelos castanhos e encaracolados e sardas salpicadas no rosto imberbe que o deixava com uma aparência ainda mais jovem.

Era alto e magro feito um ancinho, e usava um paletó escuro de veludo cotelê, camisa branca amarrotada e o cachecol azul, vermelho e branco da faculdade. Os olhos castanhos, parcialmente mascarados pelos óculos antiquados de armação de metal, exibiam inteligência e curiosidade e contemplavam Mariana com evidente interesse.

— Tudo bem? — disse ele.

Mariana ficou olhando para o rapaz, um tanto confusa.

— A gente... se conhece?

Ele sorriu.

— Ainda não. Mas é o que eu espero que aconteça.

Mariana não falou nada. Virou-se para o outro lado. Houve uma pausa. Então ele tentou de novo.

— Quer uma?

E ergueu uma sacola grande de papel pardo, repleta de frutas — uvas, bananas e maçãs.

— Pode pegar — disse, oferecendo a Mariana. — Pega uma banana.

Mariana sorriu educadamente. A voz dele era agradável, pensou. Ela meneou a cabeça.

— Não, obrigada.

— Tem certeza?

— Absoluta.

Mariana se virou e olhou para fora, esperando encerrar a interação. Conseguia vê-lo refletido na janela, e o observou dar de ombros, frustrado. Aparentemente, ele não tinha muito controle das pernas e dos braços compridos — e acabou derrubando seu copo e derramando seu conteúdo. Um pouco do chá caiu na mesa, mas a maior parte acabou em seu colo.

— Que inferno!

Ele se levantou de um pulo, puxando um lenço de papel do bolso. Enxugou a poça de chá na mesa e deu batidinhas com o lenço de papel na mancha da calça. Lançou para ela um olhar desconsolado.

— Foi mal. Eu não molhei você, molhei?

— Não.

— Que bom.

Sentou-se de novo. Mariana sentia o olhar dele em cima dela. Passado um instante, ele voltou a falar.

— Você é... aluna?

Mariana fez que não com a cabeça.

— Não.

— Ah. Trabalha em Cambridge?

Mariana repetiu o gesto.

— Não.

— Então é... turista?

— Não.

— Humm. — Ele franziu a testa, evidentemente intrigado.

Houve uma pausa. Mariana cedeu.

— Vou visitar alguém... Minha sobrinha.

— Ah, você é uma *tia*.

Ele pareceu aliviado por ter enquadrado Mariana em uma categoria. Sorriu.

— Estou fazendo doutorado — disse ele, dando a informação de livre e espontânea vontade, já que não pareceu que Mariana iria perguntar. — Sou matemático... Quer dizer, físico teórico, na verdade.

Fez uma pausa, tirando os óculos para limpá-los com um lenço de papel. Parecia meio nu sem eles. E, pela primeira vez, Mariana viu que era bonito; ou seria, quando o rosto amadurecesse um pouco.

Ele recolocou os óculos e olhou para ela.

— Eu me chamo Frederick, a propósito. Ou Fred. E você?

Mariana não queria dizer seu nome a Fred. Provavelmente porque tinha a sensação — lisonjeira, mas também irritante — de que ele estava tentando dar em cima dela. Além do fato de ser muito jovem para ela, Mariana não estava pronta, jamais estaria — só o ato de pensar nisso já lhe parecia uma traição. Respondeu com educação, mas tensa.

— Meu nome... é Mariana.

— Ah, é um nome lindo.

Fred continuou falando, tentando envolvê-la numa conversa. Mas as respostas de Mariana se tornavam cada vez mais monossilábicas. Em silêncio, ela contava os minutos até que pudesse sair dali.

Quando chegaram a Cambridge, Mariana tentou escapulir e desaparecer no meio da multidão. Mas Fred a alcançou do lado de fora da estação.

— Posso acompanhar você até o centro? De ônibus, talvez.

— Prefiro ir a pé.

— Ótimo, estou com a bicicleta ali... Posso andar ao seu lado. Ou você pode ir na minha bicicleta, se preferir.

Ele olhou para ela esperançoso. Mariana não conseguiu evitar sentir pena dele. Mas, dessa vez, foi firme.

— Sabe... eu prefiro ficar sozinha, se não se importa.

— Claro... eu entendo. Quem sabe... um café mais tarde? Ou uma cerveja? Hoje à noite?

Mariana balançou a cabeça e fingiu olhar as horas no relógio.

— Não vou ficar tanto tempo assim aqui.

— Bem, talvez você possa me dar o seu número? — Ele ruborizou um pouco, e as sardas nas maçãs do rosto ficaram vermelhas. — Seria...?

Mariana balançou a cabeça negativamente.

— Acho que não...

— Não?

— Não. — Mariana desviou o olhar, sem jeito. — Foi mal, eu...

— Não precisa se desculpar. Isso não me desanima. A gente vai se encontrar de novo, logo, logo.

Algo no tom dele a deixou um pouco irritada.

— Acho que não.

— Ah, a gente vai, sim. Posso *prever*. Eu tenho esse dom, sabe... É mal de família... Previsões, premonições. Vejo coisas que os outros não veem.

Fred sorriu e pôs o pé na rua. Um ciclista deu uma guinada para não o atropelar.

— Cuidado — disse Mariana, tocando no braço dele.

O ciclista disse um palavrão ao passar por Fred.

— Foi mal — disse ele. — Sou meio desajeitado, acho.

— Só um pouquinho. — Mariana sorriu. — Tchau, Fred.

— Até mais ver, Mariana.

Ele se dirigiu à fileira de bicicletas. Mariana ficou observando enquanto ele montava na sua e partia, acenando para ela. Então Fred virou a esquina e desapareceu.

Mariana suspirou aliviada. E começou a andar em direção ao centro da cidade.

10

Enquanto se dirigia ao Saint Christopher's College, a ansiedade de Mariana em relação ao que iria encontrar aumentou.

Não fazia ideia do que esperar — a polícia poderia estar lá, ou a imprensa, o que pareceu improvável quando viu as ruas de Cambridge: não havia nem sinal de que alguma circunstância adversa havia ocorrido, nenhuma indicação de que houvera um assassinato.

Para quem chegava de Londres, parecia bem tranquilo até. Quase nenhum trânsito, o único som era o canto de pássaros, pontuado pelo coro de campainhas de bicicletas gorjeando quando os alunos passavam pedalando, vestidos com suas becas acadêmicas pretas, feito bandos de pássaros.

Enquanto andava, Mariana teve a impressão, uma ou duas vezes, de estar sendo vigiada — ou seguida — e se perguntou se seria Fred, que teria feito a volta com a bicicleta para segui-la, mas descartou esse pensamento, que lhe pareceu paranoico.

Mesmo assim, olhou para trás algumas vezes, para se certificar — e é lógico que não havia ninguém.

Aproximando-se da universidade, o entorno ficava mais bonito a cada passo: havia pináculos e torretas no topo das construções, e faias ladeando as ruas, soltando folhas amareladas que se acumulavam na calçada. Havia uma fileira de bicicletas pretas acorrentadas às grades de ferro forjado. E, acima das grades, floreiras de gerânios avivavam as paredes de tijolos vermelhos da universidade, salpicando-as de branco e rosa.

Mariana avistou um grupo de estudantes, provavelmente alunos do primeiro ano, lendo com atenção os pôsteres afixados nos gradis que anunciavam eventos da Semana dos Calouros.

Pareciam tão jovens, esses alunos, esses calouros — uns bebês. Será que ela e Sebastian alguma vez pareceram tão jovens? De certa forma, parecia impossível. Mais difícil ainda era imaginar algo ruim acontecendo com esses rostos inocentes, imaculados. Mesmo assim, ela se perguntava quantos deles teriam uma tragédia aguardando no futuro.

A mente de Mariana retornou àquela pobre menina assassinada no pântano — fosse quem fosse. Mesmo que não se tratasse da amiga de Zoe, Tara, seria a amiga de alguém, a filha de alguém. Isso é que era terrível. No fundo, todos esperamos que as tragédias só aconteçam com os outros. Mas Mariana sabia que, cedo ou tarde, ela acontecia com você.

A morte não era estranha a Mariana; tinha sido sua companheira de viagem desde criança — mantendo-se logo atrás dela, pairando sobre seu ombro. Às vezes sentia que havia sido amaldiçoada, como se por alguma deusa malévola de um mito grego, a perder todos que amava. Foi câncer que matou sua mãe quando Mariana ainda era bebê. Então, anos depois, um acidente de carro horrível levou a irmã de Mariana e o marido dela, deixando Zoe órfã. E um ataque cardíaco se abateu sobre seu pai no olival, deixando-o morto sobre uma cama de azeitonas esmagadas e viscosas.

E por fim — e de um jeito mais catastrófico — foi a vez de Sebastian.

Eles passaram tão poucos anos juntos, na verdade. Depois da formatura, os dois se mudaram para Londres, e Mariana deu início à jornada tortuosa que a levou a ser terapeuta de grupo, enquanto Sebastian trabalhava no centro financeiro. Mas ele tinha um espírito empreendedor obstinado e queria ter o próprio negócio. Então Mariana sugeriu que conversasse com o pai dela sobre isso.

Ela deveria ter imaginado o que iria acontecer — mas alimentava a esperança de que o pai fosse acolher Sebastian, introduzindo-o nos negócios da família, deixando que os herdasse, antes de passá-los, um dia, para os filhos. Isso foi o quão longe a imaginação de Mariana a levou —

mas sabia que não deveria mencionar nada disso ao pai, nem a Sebastian. No fim das contas, o primeiro encontro dos dois foi um fracasso — Sebastian viajou até Atenas na missão romântica de pedir a mão de Mariana em casamento —, e o pai dela antipatizou logo de cara com ele. Em vez de lhe oferecer um emprego, acusou Sebastian de estar dando o golpe do baú. Disse a Mariana que iria deserdá-la no dia em que se casasse com Sebastian.

A ironia foi que Sebastian acabou entrando no negócio de transporte marítimo — mas do outro lado do mercado em relação ao pai dela. Sebastian deu as costas para o setor comercial, preferindo montar um negócio para ajudar a transportar bens de primeira necessidade — alimentos e outros itens essenciais — para comunidades carentes e em situação de vulnerabilidade mundo afora. Ele era, em vários aspectos, a imagem espelhada do pai, Mariana achava. E isso era motivo constante de orgulho para ela.

Quando o velho problemático morreu, surpreendeu a todos mais uma vez. No fim, deixou tudo para Mariana. Uma fortuna. Sebastian ficara abismado com o fato de o pai dela, sendo tão abastado quanto era, ter vivido do jeito que viveu.

— Quer dizer, como um pobretão. Ele não aproveitou nada da vida. Essa riqueza toda pra quê?

Mariana precisara pensar um instante.

— Segurança — dissera. — Ele acreditava que esse dinheiro todo iria trazer alguma proteção. Acho que ele... tinha medo.

— Medo... de quê?

Mariana não tivera resposta para isso. Balançara a cabeça, sem saber o que dizer.

— Acho que nem ele sabia.

Apesar dessa herança, ela e Sebastian só se deram ao luxo de fazer uma única aquisição extravagante: compraram a casinha amarela no sopé de Primrose Hill, pela qual se apaixonaram à primeira vista. O restante do dinheiro foi reservado — por insistência de Sebastian — para o futuro e para seus filhos.

O assunto "filhos" era o único ponto sensível entre eles, uma ferida que Sebastian não deixava de cutucar de vez em quando, trazendo a questão à tona depois de beber um pouquinho além da conta ou durante um raro momento em que o desejo de ser pai batia forte demais. Ele queria filhos, desesperadamente — um menino e uma menina —, para completar a imagem de família que tinha na cabeça. E, mesmo Mariana também querendo filhos, ela preferia esperar. Queria terminar sua formação e abrir seu consultório de psicoterapia — o que poderia levar alguns anos, mas e daí? Eles tinham todo o tempo do mundo, não tinham?

Só que não — e esse era o único arrependimento de Mariana: ter sido tão arrogante, tão insensata, de tomar o futuro como certo.

Quando, aos trinta e poucos anos, ela concordou em começar a tentar, teve dificuldade em engravidar. Essa inesperada pedra no caminho a deixou ansiosa — o que, segundo o médico, não ajudaria em nada.

Dr. Beck era um homem mais velho com ar paternal, o que inspirava confiança em Mariana. Ele sugeriu que, antes de falarem em testes de fertilidade e possíveis tratamentos, ela e Sebastian tirassem férias, longe de qualquer tipo de estresse.

— Divirtam-se, descansem numa praia por umas duas semanas — disse Dr. Beck com uma piscadela. — Vejam o que acontece. Relaxem um pouco. Isso costuma fazer maravilhas.

Sebastian não se empolgou com a ideia — estava com muito trabalho e não queria deixar Londres. Mais tarde, Mariana descobriu que, naquele verão, ele estava sob uma pressão financeira enorme, pois vários de seus negócios não iam bem. Ele era muito orgulhoso para recorrer a ela quando se tratava de dinheiro — jamais lhe pedira um centavo emprestado. Ela ficou arrasada ao descobrir, depois de sua morte, que ele tinha carregado toda essa preocupação desnecessária em seus últimos meses de vida. Como pôde ela não ter notado? A verdade era que, naquele verão, ela estava egoistamente consumida por suas preocupações em ter um filho.

Então convenceu Sebastian a tirar duas semanas de folga em agosto, para irem à Grécia, à casa de veraneio da família de Mariana — uma propriedade no topo de um penhasco na ilha de Naxos.

Viajaram de avião para Atenas, e, então, do porto, pegaram a balsa para a ilha. Foi uma travessia auspiciosa, Mariana pensou — nenhuma nuvem no céu, e as águas estavam calmas e cristalinas.

No porto de Naxos, alugaram um carro e foram margeando o litoral até a casa. Ela havia pertencido ao pai de Mariana e, agora, tecnicamente, pertencia a Mariana e Sebastian — embora nunca a tivessem usado.

A casa estava empoeirada e caindo aos pedaços, mas a localização era deslumbrante, empoleirada num penhasco, de frente para o azul profundo do mar Egeu. Degraus tinham sido esculpidos na pedra, descendo a face do penhasco, levando até a praia. E lá, na beira do mar, por milhões de anos, inúmeros corais cor-de-rosa tinham se quebrado e se misturado aos grãos de areia, fazendo a praia refletir um tom rosado em contraste com o azul do céu e do mar.

Era idílico, pensou Mariana — e mágico. Já se sentia relaxada e, no íntimo, esperançosa de que Naxos pudesse fazer o pequeno milagre que se esperava da ilha.

Eles passaram os dois primeiros dias desanuviando e descansando na praia. Sebastian disse que, no fim das contas, se sentia satisfeito por terem ido até lá — pela primeira vez, em meses, estava conseguindo relaxar. Ficava deitado na arrebentação, lendo thrillers antigos na praia, um hábito da juventude, feliz e concentrado em *Os crimes ABC*, de Agatha Christie, enquanto Mariana, na faixa de areia, dormia sob o guarda-sol.

Então, no terceiro dia, Mariana sugeriu que subissem o monte de carro — para ver o templo.

Mariana se lembrava de quando era criança e visitava o antigo templo, andando ao redor das ruínas e atribuindo ao local toda a magia que lhe vinha à imaginação. Queria que Sebastian vivenciasse o mesmo. Então os dois prepararam um piquenique e partiram.

Seguiram pela velha estradinha sinuosa, que se estreitava cada vez mais à medida que se aproximavam da parte mais alta do monte, às vezes passando por trilhas de terra batida sujas de estrume de cabra.

E lá, no ponto mais alto, num platô, estavam as ruínas do templo.

O antigo templo grego era feito de mármore de Naxos, outrora brilhante, mas agora opaco e encardido e desgastado pela ação do tempo. Tudo o que restou, depois de três mil anos, foi um punhado de colunas quebradas cuja silhueta era emoldurada pelo céu azul.

O templo era dedicado a Deméter, deusa da colheita — deusa da vida — e à sua filha, Perséfone — deusa da morte. As duas divindades eram quase sempre adoradas juntas, dois lados da mesma moeda — mãe e filha, vida e morte. Em grego, Perséfone era conhecida simplesmente por *Kore*, que significa "filha" ou "donzela".

Era um lugar lindo para um piquenique. Eles estenderam a toalha azul à sombra de uma oliveira e retiraram o conteúdo da caixa térmica — uma garrafa de sauvignon blanc, uma melancia e nacos de queijo grego. Tinham esquecido a faca, então Sebastian bateu a melancia numa pedra como se fosse um crânio, abrindo-a ao meio. Comeram a polpa doce, cuspindo as sementes.

Sebastian lhe deu um beijo lambuzado.

— Te amo — sussurrou. — Até o infinito...

— ...e além — disse ela, retribuindo o beijo.

Depois do piquenique, foram explorar as ruínas. Mariana observou Sebastian subindo à frente, parecendo uma criança empolgada. E, enquanto olhava para ele, Mariana fez uma prece silenciosa para Deméter e também para Perséfone. Rezou por Sebastian e por ela — pela felicidade dos dois — e pelo amor deles.

Então, de repente, enquanto sussurrava essa prece, uma nuvem serpenteou na frente do sol — e por um instante o corpo de Sebastian foi lançado na escuridão, apenas a silhueta visível contra o céu azul. Mariana teve um calafrio e sentiu medo, sem saber por quê.

O momento passou tão rápido como surgiu. Num segundo, o sol reapareceu e Mariana tirou tudo aquilo da cabeça.

Mas se lembrou depois, obviamente.

Na manhã seguinte, Sebastian acordou com o alvorecer. Calçou os velhos tênis verdes e sussurrou para Mariana que ia correr na praia. Deu um beijo nela e saiu.

Mariana ficou na cama, meio acordada, meio dormindo, ciente da passagem do tempo — ouvindo o vento lá fora. O que começou como uma leve brisa ganhou força e velocidade, passando pelos galhos das oliveiras com um tipo de gemido, fazendo as árvores chocalharem nas janelas, lembrando dedos longos batendo impacientemente no vidro.

Mariana se perguntou por um instante quão altas as ondas estariam e se Sebastian tinha ido nadar, como sempre fazia depois de correr. Mas não estava preocupada. Ele era um nadador tão habilidoso, um homem tão forte. Era indestrutível, ela pensou.

O vento se intensificou ainda mais, vindo do mar em lufadas. E, mesmo assim, ele não voltou para casa.

Começando a ficar preocupada, mas tentando não ficar, Mariana saiu da casa.

Desceu os degraus na face do penhasco, segurando com firmeza na rocha enquanto descia, com medo de ser arrebatada por uma rajada.

Não havia nem sinal de Sebastian na praia. O vento revirava a areia rosada, lançando-a em seu rosto; ela precisou proteger os olhos enquanto fazia a busca. Também não conseguia vê-lo na água — tudo o que via eram ondas imensas e pretas, revolvendo o mar até o horizonte.

Ela gritou o nome dele.

— Sebastian! Sebastian! Seb...

Mas o vento arremessava as palavras de volta para o seu rosto. Ela sentia que começava a entrar em pânico. Não conseguia raciocinar, não com aquele vento assobiando em seus ouvidos — e, por trás dele, um coro interminável de cigarras, como hienas guinchando.

E, mais fraco ainda, bem distante, seria aquilo o som de uma risada? A risada fria, debochada, de uma deusa?

Não, para, para — ela precisava se concentrar, precisava encontrá-lo. Onde ele estava? Não poderia ter ido nadar, não com esse tempo. Ele não teria feito uma burrice dessas...

E então ela os viu.

Os tênis dele.

Os velhos tênis de corrida verdes, deixados lado a lado na areia... bem à beira da água.

A partir daí, tudo foi um borrão. Mariana entrou na água se debatendo, histérica, uivando como uma harpia — gritando, gritando...

E então... nada.

Três dias depois, o corpo de Sebastian foi lançado à praia.

11

Quase catorze meses tinham se passado desde então, desde a morte de Sebastian. Mas, em muitos aspectos, Mariana ainda estava lá, ainda presa na praia de Naxos, e ficaria assim para sempre.

Estava estagnada, paralisada — como Deméter estivera uma vez, quando Perséfone, sua filha querida, foi raptada por Hades, que a levou ao Mundo Inferior para ser sua noiva. Deméter sucumbiu, dominada pela tristeza. Recusava-se a sair de onde estava ou a ser transportada de lá. Simplesmente se sentou e chorou. E, ao redor, o mundo natural sofreu com Deméter: o verão virou inverno; o dia virou noite. A terra mergulhou no sofrimento da perda; ou, mais precisamente, em melancolia.

Mariana se identificava com isso. E agora, conforme se aproximava mais e mais do Saint Christopher's College, ela se viu andando com uma ansiedade crescente, já que as ruas familiares tornavam difícil impedir que as lembranças invadissem sua mente — fantasmas de Sebastian espreitavam em cada esquina. Ela mantinha a cabeça baixa, sem olhar para cima, feito um soldado tentando passar despercebido em território inimigo. Precisava manter a linha se quisesse ser útil para Zoe.

Era por isso que ela estava ali — por Zoe. Deus sabia que, se dependesse de Mariana, ela jamais teria retornado a Cambridge. E estava sendo mais difícil do que imaginava — mas faria isso por Zoe. Zoe era tudo o que lhe restava.

Mariana dobrou a esquina da King's Parade e entrou na rua de paralelepípedos irregulares que ela conhecia tão bem. Seguiu até um portão de madeira no fim da rua. Olhou para cima.

O portão do Saint Christopher's College tinha pelo menos o dobro de sua altura e ocupava uma parede de tijolos vermelhos coberta de hera. Ela se lembrava da primeira vez que tinha se aproximado desse portão — quando chegara da Grécia para a entrevista do processo seletivo da faculdade, com pouco mais de 17 anos, sentindo-se tão pequena e insegura, tão assustada e solitária.

Era tão estranho ter a mesma sensação agora, quase vinte anos depois.

Ela empurrou o portão e entrou.

12

Lá estava o Saint Christopher's College, do jeito que ela se lembrava.

Mariana estivera com receio de revê-lo — o cenário de sua história de amor —, mas, felizmente, a beleza do lugar a ajudou. E o coração de Mariana não se partiu — ele se alegrou.

O Saint Christopher's College estava entre os mais antigos e mais bonitos de Cambridge. Era constituído de vários pátios e jardins voltados para o rio, numa mistura de estilos arquitetônicos — gótico, neoclássico, renascentista —, pois fora reconstruído e expandido ao longo de séculos. Foi um crescimento desordenado, orgânico — e ainda mais belo justamente por isso, na opinião de Mariana.

Ela estava perto da portaria no Pátio Principal — o primeiro e maior. Um gramado imaculado se alongava à frente, até o muro verde-escuro coberto de glicínias do outro lado do pátio. A vegetação, salpicada de rosas-brancas trepadeiras, aderia aos tijolos como uma tapeçaria elaborada, em toda a extensão do muro até a capela. O verde, o azul e o vermelho dos vitrais brilhavam à luz do sol, e dava para ouvir o coral da faculdade ensaiando lá dentro, as vozes ascendendo em harmonia.

Uma voz sussurrante — a voz de Sebastian, talvez? — disse a Mariana que ela estaria a salvo ali. Poderia descansar e encontrar a paz almejada.

Seu corpo relaxou, quase com um suspiro. Teve uma sensação repentina e incomum de contentamento: a idade desses muros e paredes, dessas colunas e arcos, intocados pelo tempo ou por mudanças, fez com que ela encarasse a tristeza de outro ponto de vista por um instante. Viu que esse lugar mágico não pertencia a ela nem a Sebastian; não era deles — pertencia a si mesmo. E a história deles era só uma na infinidade de histórias que se passaram ali, em nada mais importante que qualquer outra.

Ela olhou em volta, sorrindo, captando as imagens do ambiente que fervilhava de atividade. Embora o período tivesse acabado de começar, preparativos de última hora estavam em andamento, e havia um sentimento palpável de expectativa, como num teatro antes de uma apresentação. Um jardineiro aparava a grama do outro lado do gramado. Um dos tradicionais bedéis da universidade, de terno preto, chapéu-coco e um grande avental verde, removia teias de aranha das arcadas, dos cantos e das frestas no alto com a ajuda de um espanador preso num cabo comprido. Outros desses bedéis enfileiravam longos bancos de madeira no gramado, provavelmente para as fotos de matrícula.

Mariana notou um adolescente agitado, evidentemente calouro, atravessando o pátio na companhia de pais briguentos carregando malas. Ela sorriu afetuosamente.

Foi então que, do outro lado do pátio, ela viu algo mais — um agrupamento de policiais fardados.

E o sorriso de Mariana lentamente se desfez.

Os policiais emergiam da sala do diretor, acompanhados pelo próprio. Mesmo a distância Mariana conseguia ver que o rosto do diretor estava vermelho e que ele parecia afobado.

Isso só podia significar uma coisa. O pior tinha acontecido. A polícia estava ali — então Zoe tinha razão: Tara estava morta, e foi o corpo dela que encontraram no pântano.

Mariana precisava ver Zoe. Agora. Deu meia-volta e andou apressadamente até o pátio seguinte.

Perdida em pensamentos, não ouviu alguém chamando seu nome até ele dizer duas vezes.

— Mariana? Mariana!

Ela se virou. Um homem acenava para ela. Mariana estreitou os olhos, sem saber quem era. Mas ele parecia conhecê-la.

— Mariana — disse de novo, dessa vez com mais confiança. — Espera aí.

Mariana parou. Aguardou enquanto ele percorria o caminho de paralelepípedos em sua direção, um sorriso largo no rosto.

Lógico, pensou. *É o Julian.*

Foi o sorriso dele que Mariana reconheceu, um sorriso bem famoso hoje em dia.

Julian Ashcroft e Mariana estudaram psicoterapia juntos em Londres. Fazia anos que não o via, exceto na televisão — era frequente a sua participação em noticiários e documentários sobre crimes reais. Ele se especializou em psicologia forense — tendo escrito um best-seller sobre assassinos em série britânicos e suas mães. Parecia ter um prazer lascivo com a loucura e a morte, o que Mariana considerava um tanto repugnante.

Ela o estudou enquanto ele se aproximava. Julian tinha quase 40 anos, a estatura mediana, usava um elegante blazer azul, camisa branca e calça jeans azul-marinho. Os cabelos estavam estilosamente desalinhados, e os olhos azul-claros eram impactantes — sem falar no sorriso perfeito e branco, do qual abusava com frequência. Havia nele um quê de artificialidade, pensou Mariana, o que provavelmente o tornava perfeito para a televisão.

— Oi, Julian.

— Mariana — disse ele ao se aproximar. — Que surpresa. Logo vi que era você. O que está fazendo por aqui? Não está com a polícia, está?

— Não, não. Minha sobrinha estuda aqui.

— Ah... Entendo. Droga. Pensei que nós fôssemos trabalhar juntos. — Julian abriu um sorriso para ela. Ele baixou a voz, como se lhe confidenciasse algo. — Eles me chamaram para dar uma ajudinha.

Mariana adivinhou sobre o que ele estava falando, mas, mesmo assim, sentiu um certo temor. Não queria que se confirmasse, mas não tinha escolha.

— É a Tara Hampton. Não é?

Julian lhe dirigiu um breve olhar de surpresa e fez que sim com a cabeça.

— É, sim. Acabou de ser identificada. Como você sabia?

Mariana deu de ombros.

— Faz mais ou menos um dia que ela desapareceu. Minha sobrinha me disse.

Ela se deu conta de que seus olhos estavam cheios de lágrimas e rapidamente os secou. Fixou o olhar em Julian.

— Alguma pista?

— Não. — Julian balançou a cabeça. — Ainda não. Em breve, espero. Quanto mais cedo, melhor, para ser sincero. Foi violento demais.

— Acha que ele a conhecia?

Julian fez que sim com a cabeça.

— Parece o mais provável. Normalmente reservamos esse nível de raiva para os mais íntimos e queridos, não acha?

— É possível — disse Mariana, refletindo.

— Aposto que foi o namorado.

— Não creio que ela tivesse namorado.

Julian olhou para o relógio no pulso.

— Preciso me encontrar com o inspetor-chefe agora, mas, sabe, eu gostaria de discutir mais o assunto... talvez num pub? — disse, sorrindo. — Bom te ver, Mariana. Faz tantos anos. A gente precisa colocar o papo em dia...

Mas Mariana já estava se afastando.

— Tá, Julian... Preciso ver minha sobrinha.

13

O quarto de Zoe ficava no Pátio Eros — um dos menores pátios, consistindo em acomodações para alunos dispostas em torno de um gramado retangular.

No centro do gramado estava a estátua descolorida de Eros, empunhando arco e flecha. Séculos de chuva e ferrugem desgastaram consideravelmente a estátua, transformando o querubim num velhinho esverdeado.

Ao redor do pátio, várias escadarias conduziam aos quartos dos alunos. Em cada canto havia uma torreta de pedra, alta e cinzenta. Assim que Mariana se aproximou de uma das torretas, olhou para cima, para a janela do terceiro andar, e viu Zoe sentada.

Zoe não a tinha visto, e Mariana ficou lá, observando-a por um instante. As janelas em arco eram treliçadas, com vidraças em formato de losango numa moldura de chumbo; os pequenos painéis de vidro quebravam a imagem de Zoe, fragmentando-a num quebra-cabeça de losangos — e, por um segundo, Mariana montou uma outra imagem daquele quebra-cabeça: não uma mulher de 20 anos, mas uma menina de 6, meiga e bobinha, de rosto corado e tranças.

Mariana sentia tanta preocupação e afeição por aquela menininha. Pobre Zoe — tinha passado por tanta coisa; Mariana temia ter que magoá-la ainda mais ao lhe dar essa notícia terrível. Balançou a cabeça, parou de procrastinar e se apressou em direção à torreta.

Ela subiu a escada caracol antiga, de madeira empenada, até o quarto de Zoe. A porta estava entreaberta, então ela entrou.

Era um quartinho aconchegante — um pouco bagunçado naquele momento, com roupas espalhadas pelas poltronas e copos sujos na pia. Havia uma escrivaninha, uma lareira pequena e um banco estofado junto à janela saliente, onde Zoe estava sentada, rodeada de livros.

Quando viu Mariana, ela deu um gritinho. Levantou-se de um salto e se atirou nos braços de Mariana.

— Você veio. Pensei que não viesse.

— É claro que vim.

Mariana tentou dar um passo atrás, mas Zoe não deixou, e Mariana não teve alternativa a não ser se deixar abraçar. Sentiu o calor, a afeição do abraço. Era tão raro ser tocada desse modo. Ela se deu conta de como estava feliz em ver Zoe. Ficou bastante emocionada.

Depois de Sebastian, Zoe sempre foi a pessoa preferida de Mariana. Ela frequentou um internato na Inglaterra, então Mariana e Sebastian a adotaram extraoficialmente — Zoe tinha seu próprio quarto na casinha amarela e ficava com eles nos feriados e nas férias escolares. Ela estudou na Inglaterra porque seu pai era inglês; Zoe, na verdade, tinha apenas vinte e cinco por cento de ascendência grega. Tinha a pele clara e os olhos azuis do pai — por isso essa porcentagem grega não era muito evidente; Mariana costumava se perguntar como e se um dia esse lado grego se manifestaria — isto se não tivesse sido neutralizado pelo imenso banho de água fria que era o ensino em escola particular britânica.

Eventualmente, Zoe soltou Mariana do abraço. E, com toda a delicadeza possível, Mariana revelou a notícia de que o corpo de Tara tinha sido identificado.

Zoe ficou olhando fixamente para ela. Lágrimas escorreram por seu rosto quando assimilou a notícia. Mariana a puxou de volta para os seus braços. Zoe se agarrou a ela e chorou.

Tudo bem — sussurrou Mariana. — Vai ficar tudo bem.

Ela guiou Zoe lentamente até a cama e fez com que ela se sentasse. Quando Zoe parou de chorar, Mariana preparou chá para as duas. Lavou duas canecas na pequena pia e pôs a água para ferver.

O tempo todo Zoe ficou sentada na cama, os joelhos dobrados junto ao peito, olhando fixamente para o vazio, sem se dar o trabalho de secar as lágrimas que rolavam pelo rosto. Segurava firme o velho bichinho de pelúcia — uma zebra listrada de preto e branco, bem acabadinha. Faltava um olho à Zebra, e as costuras estavam se desfazendo — tinha sido companheira de Zoe desde que ela era bebê e havia sofrido muitos maus-tratos e recebido muito carinho. Agora Zoe se agarrava a ela, abraçando-a com força, balançando o tronco para a frente e para trás.

Mariana pôs a caneca fumegante de chá adoçado na atulhada mesa de centro. Olhou preocupada para Zoe. A verdade era que Zoe tinha sofrido muito por causa da depressão durante a adolescência. Costumava ter acessos de choro, intercalados por períodos de indiferença, deprimida demais até mesmo para chorar, o que Mariana considerava mais difícil de lidar do que com as lágrimas. Foi difícil se relacionar com Zoe naqueles anos, embora os problemas dela não fossem uma surpresa, dada a perda traumática dos pais quando era tão nova.

Quando eles receberam a ligação que mudaria a sua vida para sempre, Zoe estava na casa de Mariana e Sebastian num feriado escolar em abril. Sebastian atendeu o telefone e teve que dizer a Zoe que os pais dela, a irmã de Mariana e o marido, tinham morrido num acidente de carro. Zoe caiu no choro, e Sebastian se aproximou dela e a abraçou. Daí em diante, ele e Mariana passaram a lhe dar amor e atenção, talvez até demais — mas, tendo perdido a própria mãe, Mariana decidiu proporcionar a Zoe tudo que ela, Mariana, não tivera na infância: amor materno, carinho, afeição. E houve reciprocidade, lógico — ela percebia que Zoe correspondia a esse amor.

Por fim, para a tranquilidade deles, pouco a pouco, Zoe conseguiu superar a tristeza — à medida que ficava mais velha, passou a sofrer menos com a depressão; empenhou-se nos estudos, encerrando a adolescência em condições bem melhores do que as do início. Mas tanto Mariana quanto Sebastian tiveram receio de como Zoe enfrentaria as pressões sociais da faculdade — então, quando ela fez amizade com Tara, sentiram alívio. E mais tarde, depois que Sebastian morreu, Mariana se sentia grata por Zoe ter uma melhor amiga que lhe desse apoio. Mariana não tinha um melhor amigo; havia acabado de perdê-lo.

Mas agora, essa perda de Tara, a perda terrível de uma boa amiga... Como isso iria afetar Zoe? Era preciso esperar para ver.

— Zoe, aqui, toma um pouco de chá. É para te ajudar a se recuperar.

Nenhuma reação.

— Zoe?

De repente Zoe pareceu escutá-la. Virou-se para Mariana de olhos vidrados, cheios de lágrimas.

— A culpa é minha — sussurrou. — *A culpa de ela estar morta é toda minha.*

— Não diz isso. Não é verdade...

— É verdade. Me escuta. Você não entende.

— Não entendo o quê?

Mariana se sentou na ponta da cama e esperou Zoe continuar.

— A culpa é minha. Eu devia ter feito alguma coisa... naquela noite... depois que vi a Tara... Devia ter dito a alguém... Devia ter ligado para a polícia. Então ela ainda estaria viva...

— Para a polícia? Por quê?

Zoe não respondeu. Mariana franziu a testa.

— O que foi que a Tara disse? Você comentou... que ela estava falando coisas sem pé nem cabeça?

Os olhos de Zoe se encheram de lágrimas. Ela se balançava para a frente e para trás em silêncio. Mariana sabia que a melhor estratégia era estar presente, ser paciente, deixar Zoe desabafar no seu próprio tempo. Mas não havia tempo. Ela falou baixo, o tom tranquilizador mas firme.

— O que foi que ela disse, Zoe?

— Eu não devia ter dito nada. A Tara me fez jurar que eu não contaria para ninguém.

— Entendo... você não quer trair a confiança que ela depositou em você. Mas receio que seja tarde demais.

Zoe a encarou. Enquanto Mariana olhava para o rosto dela, suas bochechas ficaram coradas e seus olhos se arregalaram; viu os olhos de uma criança: uma menininha assustada, prestes a explodir com um segredo que não queria guardar mas que estava receosa de revelar.

Então, por fim, Zoe cedeu.

— Na noite retrasada, a Tara veio aqui e me encontrou no quarto. Ela estava péssima. Estava sob efeito de alguma coisa, não sei o quê. Estava transtornada de verdade... e disse... e disse... que estava com medo...

— Com medo? De quê?

— Ela disse que... alguém ia matá-la.

Mariana olhou fixamente para Zoe por um segundo.

— Prossiga.

— Ela me fez prometer que eu não ia contar para ninguém... Ela disse que, se eu contasse e ele descobrisse, ele ia matá-la.

— "Ele"? De quem ela estava falando? Ela contou quem estava ameaçando matá-la?

Zoe assentiu, mas não respondeu.

Mariana repetiu a pergunta.

— Quem era, Zoe?

Zoe balançou a cabeça, incerta.

— Ela parecia fora de si...

— Não importa, só me diz.

— Ela disse... que era um dos tutores daqui. Um professor.

Mariana piscou, atônita.

— Daqui, da faculdade?

Zoe fez que sim com a cabeça.

— Isso.

— Entendi. Qual é o nome dele?

Zoe fez uma pausa. Falou em voz baixa:

— Edward Fosca.

14

Menos de uma hora depois, Zoe repetia a história para o inspetor-chefe Sadhu Sangha.

O inspetor tinha requisitado a sala do diretor. Era um cômodo espaçoso, de frente para o Pátio Principal. Numa parede, havia uma estante de mogno com entalhes belíssimos e uma coleção de livros com encadernação de couro. As outras paredes eram cobertas de retratos de diretores antigos — observando os policiais com evidente desconfiança.

O inspetor-chefe Sangha se sentou à grande escrivaninha. Abriu a garrafa térmica que havia trazido e se serviu de chá. Tinha cinquenta e poucos anos, os olhos castanho-escuros e a barba bem aparada, grisalha, e vestia um elegante blazer cinza e gravata. Sendo sique, usava um turbante de um azul-real chamativo. Sua presença era marcante, forte, mas ele tinha um quê de ansioso — um olhar inquieto —, o tempo todo balançando a perna ou tamborilando na mesa.

Para Mariana, ele parecia um tanto irritável. Dava a impressão de que não prestava a devida atenção ao que Zoe dizia. Não parecia particularmente interessado. *Ele não a está levando a sério*, pensou Mariana.

Mas se enganou. Ele a *estava* levando a sério. Deixou o chá na mesa e voltou seus olhos grandes e escuros para Zoe.

— E o que você pensou... quando ela disse isso? — perguntou ele. — Você acreditou nela?

— Não sei... — disse Zoe. — Ela parecia alterada, sabe, chapada. Mas ela sempre estava chapada, então... — Zoe deu de ombros e pensou nisso por um segundo. — Quer dizer, foi tão estranho...

— Ela disse *por que* o professor Fosca ameaçou matá-la?

Zoe pareceu um pouco constrangida.

— Ela disse que eles estavam tendo um caso. E que tiveram uma briga ou algo assim... e ela ameaçou contar tudo e fazer com que fosse demitido. E ele disse que, se ela contasse...

— Ele a mataria?

Zoe fez que sim. Parecia aliviada por ter desabafado.

— Isso mesmo.

O inspetor pareceu refletir sobre isso por um instante. Então se levantou abruptamente.

— Vou conversar com o professor Fosca. Esperem aqui, certo? E, Zoe, vamos precisar que você preste um depoimento.

Ele se retirou, e em sua ausência Zoe repetiu a história para um policial mais jovem, que a redigiu. Mariana esperava, inquieta, perguntando-se o que estava acontecendo.

Uma hora se passou lentamente. E então o inspetor Sangha voltou. Sentou-se de novo.

— O professor Fosca foi bastante cooperativo — disse ele. — Peguei o depoimento dele... e declarou que, no momento da morte de Tara... às vinte e duas horas... estava encerrando uma aula nas dependências dele. Durou das oito às vinte e duas horas, e seis alunas compareceram. Ele me forneceu o nome delas. Conversamos com duas delas por enquanto, e ambas corroboraram a história. — O inspetor dirigiu a Zoe um olhar atencioso. — Diante disso, não vou acusar o professor de crime nenhum, e me sinto plenamente convencido de que... apesar do que Tara possa ter dito... ele não é responsável pela morte dela.

— Entendo — disse Zoe num sussurro.

Zoe manteve o olhar baixo, encarando o colo. Mariana achou que ela estava preocupada.

— O que você poderia me dizer sobre Conrad Ellis? — perguntou o inspetor. — Ele não estuda aqui... mora na cidade, pelo que sei. Era o namorado de Tara?

Zoe balançou a cabeça.

— Ele não era namorado dela. Eles saíam juntos, só isso.

— Entendo. — O inspetor consultou as anotações. — Parece que ele tem duas condenações prévias... por tráfico de drogas e por agressão física... — E olhou de relance para Zoe. — E os vizinhos ouviram os dois discutindo em altos brados em várias ocasiões.

Zoe deu de ombros.

— Ele é problemático, e ela também era... mas... jamais iria machucá-la, se é isso que o senhor quer saber. Ele não é assim. É um cara legal.

— Hum. Parece um amorzinho.

O inspetor não se mostrou convencido. Tomou todo o chá, em seguida fechou a tampa de rosca da garrafa térmica.

Caso encerrado, pensou Mariana.

— Sabe, inspetor — disse ela, indignada em nome de Zoe —, acho que o senhor deveria dar ouvidos a ela.

— Perdão? — O inspetor Sangha piscou. Pareceu surpreso ao ouvir Mariana. — Refresque a minha memória — disse —, quem é você mesmo?

— Sou tia e guardiã da Zoe. E, se necessário, sua defensora.

O inspetor Sangha pareceu achar graça nisso.

— Sua sobrinha me parece capaz de se defender sozinha, até onde posso ver.

— Bem, a Zoe sabe avaliar bem o caráter de alguém. Sempre soube. Se ela conhece o Conrad... e acha que ele é inocente... o senhor deveria levá-la a sério.

O sorriso do inspetor se desfez.

— Quando eu o interrogar, vou formar a minha própria opinião... se não se importa. Só para deixar claro, eu estou no comando aqui, e não me agrada quando me dizem o que devo fazer...

— Não estou dizendo o que...

— Nem quando sou interrompido. Por isso, eu sugeriria que não me provocasse mais. Fique longe de mim e da minha investigação. Entendido?

Mariana estava prestes a rebater, mas se conteve. Abriu um sorriso forçado.

— Perfeitamente — respondeu.

15

Depois que saíram da sala do diretor, Zoe e Mariana atravessaram a colunata no fim do pátio — uma série de doze colunas de mármore que sustentavam a biblioteca. As colunas eram muito antigas e descoloridas, com rachaduras que corriam por elas como veias. Projetavam sombras compridas no chão, e, em certos momentos, quando andavam entre elas, as duas se viam mergulhadas na escuridão.

Mariana apoiou o braço no ombro de Zoe.

— Querida, você está bem? — perguntou.

Zoe deu de ombros.

— Eu... Eu não sei...

— Acha que, talvez, Tara estivesse mentindo para você?

Zoe parecia aflita.

— Não sei. Eu...

Zoe paralisou de repente e parou de andar. Do nada, saindo de trás de uma coluna, um homem apareceu diante delas.

Ficou ali, de pé, bloqueando a passagem. Ele a encarou.

— Oi, Zoe.

— Professor Fosca — disse Zoe, inspirando de leve.

— Como você está? Tudo bem? Não consigo acreditar no que aconteceu. Estou chocado.

Tinha sotaque americano, percebeu Mariana, com uma cadência suave, ritmada na fala — só com um traço de influência britânica.

— Tadinha — disse ele. — Sinto muito, Zoe. Você deve estar completamente arrasada...

Falava num tom emocionado, e sua aflição parecia autêntica. Ele fez que ia se aproximar de Zoe, mas ela fez um movimento leve e involuntário para trás. Mariana notou, assim como o professor. Ele olhou para Zoe de um jeito estranho.

— Olha — falou ele —, eu vou lhe dizer exatamente o que disse ao inspetor. É importante que você fique sabendo por mim... agora mesmo.

Fosca ignorava Mariana, dirigindo-se somente a Zoe. E Mariana o observava enquanto ele falava. Era mais novo do que ela esperava, e muito mais bonito. Tinha quarenta e poucos anos, era alto e dotado de um porte atlético. Tinha as maçãs do rosto bem marcadas e olhos escuros bastante expressivos. Tudo nele era escuro — os olhos, a barba, a roupa. Os cabelos longos e pretos eram presos num nó displicente na nuca. E estava usando a beca acadêmica preta, de camisa para fora da calça e gravata frouxa. Havia algo de carismático, até mesmo byroniano, no conjunto da obra.

— A verdade é que — disse ele — eu provavelmente não soube lidar bem com a situação. Tenho certeza de que você pode confirmar isso, Zoe, mas a Tara não estava se saindo bem na faculdade. Na verdade, ia ser reprovada por muito, apesar dos meus inúmeros esforços para que ela não faltasse mais a nenhuma aula e fizesse todos os trabalhos do curso. E ela me deixou sem opção. Tive uma conversa bem franca com ela. Disse que não sabia se ela estava envolvida com drogas ou se eram problemas de relacionamento, mas que ela não teve o aproveitamento esperado neste ano. Eu disse a ela que teria de repetir o ano. Era isso ou ser jubilada.

Ele balançou a cabeça num gesto de desânimo.

— E, quando eu disse isso à Tara, ela ficou histérica. Disse que o pai a mataria. Implorou que eu mudasse de ideia. Eu disse que estava fora de cogitação. Então a atitude dela mudou. Ficou bastante agressiva. Ela me ameaçou. Disse que iria arruinar a minha carreira e fazer com que eu fosse demitido. — Ele suspirou. — Parece que foi isso que ela tentou fazer. Tudo o que ela contou para você... essas alegações sexuais... é tudo uma tentativa óbvia de prejudicar a minha reputação.

Ele baixou a voz.

— Eu jamais teria relações sexuais com qualquer uma das minhas alunas... Seria um caso grave de quebra de confiança e abuso de poder. Como você sabe, eu tinha um imenso carinho pela Tara. É por isso que me magoa tanto saber que ela fez essa acusação.

Mesmo sem querer acreditar, Mariana achou Fosca totalmente convincente. Nada no seu jeito de falar indicava que estivesse mentindo. Tudo o que disse pareceu verdadeiro. Tara costumava falar do pai dela com temor, e Zoe relatara que, ao visitar a propriedade deles na Escócia, o pai dela tinha sido um anfitrião austero — draconiano até. Mariana conseguia imaginar bem qual seria a reação dele se Tara perdesse o ano. Também conseguia imaginar que a perspectiva de dizer isso a ele pudesse ter deixado Tara histérica — e desesperada.

Mariana olhou de relance para Zoe a fim de ver como estava reagindo àquelas palavras. Era difícil saber. Zoe estava obviamente tensa, fitando o chão de pedra, com um olhar que denotava constrangimento.

— Espero que isso sirva para elucidar as coisas — disse Fosca. — O importante agora é ajudarmos a polícia a pegar seja lá quem fez isso. Sugeri que interrogassem Conrad Ellis, aquele sujeito com quem Tara se relacionava. Pelo que se sabe, ele não é flor que se cheire.

Zoe não falou nada. Fosca a encarou.

— Zoe? Estamos entendidos? Deus sabe que temos muito com o que lidar agora... sem você suspeitar de mim quanto a uma coisa dessas.

Zoe ergueu o olhar e o encarou. Lentamente, ela assentiu.

— Estamos, sim — disse ela.

— Que bom. — Mas ele não pareceu totalmente satisfeito. — Preciso ir. Até mais tarde. Se cuida, hein.

Fosca olhou para Mariana pela primeira vez, cumprimentando-a com um breve aceno de cabeça. Então se virou e se afastou, desaparecendo atrás de uma coluna.

Houve uma pausa. Zoe se virou para Mariana. Parecia apreensiva.

— Bem? — disse, com um leve suspiro. — E agora?

Mariana pensou por um segundo.

— Vou conversar com Conrad.

— Mas como? Você ouviu o que o inspetor disse.

Mariana não respondeu. Viu de relance Julian Ashcroft saindo da sala do diretor. Observou-o atravessando o pátio.

Mariana fez que sim com a cabeça.

— Tenho uma ideia — disse.

16

Pouco depois, naquela mesma tarde, Mariana conseguiu ver Conrad Ellis na delegacia.

— Oi, Conrad — disse. — Eu sou a Mariana.

Conrad foi preso logo depois de ser interrogado pelo inspetor-chefe Sangha — a polícia estava certa de que ele era o homem que procurava, apesar da falta de provas circunstanciais ou de qualquer outra coisa.

Tara foi vista com vida pela última vez às oito horas, pelo bedel chefe, o Sr. Morris, que a viu sair da faculdade pelo portão principal. E Conrad disse que esperava por Tara em seu apartamento, mas ela não apareceu — embora, quanto a isso, constasse apenas a palavra dele; ele não tinha álibi para a noite inteira.

Nenhuma arma foi encontrada no apartamento, apesar de uma busca meticulosa. E as roupas dele e outros pertences foram conduzidos à análise pericial, na expectativa de que fornecessem algo que ligasse Conrad ao assassinato.

Para surpresa de Mariana, Julian prontamente concordou em ajudá-la a se encontrar com o suspeito.

— Você pode entrar comigo — disse Julian. — De qualquer forma, preciso fazer a avaliação psicológica, e você pode ficar observando, se quiser. — E deu uma piscadela. — Desde que Sangha não nos pegue.

— Obrigada. Fico te devendo essa.

Julian pareceu gostar de ouvir aquilo. Os dois entraram na delegacia, e ele piscou para ela assim que solicitou que Conrad Ellis fosse trazido da cela.

Poucos minutos depois, sentaram-se diante de Conrad na sala de interrogatórios. Era uma sala fria, sem janelas, sem ar. Era desagradável ficar ali — mas, a princípio, devia ser essa a intenção.

— Conrad, eu sou psicoterapeuta — disse Mariana. — Também sou tia da Zoe. Você conhece a Zoe, certo? Do Saint Christopher's College.

Conrad pareceu confuso por um segundo, então uma luz fraca brilhou em seus olhos, e ele confirmou com um gesto vago de cabeça.

— A Zoe... amiga da Tara?

— Isso mesmo. Ela quer que você saiba que sente muito... pela Tara.

— A Zoe é legal... Eu gosto dela. Não é como as outras.

— As outras?

— As colegas da Tara. — Conrad fez uma careta. — Eu as chamo de bruxas.

— É mesmo? Você não gosta das amigas dela?

— São elas que não gostam de mim.

— Por quê?

Conrad deu de ombros. Apático, inexpressivo. Mariana esperava conseguir dele alguma resposta emocional, algum indício que a ajudasse a interpretá-lo melhor — mas não houve nada. Lembrou-se do seu paciente, Henry. Ele tinha o mesmo olhar nebuloso, de anos de consumo ininterrupto de álcool e drogas.

A aparência de Conrad jogava contra ele — isso era parte do problema. Era pesadão, enorme, coberto de tatuagens. Mesmo assim, Zoe tinha razão; de algum modo, havia certa bondade nele, certa delicadeza. Quando falava, seu discurso era lento e confuso; parecia não se dar conta do que estava acontecendo com ele.

— Eu não entendo... Por que eles acham que eu fiz aquilo com a Tara? Eu não fiz nada daquilo. Eu amo... amava a Tara.

Mariana olhou para Julian para sondar sua reação. Não parecia nada comovido. Seguiu fazendo a Conrad todo tipo de pergunta indiscreta, sobre sua vida e criação — quanto mais se estendia, mais torturante o interrogatório se tornava, e mais grave a situação ficava para Conrad.

E cada vez mais Mariana achava que ele era inocente. Não estava mentindo; esse homem estava inconsolável. Em certo momento, exausto pelo interrogatório de Julian, ele não aguentou mais, levou as mãos à cabeça e chorou discretamente.

Ao fim do interrogatório, Mariana se dirigiu a ele outra vez.

— Você conhece o professor Fosca? — perguntou. — O tutor da Tara?

— Conheço.

— E como você o conheceu? Através da Tara?

Ele fez que sim com a cabeça.

— Arrumei umas coisas para ele.

Mariana piscou. Olhou de relance para Julian.

— Quer dizer, drogas?

— Que tipo? — perguntou Julian.

Ele deu de ombros.

— Dependia do que ele estava a fim.

— Então você o via com regularidade? O professor Fosca?

Outro dar de ombros.

— Com alguma frequência.

— O que você achava do relacionamento dele com a Tara? Não parecia estranho?

— Bom — disse Conrad, encolhendo os ombros —, quer dizer, ele tinha uma queda por ela, não tinha?

Mariana trocou um olhar com Julian.

— Ah, é?

Mariana pretendia pressioná-lo mais se Julian não tivesse encerrado bruscamente o interrogatório. Disse que tinha o suficiente para fazer o relatório.

— Espero que você tenha achado o interrogatório elucidativo — disse Julian, quando saíram da delegacia. — Uma encenação e tanto, não acha?

Mariana olhou para ele espantada.

— Ele não estava fingindo. Não é capaz de fingir.

— Acredite em mim, Mariana, as lágrimas foram encenação. Ou então autocomiseração. Já vi isso antes. Quando se faz esse tipo de coisa há tanto tempo quanto eu, percebe-se que, infelizmente, todos os casos são parecidos.

Mariana olhou para ele.

— Você não acha preocupante... que ele tenha vendido drogas para o professor Fosca?

Julian descartou isso com um dar de ombros.

— Comprar um pouco de maconha de vez em quando não faz dele um assassino.

— E quanto a Conrad dizer que Fosca tinha uma queda por ela?

— E se tivesse? O que se sabe é que ela era linda. Você a conheceu, não? Qual era a dela com aquele imbecil?

Mariana balançou a cabeça com tristeza.

— Acredito que Conrad era só um meio de chegar a um fim.

— Drogas?

Mariana suspirou e concordou.

Julian deu uma olhada nela.

— Vamos. Eu levo você de volta de carro... a não ser que esteja a fim de beber alguma coisa.

— Não posso, tenho que voltar para a faculdade. Vai ter uma cerimônia especial para a Tara às seis.

— Bom, quem sabe uma noite dessas? — Ele deu uma piscadela. — Você está me devendo, lembra? Amanhã?

— Não vou estar aqui... Vou embora amanhã.

— Ok, a gente vai dar um jeito. Posso caçar você em Londres se for necessário.

Julian riu — mas não com os olhos, Mariana observou. Eles permaneceram frios, rígidos, indelicados. Havia algo no jeito como olhava para ela que a deixava visivelmente desconfortável.

Sentiu-se aliviada quando chegaram ao Saint Christopher's College e ela pôde bater em retirada.

17

Às seis horas, uma cerimônia especial em memória de Tara foi realizada na capela.

A capela da faculdade, feita de pedra e madeira, foi construída em 1612. O piso era de mármore preto; as janelas com vitrais em tons vibrantes de azul, vermelho e verde ilustravam a vida de São Cristóvão; e o teto era alto, moldado e decorado com escudos heráldicos e lemas em latim pintados em ouro.

Os bancos estavam lotados de professores e alunos. Mariana e Zoe se sentaram bem na frente. Os pais de Tara estavam com o diretor e o reitor.

Os pais de Tara, Lord e Lady Hampton, tinham vindo da Escócia, de avião, para identificar o corpo. Mariana imaginava o quanto deviam ter se torturado pelos próprios pensamentos durante todo o trajeto desde sua distante propriedade rural; o longo percurso de carro até o Aeroporto de Edimburgo, depois o voo para Stanstead, dando-lhes tempo para pensar — ter esperança, medo, se preocupar — antes que a viagem definitiva até a funerária de Cambridge encerrasse o suspense: reunindo-os com sua filha — e lhes mostrando o que aconteceu a ela.

Lord e Lady Hampton estavam rígidos, os rostos pálidos, contraídos — paralisados. Mariana os observava, fascinada — ela se lembrava daquele sentimento: era como cair num freezer gélido, o corpo entorpecido pelo choque térmico. Não duraria muito — e não era um estado tão ruim assim comparado com o que viria depois de o gelo derreter e o choque passar, e eles vivenciarem a enormidade da perda.

Mariana viu o professor Fosca surgir na capela. Andou pela nave, seguido por um grupo de seis jovens distintas — distintas porque eram todas extremamente belas e porque todas usavam vestidos longos e brancos. Andavam com ar de autoconfiança e cientes do impacto que causavam, de que eram observadas. Os outros alunos as encararam enquanto elas passavam.

Seriam essas as amigas de Tara, perguntou-se Mariana, de quem Conrad não gostava nem um pouco? As "bruxas"?

Um silêncio espectral se abateu sobre os enlutados assim que a cerimônia começou. Acompanhada pelo órgão, uma procissão dos meninos do coral, usando batinas vermelhas e rufos de renda branca ao redor do pescoço, cantou um hino em latim à luz de velas, as vozes angelicais ascendendo em espiral na escuridão.

Não era um velório; o enterro propriamente dito seria na Escócia. Não havia corpo para velar. Mariana pensou na pobre menina deitada sozinha no necrotério.

E ela não conseguiu evitar a lembrança de como seu amado lhe fora devolvido, numa mesa de autópsia de concreto no hospital em Naxos. O corpo de Sebastian ainda estava molhado quando ela o viu, pingando água no chão, com areia nos cabelos e nos olhos. Havia buracos na pele dele, pedacinhos que os peixes tinham arrancado. E faltava a ponta de um dedo, que o mar tinha levado.

Assim que Mariana viu o corpo sem vida, como se fosse de cera, logo percebeu que não era Sebastian. Era só uma casca. Sebastian tinha partido... mas para onde?

Nos dias que se seguiram à morte de Sebastian, Mariana ficou anestesiada. Permaneceu num estado prolongado de choque, incapaz de aceitar o que tinha acontecido — ou de acreditar no que tinha acontecido. Parecia impossível o fato de que nunca mais o veria novamente, nunca mais ouviria sua voz, nunca mais sentiria seu toque.

Onde ele está?, perguntava-se ela. *Aonde ele foi?*

E então, quando a realidade começou a ser assimilada, ela teve uma espécie de colapso nervoso tardio — e, como acontece com o rompimento de uma represa, todas as lágrimas rolaram com força, uma cascata de tristeza, lavando sua vida e quem ela acreditava ser.

E depois veio a raiva.

Uma raiva ardente, uma fúria cega, que ameaçava consumi-la e a qualquer um que estivesse por perto. Pela primeira vez na vida, Mariana queria causar sofrimento físico — queria atacar e machucar alguém, principalmente a si mesma.

Culpava-se, obviamente. Ela insistiu em que fossem para Naxos; se tivessem ficado em Londres, como Sebastian queria, ele ainda estaria vivo.

E também culpava Sebastian. Como ele pôde ser tão imprudente? Como pôde se arriscar no meio daquela tempestade, ser tão descuidado com a própria vida — e com a vida dela?

Os dias de Mariana eram ruins; as noites eram piores. No início, a combinação de bebidas alcoólicas e soníferos lhe proporcionou um tipo de refúgio temporário e induzido, embora com insistentes pesadelos repletos de desastres, como navios afundando, acidentes de trem e inundações. Costumava sonhar com viagens intermináveis — expedições através de paisagens árticas e desoladas, andando com dificuldade por ventos gélidos e neve, procurando sem cessar por Sebastian, sem jamais encontrá-lo.

Então os comprimidos deixaram de funcionar, e ela ficava acordada até três ou quatro da manhã — deitada, ansiando por ele, sem nada que saciasse a sua sede além das lembranças projetadas na escuridão: imagens tremidas dos dias que passaram juntos, das noites, dos invernos e dos verões. Por fim, meio enlouquecida pela tristeza e pela falta de sono, voltou ao médico. Como ficou óbvio que tinha tomado soníferos em excesso, o Dr. Beck se recusou a passar uma nova receita. Em vez disso, sugeriu-lhe uma mudança de cenário.

— Você é uma mulher rica — disse ele e, insensível, acrescentou: —, sem filhos para sustentar. Por que não viajar para o exterior? Ver o mundo?

Considerando que a última viagem que o Dr. Beck aconselhou Mariana a fazer terminou com a morte do marido, ela decidiu não seguir seu conselho. Em vez disso, recorreu à imaginação.

Fechou os olhos e pensou nas ruínas do templo em Naxos — nas colunas brancas encardidas contra o céu azul — e se lembrou de ter sussurrado uma prece para a Donzela — pela felicidade deles, pelo amor deles.

Foi esse o seu erro? Teria a deusa de algum modo se ofendido? Teria Perséfone ficado enciumada? Ou teria se apaixonado por aquele homem bonito à primeira vista e o reivindicara, do mesmo modo que ela certa vez fora reivindicada, levando-o para o Mundo Inferior?

Isso parecia mais aceitável, de certo modo: culpar o sobrenatural pela morte de Sebastian, o capricho de uma deusa. A outra possibilidade, de que foi tudo sem sentido, aleatório... era demais para ela suportar.

Para com isso, pensou ela. *Para, para com isso.* Percebeu as lágrimas patéticas, de autocomiseração, vertendo de seus olhos. Secou-as. Não queria se descontrolar, não ali. Tinha que sair da capela.

— Preciso tomar um pouco de ar — sussurrou para Zoe.

Zoe fez sinal afirmativo e lhe deu um breve e reconfortante aperto na mão. Mariana se levantou e saiu depressa.

Assim que deixou a capela cheia de gente e pouco iluminada e chegou ao pátio vazio, teve logo uma sensação de alívio.

Não havia ninguém à vista. O Pátio Principal estava silencioso e tranquilo. Estava escuro, apesar dos postes de luz altos dispostos no perímetro — as lâmpadas brilhavam na escuridão, com halos ao redor. No rio fluía uma névoa espessa que seguia rasteira pela faculdade.

Mariana secou as lágrimas. Olhou para o céu. Todas as estrelas, invisíveis em Londres, brilhavam ali — bilhões de diamantes cintilantes numa escuridão infinita.

Ele deve estar lá, em algum lugar.

— Sebastian? — sussurrou ela. — Onde você está?

Parou para escutar e observou, e esperou por algum sinal: uma estrela cadente, ou uma nuvem passando em frente à lua — alguma coisa; qualquer coisa.

Mas não houve nada.

Apenas escuridão.

18

Depois da cerimônia, as pessoas socializaram no pátio, conversando em pequenos grupos. Mariana e Zoe ficaram separadas dos demais, e Mariana rapidamente contou a Zoe de sua visita a Conrad e que concordava com a avaliação dela.

— Está vendo só? — disse Zoe. — O Conrad é inocente. Não foi ele. A gente precisa ajudar o Conrad de algum modo.

— Não sei o que mais a gente pode fazer — disse Mariana.

— A gente precisa fazer alguma coisa. Tenho quase certeza de que a Tara tinha um caso com mais alguém. Além do Conrad. Ela deu a entender algumas vezes... Talvez tenha alguma pista no celular dela. Ou no laptop. Vou tentar entrar no quarto dela...

Mariana balançou a cabeça.

— A gente não pode fazer isso, Zoe.

— Por que não?

— Acho que a gente tem que deixar tudo isso por conta da polícia.

— Mas você ouviu o que o inspetor disse. Eles não estão investigando, eles já se decidiram. Precisamos fazer alguma coisa. — Ela deu um suspiro. — Eu queria que o Sebastian estivesse aqui. Ele saberia o que fazer.

Mariana aceitou a repreensão implícita.

— Também queria que ele estivesse aqui. — Fez uma pausa. — Eu estava pensando. Que tal você voltar comigo para Londres por alguns dias?

Percebeu, assim que fez a sugestão, que não devia ter dito isso. Zoe a encarou com espanto.

— O quê?

— Pode fazer bem a você sair daqui.

— Não posso simplesmente *fugir*. Isso não faria a menor diferença. Acha que o Sebastian diria isso?

— Não — respondeu Mariana, de repente se sentindo irritada. — Mas eu não sou o Sebastian.

— Não — disse Zoe, espelhando-se na irritação dela. — Não é. O Sebastian ia querer que você ficasse. É isso que ele diria.

Por um instante Mariana não falou uma palavra. Então decidiu revelar o que a estava incomodando desde a ligação da noite anterior.

— Zoe. Você tem certeza... de que está me contando tudo?

— Sobre o quê?

— Não sei. Sobre isso... sobre a Tara. Fico pensando... No fundo eu sinto que você está omitindo alguma coisa.

Zoe balançou a cabeça.

— Não, nada.

Ela desviou o olhar. Mariana continuava na dúvida. Estava preocupada.

— Zoe. Você confia em mim?

— Óbvio.

— Então escuta. É importante. Tem alguma coisa que você não está me dizendo. Eu noto isso. Eu sinto isso. Então confia em mim. Por favor...

Zoe hesitou, então aquiesceu.

— Mariana, escuta...

Mas então, olhando por cima do ombro de Mariana, Zoe viu alguma coisa — alguma coisa que a fez se calar. Uma expressão estranha, de medo, atravessou o olhar de Zoe por um segundo... e desapareceu. Ela se virou para Mariana e fez que não com a cabeça.

— Não tem nada. De verdade.

Mariana olhou para trás a fim de ver o que Zoe tinha visto. E lá, de pé à entrada da capela, estavam o professor Fosca e seu séquito — as lindas meninas, com seus vestidos brancos, entretidas numa conversa aos sussurros.

Fosca acendia um cigarro. Seu olhar encontrou o de Mariana através da fumaça, e eles se encararam por um segundo.

Então o professor se afastou do grupo e foi até as duas, sorrindo. Mariana ouviu Zoe bufar de leve enquanto ele se aproximava.

— Olá — disse quando se aproximou delas. — Não cheguei a me apresentar. Sou Edward Fosca.

— Eu sou Mariana... Andros. — Ela não teve a intenção de dizer o nome de solteira. Simplesmente saiu assim na hora. — Sou tia da Zoe.

— Eu sei quem você é. Zoe me falou de você. Sinto muito pelo seu marido.

— Ah — disse Mariana, pega de surpresa. — Obrigada.

— E sinto muito por Zoe — disse ele, olhando para ela. — Perdeu o tio e agora, de novo, esse sofrimento por causa da Tara.

Zoe não falou nada; ela apenas deu de ombros, evitando o olhar de Fosca.

Havia algum detalhe que Zoe estava omitindo — algum detalhe que estava evitando. *Ela tem medo dele*, pensou Mariana de repente. *Por quê?*

Mariana não considerava Fosca nem de longe ameaçador. Para ela, ele era sincero e solidário. Ele lhe dirigiu um olhar intenso.

— Sinto muito por todos os alunos — disse ele. — Isso vai prejudicar todo o ano letivo, quiçá toda a faculdade.

Zoe se virou para Mariana bruscamente.

— Tenho que ir... Vou me encontrar com umas amigas para beber alguma coisa. Você vem?

Mariana fez que não.

— Eu combinei de visitar a Clarissa. A gente se vê mais tarde.

Zoe assentiu e se afastou.

Mariana se voltou para Fosca — mas, para sua surpresa, ele tinha ido embora, e agora atravessava o pátio a passos largos.

Havia apenas um vestígio da fumaça de cigarro onde ele estivera; espiralando no ar antes de desaparecer.

19

— Me fale do professor Fosca — disse Mariana.

Clarissa olhou para ela com curiosidade enquanto servia o chá cor de âmbar de um bule de prata nas delicadas xícaras de porcelana. Entregou a Mariana a xícara e o pires.

— O professor Fosca? Por que você quer saber dele?

Mariana decidiu que seria melhor não entrar em detalhes.

— Nenhuma razão específica. Zoe me falou dele.

Clarissa deu de ombros.

— Não o conheço muito bem... ele está conosco há apenas dois anos. Excelente. Americano. Fez doutorado orientado por Robertson em Harvard.

Sentou-se de frente para Mariana, na poltrona desbotada verde-limão à janela. Sorriu para ela com carinho.

A professora Clarissa Miller tinha quase 80 anos, com um rosto que parecia não envelhecer sob uma juba de cabelos desalinhados e grisalhos. Usava uma blusa branca, de seda, e uma saia de tweed, com um cardigã verde de tricô que provavelmente era bem mais velho que a maioria de seus alunos.

Quando Mariana era aluna ali, Clarissa tinha sido a sua coordenadora. De modo geral, o ensino no Saint Christopher's era feito individualmente, entre tutor e aluno, normalmente na sala do tutor. A qualquer hora, depois do meio-dia, ou até mais cedo, a critério do tutor em questão, invariavelmente se servia álcool — um excelente beaujolais, no caso de Clarissa, trazido dos porões labirínticos da faculdade —, proporcionando uma formação tanto em bebida quanto em literatura.

Também significava que as tutorias adquiriam um toque mais pessoal, e os limites entre professor e aluno ficavam menos definidos — confidências eram feitas, e intimidades, trocadas. Clarissa se comovera, e talvez tenha ficado intrigada, com essa menina grega solitária e órfã de mãe. Manteve em Mariana um olhar maternal durante o período dela no Saint Christopher's. E Mariana, por sua vez, foi inspirada por Clarissa — não só nas excepcionais conquistas acadêmicas da professora num campo dominado por homens, mas no seu conhecimento e entusiasmo em compartilhar tal conhecimento. E a paciência e a bondade — e a ocasional irritabilidade — de Clarissa influenciaram muito mais Mariana que qualquer outro tutor com quem se relacionara.

Mantiveram contato depois que Mariana se formou, trocando de vez em quando cartas e cartões-postais, até que um dia chegou um e-mail inesperado de Clarissa anunciando que, contrariando todas as expectativas, tinha aderido à era da internet. Foi muito bonito e sincero o e-mail que ela enviou a Mariana depois que Sebastian morreu. Mariana o considerou tão comovente que salvou a mensagem e a releu várias vezes.

— Ouvi dizer que o professor Fosca dava aula para Tara — disse Mariana.

Clarissa assentiu.

— É verdade, dava sim. Pobre menina... Sei que ele se preocupava muito com ela.

— É mesmo?

— É, ele dizia que Tara vinha passando de raspão. Era bem problemática, segundo ele. — Clarissa suspirou e balançou a cabeça. — Uma coisa horrível. Horrível.

— É. É, sim.

Mariana bebericou o chá e observou Clarissa com o cachimbo na mão, enchendo-o de tabaco. Era um belo objeto de madeira de cerejeira escura.

Fumar cachimbo era um hábito que Clarissa havia herdado do falecido marido. Suas salas tinham o cheiro da fumaça e do tabaco; com o passar dos anos, o odor se entranhou nas paredes, no papel, nos livros e na própria Clarissa. Às vezes era demais, e Mariana sabia que no passado os alunos tiveram dificuldade de aceitar o fato de Clarissa fumar durante as sessões de estudo dirigido — até que ela, eventualmente, precisou se adequar às mudanças nas normas de saúde e segurança e deixou de impor esse seu hábito aos alunos.

Mas Mariana não se importava; na verdade, agora, sentada ali, ela se dava conta do quanto sentia saudade daquele cheiro. Nas raras ocasiões em que encontrava um cachimbo aceso no mundo exterior, sentia-se imediatamente confiante, associando a fumaça fedorenta, escura e ondulante a sabedoria e aprendizado — e bondade.

Clarissa acendeu o cachimbo e deu algumas tragadas, desaparecendo por trás de nuvens de fumaça.

— É difícil compreender uma coisa dessas — disse ela. — Eu me sinto desorientada, sabe? Me faz pensar no tipo de vida protegida que levamos aqui no claustro... ingênua, talvez deliberadamente ignorante dos horrores do mundo exterior.

No fundo, Mariana concordava. Ler a respeito da vida não significava se preparar para viver; foi o que aprendeu do jeito mais difícil. Mas não disse nada sobre isso. Apenas assentiu.

— Esse nível de violência é aterrorizante. Qualquer um tem dificuldade de compreender.

Clarissa apontou o cachimbo para Mariana. Costumava usá-lo como acessório, espalhando fumo pelo ar e deixando buracos empretecidos nos tapetes onde caíam fagulhas.

— Os gregos têm uma palavra para isso, sabe? Para esse tipo de raiva.

Mariana ficou intrigada.

— Ah, é?

— *Mênis*. Não existe uma tradução equivalente. Você lembra, Homero começa a *Ilíada* com "μῆνιν ἄειδε θεὰ Πηληϊάδεω Ἀχιλῆος"; "Cante, ó deusa, a *mênis* de Aquiles".

— Ah. O que *mênis* significa exatamente?

Clarissa refletiu por um segundo.

— Imagino que a tradução mais precisa seja um tipo de raiva incontrolável... uma ira terrível... uma *cólera*.

Mariana concordou com um movimento de cabeça.

— Cólera, sim... Foi colérico.

Clarissa apoiou o cachimbo no pequeno cinzeiro de prata. Abriu um leve sorriso para Mariana.

— Estou tão contente que você esteja aqui, minha querida. Vai ajudar muito.

— Vou ficar apenas esta noite... Estou aqui só pela Zoe.

Clarissa pareceu desapontada.

— Só por isso?

— Sabe, preciso voltar para Londres. Tenho meus pacientes...

— Lógico, mas... — Clarissa deu de ombros. — Você não consideraria ficar por alguns dias? Pelo bem da faculdade?

— Não sei como eu poderia ajudar. Sou psicoterapeuta, não detetive.

— Estou ciente disso. Você é psicoterapeuta especializada em grupos... E isso não abrange um grupo?

— Sim, mas...

— Você também foi aluna do Saint Christopher's, o que lhe confere um nível de *insight* e entendimento que a polícia, apesar de muito bem-intencionada, não tem.

Mariana balançou a cabeça. Sentia-se um pouco irritada por estar de novo na berlinda.

— Não sou criminologista. Esse não é mesmo o meu campo de ação.

Clarissa pareceu decepcionada, mas não fez comentários. Em vez disso, observou Mariana por um instante. Falou num tom mais brando.

— Me perdoe, querida. Acabou de me ocorrer que não perguntei a você nem uma vez como é a sensação.

— De quê?

— De estar aqui... sem o Sebastian.

Foi a primeira vez que Clarissa o mencionou. Mariana se sentiu meio desconcertada. Não soube o que dizer.

— Não sei como é.

— Deve ser *estranho*.

Mariana fez um gesto afirmativo com a cabeça.

— "Estranho" é uma boa palavra.

— Foi estranho para mim, depois que o Timmy morreu. Ele estava sempre ali... e, de repente, não estava. Eu ficava esperando que ele pulasse de trás de uma coluna para me surpreender... Ainda espero.

Clarissa foi casada com o professor Timothy Miller por trinta anos. Dois excêntricos célebres de Cambridge, sempre circulando juntos pela cidade, livros debaixo dos braços, cabelos despenteados, usando meias esquisitas, imersos em diálogos. Um dos casais mais felizes que Mariana conhecera, até Timmy morrer dez anos atrás.

— Vai ficando mais fácil — disse Clarissa.

— Vai mesmo?

— É importante olhar para a frente. Você não deve olhar para trás. Pense no futuro.

Mariana balançou a cabeça.

— Para ser sincera, não consigo ver o futuro... Não vejo quase nada. É como se tudo estivesse... — Procurou as palavras. Então se lembrou: — Atrás do véu. De onde é isso? "Atrás do véu, atrás do véu..."

— Tennyson — disse Clarissa sem hesitação. — *In Memoriam*... Estrofe cinquenta e seis, se não me engano.

Mariana sorriu. A maioria dos professores tinha uma enciclopédia no lugar do cérebro; Clarissa tinha uma biblioteca inteira. A professora fechou os olhos e começou a recitar de cor:

— "Ó vida, tão frágil e tão cruel!/ Ó tua voz para amar e abençoar!/ Que esperança de ouvir ou alentar?/ *Atrás do véu, atrás do véu...*"

Mariana assentiu com tristeza.

— Sim... Sim, é isso.

— Tennyson, pouco valorizado hoje em dia, infelizmente. — Clarissa sorriu, então olhou o relógio. — Se vai ficar esta noite, precisamos encontrar um quarto para você. Vou ligar agora mesmo para a portaria dos bedéis.

— Obrigada.

— Espere um instante.

A mulher idosa se levantou e foi até a estante. Correu os dedos pelas lombadas até localizar o livro. Puxou-o da prateleira e o colocou nas mãos de Mariana.

— Aqui. Tem sido uma fonte de alento desde que o Timmy morreu.

Era um volume fino com encadernação de couro preto. *IN MEMORIAM A.H.H, por Alfred Tennyson* estava incrustado na capa em letras douradas esmaecidas.

Clarissa dirigiu um olhar firme para Mariana.

— Leia.

20

O Sr. Morris encontrou um quarto para Mariana. Ele era o chefe dos bedéis, os funcionários responsáveis pela ordem na universidade.

Mariana ficou surpresa ao encontrá-lo na portaria dos bedéis. Lembrava-se bem do velho Sr. Morris: era idoso, uma espécie de tio, muito benquisto na faculdade, conhecido por ser leniente com os graduandos.

Mas este Sr. Morris era jovem, tinha menos de 30 anos, era alto e corpulento. Tinha mandíbula definida e cabelos castanho-escuros, divididos de lado e lisos. Vestia terno escuro, gravata com as cores da faculdade, azul e verde, e chapéu-coco.

Sorriu diante da expressão de surpresa de Mariana.

— Estava esperando outra pessoa, senhorita?

Mariana fez que sim, constrangida.

— Estava, sim, na verdade... O Sr. Morris...

— Era o meu avô. Ele morreu faz alguns anos.

— Ah, entendo, perdão...

— Não se preocupe. Acontece o tempo todo... Sou uma imitação barata, é o que os outros bedéis me dizem. — Piscou e deu um toque no chapéu. — Por aqui, senhorita. Acompanhe-me.

Seus modos educados e formais pareciam de outra época, pensou Mariana. Uma época melhor, talvez.

Ele insistiu em levar sua bolsa, apesar dos protestos de Mariana.

— É o nosso sistema aqui. A senhorita sabe. Saint Christopher's é o tipo de lugar onde o tempo para.

Sorriu para ela. Parecia inteiramente à vontade, seguro de si, como se fosse o senhor do seu domínio — o que era o caso de todos os bedéis da faculdade, como Mariana bem sabia, e com razão: sem eles para operar o dia a dia da faculdade, tudo desmoronaria rapidamente.

Mariana seguiu Morris até chegarem a um quarto no Pátio Gabriel. Foi o pátio onde morou no seu último ano de faculdade. Olhou para a antiga escadaria quando passaram por ela — para os degraus de pedra por onde ela e Sebastian subiram e desceram um milhão de vezes.

Seguiu Morris até o canto do pátio, onde havia uma torre octogonal, construída com blocos de granito manchado e desgastado pelo tempo; abrigava uma escadaria que levava aos quartos de hóspedes da faculdade. Entraram e subiram a escadaria circular com seus lambris de carvalho até o segundo andar.

Morris destrancou uma porta, abriu-a e deu a chave a Mariana.

— Aí está, senhorita.

— Obrigada.

Ela entrou e passou os olhos pelo cômodo. Era um quarto pequeno, com uma janela saliente, uma lareira e uma cama com quatro colunas de carvalho espiraladas. A cama era encimada por um dossel de tecido pesado e cortinas em toda a volta. A aparência era um pouco sufocante, pensou ela.

— É um dos quartos mais interessantes que temos à disposição dos ex-alunos — comentou Morris. — Talvez um pouco pequeno. — Deixou a bolsa de Mariana no chão, ao lado da cama. — Espero que a senhorita fique à vontade.

— Muito obrigada, você é muito simpático.

Não falaram do assassinato, mas ela sentiu que precisava mencioná-lo de algum modo, principalmente porque era um assunto que não saía da sua cabeça.

— Foi terrível o que aconteceu.

Morris concordou.

— É mesmo.

— Deve ser muito desagradável para todos na faculdade.

— É, sim. Ainda bem que meu avô não viveu para ver isso. Teria acabado com ele.

— Você a conhecia?

— A Tara? — Morris fez que não. — Eu só sabia da reputação dela. Era... bem conhecida, digo. Ela e as amigas.

— Amigas?

— Exato. Um grupo de jovens um tanto... provocantes.

— Provocantes? Uma escolha interessante de palavra.

— É mesmo, senhorita?

Ele se fez de tímido, e Mariana gostaria de saber o motivo.

— O que você quis dizer com isso?

Morris sorriu.

— É que elas são um tanto... desordeiras, se é que a senhorita me entende. Tínhamos que ficar de olho nelas e nas festas que davam. Tive que acabar com a farra algumas vezes. Rolava de tudo.

— Entendo.

Era difícil interpretar a expressão dele. Mariana se perguntava o que havia por trás daqueles bons modos e da atitude cordial. O que se passava na cabeça dele?

Morris sorriu.

— Se a senhorita quer saber mais sobre a Tara, é melhor falar com uma camareira. Elas sempre sabem o que acontece na faculdade. Toda a fofoca.

— Vou pensar nisso, obrigada.

— Se isso é tudo, senhorita, vou deixá-la à vontade. Boa noite.

Morris foi até a porta e se retirou, fechando-a sem fazer barulho.

Enfim, Mariana estava sozinha, depois de um dia longo e exaustivo. Sentou-se na cama, esgotada.

Olhou para o relógio. Nove horas. Deveria ir direto para a cama, mas sabia que não conseguiria dormir. Estava agitada demais, preocupada demais.

Então, quando desfez a bolsa que tinha preparado para o pernoite, encontrou o livro de poesia que Clarissa lhe dera.

In Memoriam.

Sentou-se na cama e o abriu. Os anos ressecaram as páginas, deformando-as e enrijecendo-as, deixando ondulações. Ela abriu o livro e acariciou as páginas ásperas com a ponta dos dedos.

O que Clarissa disse? Que ela teria uma perspectiva diferente do livro agora. Por quê? Por causa de Sebastian?

Mariana se lembrava de ter lido o poema quando era aluna. Assim como a maioria das pessoas, ficou desanimada ao ver a extensão dele. Eram mais de três mil versos, e ela se sentiu extremamente realizada por ter conseguido ler o poema todo. Na época ela não se identificou com o conteúdo — porém era mais jovem, feliz e apaixonada, e não precisava de poesia triste.

Na introdução escrita por um antigo acadêmico, Mariana leu que Alfred Tennyson teve uma infância infeliz — o "sangue ruim" da família Tennyson era infame. O pai dele era alcoólatra, viciado em drogas e violento, os irmãos de Tennyson sofriam de depressão e doenças mentais e acabaram internados num hospício ou cometeram suicídio. Alfred fugiu de casa aos 18 anos. E, como Mariana, tropeçou num mundo de liberdade e beleza em Cambridge. E também encontrou o amor. Se o relacionamento entre Arthur Henry Hallam e Tennyson era sexual ou não, ninguém sabe, mas, sem dúvida, era profundamente romântico: desde o dia em que se conheceram, no fim do primeiro ano, nunca mais se afastaram. Com frequência eram vistos andando de mãos dadas — até que, poucos anos depois, em 1833... Hallam morreu repentinamente por causa de um aneurisma.

Era discutível que Tennyson nunca tenha se recuperado totalmente da perda de Hallam. Deprimido, descabelado, sujo, Tennyson se entregou à tristeza. Ele desmoronou. Durante os dezessete anos seguintes, sofreu, e não fazia nada além de rascunhos de poesia — linhas, versos, elegias, tudo sobre Hallam. Finalmente esses versos foram reunidos e formaram um poema imenso. Foi publicado com o título *In Memoriam A.H.H.* e logo reconhecido como um dos poemas mais importantes da língua inglesa.

Mariana se acomodou na cama e começou a ler. Não demorou a descobrir como era autêntica a voz sofrida e familiar do poeta — teve a sensação estranha, extracorpórea, de que aquela voz era *sua*, e não de Tennyson; que ele articulava os sentimentos que para ela eram indescritíveis. "Às vezes, penso ser quase pecado/ Expressar com palavras minha dor;/ Palavras, qual Natura, vão expor/ E vão camuflar a Alma do enlutado". Assim como Mariana, um ano depois da morte de Hallam, Tennyson voltou a Cambridge. Andou pelas mesmas ruas que tinha percorrido com Hallam; sentiu que "tudo era igual, mas não era igual" — deteve-se diante do quarto de Hallam, vendo que "havia outro nome na porta".

E Mariana deparou com esses versos, que se tornaram tão famosos que passaram a fazer parte do repertório da língua inglesa — agora em contato com eles, enterrados no meio de tantos outros versos, descobriu que tinham mantido a habilidade de surgir de mansinho, surpreendendo-a e deixando-a sem ar.

Que é verdade admito, seja o que for;
Eu sempre sinto, quanto mais dorido;
Melhor ter amado, e depois perdido,
Do que jamais saber o que é amor...

Os olhos de Mariana se encheram de lágrimas. Ela baixou o livro e olhou pela janela. Mas estava escuro lá fora, e seu rosto se refletia no vidro. Olhou fixamente para si mesma, enquanto lágrimas escorriam pela sua face.

E agora, para onde?, pensou. *Para onde você está indo?*

O que você está fazendo?

Zoe tinha razão: ela estava fugindo. Mas para onde? De volta a Londres? De volta àquela casa assombrada em Primrose Hill? Não era mais um lar — era só uma toca onde se esconder.

Zoe precisava dela aqui, admitindo isso ou não; Mariana não podia simplesmente abandoná-la — isso estava fora de cogitação.

De repente se lembrou do que Zoe lhe dissera em frente à capela, que Sebastian diria a Mariana que ficasse. Zoe estava certa.

Sebastian faria questão de que Mariana aguentasse firme e lutasse.

E então?

Seus pensamentos se voltaram à atuação do professor Fosca no pátio. Talvez "atuação" fosse uma palavra adequada. O desempenho dele teria sido excessivamente refinado, um pouco *ensaiado*? Mesmo assim, ele tinha um álibi. E, a não ser que tivesse convencido suas alunas a mentir por ele, o que parecia improvável, devia ser inocente...

Ainda assim...

Alguma coisa não batia. Alguma coisa não fazia sentido.

Tara acusou Fosca de ameaçar matá-la. Então... poucas horas depois, ela estava morta.

Não faria mal passar mais uns dias em Cambridge e fazer algumas perguntas sobre o relacionamento de Tara com o professor. O professor Fosca, certamente, merecia ser investigado.

E, se a polícia não iria atrás dele, talvez Mariana — como uma dívida de honra com a amiga de Zoe — pudesse ouvir o relato da jovem... e levá-la a sério.

Nem que fosse só porque ninguém mais o fez.

Parte 2

A divergência que tenho em relação a grande parte da psicanálise é quanto ao preconceito de que o sofrimento seja um erro, ou sinal de fraqueza, ou mesmo indício de doença. Quando, na verdade, as maiores verdades de que temos conhecimento provavelmente surgiram do sofrimento das pessoas.

ARTHUR MILLER

Os lestrigões e os ciclopes,
E o terrível Posêidon jamais encontrarás,
Se não os carregares dentro de tua alma,
Se tua alma não os dispuser diante de ti.

C. P. CAVAFY, "Ithaca"

I

Não consegui dormir de novo esta noite. Agitado demais, tenso demais. Tempestuoso, diria minha mãe.

Então desisti e saí para caminhar.

Percorrendo as ruas desertas da cidade, vi uma raposa. Ela não percebeu que eu me aproximava e olhou para cima, assustada.

Foi a primeira vez que estive tão perto de uma. Que criatura magnífica! Aquele pelo, aquela cauda... e aqueles olhos escuros, me encarando.

Olhei dentro deles e... o que vi?

É difícil descrever — vi toda a maravilha da criação, a maravilha do universo, lá, bem nos olhos do animal, naquele segundo. Foi como ver Deus. E, por um segundo, tive uma sensação estranha. Uma espécie de presença. Como se Deus estivesse lá, na rua, perto de mim, segurando minha mão.

Eu me senti seguro, de repente. Eu me senti calmo e em paz, como se uma febre violenta tivesse cedido, um delírio tivesse passado. Senti minha outra parte, a parte boa, emergindo na madrugada...

Mas então a raposa desapareceu. Desapareceu em meio às sombras, e o sol surgiu... Deus tinha ido embora. Eu estava só e dividido em dois.

Não quero ser duas pessoas. Quero ser uma pessoa. Quero ser inteiro. Mas parece que não tenho escolha.

E, enquanto estava parado na rua, enquanto o sol surgia, tive uma lembrança terrível — de outro amanhecer, anos atrás. Outra manhã — exatamente como esta.

A mesma luz amarela. O mesmo sentimento de estar dividido.

Mas onde?

Quando?

Sei que me lembraria se tentasse. Mas será que eu quero? Tenho a impressão de que foi alguma coisa que tentei ao máximo esquecer. Do que eu sinto tanto medo? Do meu pai? Ainda acredito que ele vá surgir do alçapão como o vilão de uma pantomima e me derrubar?

Ou é da polícia? Receio sentir o toque repentino no ombro, uma prisão, e castigo, em retaliação por meus crimes?

Por que tenho tanto medo?

A resposta deve estar lá, em algum lugar.

E sei onde devo procurar.

2

No dia seguinte, de manhã cedo, Mariana foi se encontrar com Zoe.

Zoe tinha acabado de acordar e estava sonolenta, segurando Zebra com uma das mãos e afastando dos olhos a máscara de dormir com a outra.

Ela piscou para Mariana, que abria as cortinas para deixar a claridade entrar. Zoe não estava com boa aparência — os olhos estavam injetados, e ela parecia exausta.

— Não repara, não dormi bem. Tive pesadelos.

Mariana entregou a ela uma caneca de café.

— Com a Tara? Acho que também tive.

Zoe assentiu com a cabeça e tomou um gole do café.

— É como se tudo fosse um pesadelo. Não consigo acreditar que ela realmente... se foi.

— Eu sei.

Os olhos de Zoe ficaram marejados de lágrimas. Mariana não sabia se a consolava ou a distraía. Decidiu pela segunda opção. Pegou a pilha de livros de cima da escrivaninha e olhou os títulos — *A duquesa de Malfi*, *A tragédia do vingador*, *A tragédia espanhola.*

— Deixa eu adivinhar. Tragédia nesse período?

— Tragédia de *vingança* — disse Zoe com um leve resmungo. — Tão idiota.

— Não está gostando?

— *A duquesa de Malfi* é bom... é divertido... Quer dizer, é tão louco.

— Eu me lembro. Bíblias envenenadas e lobisomens. Mas, de certa maneira... ainda funciona, não acha? Pelo menos foi o que sempre achei. — Mariana olhou para *A duquesa de Malfi*. — Faz anos que li.

— Vão encenar a peça no ADC Theatre nesse período. Vem ver.

— Vou, sim. É um bom papel. Por que você não faz um teste?

— Eu fiz. Não consegui — disse Zoe suspirando. — É sempre assim.

Mariana sorriu. Em seguida, a ligeira impressão de que nada de errado tinha acontecido desmoronou. Zoe olhou para ela fixamente, franzindo a testa.

— Você está de saída? Veio se despedir?

— Não. Não vou embora. Decidi ficar, pelo menos por uns dias... e fazer algumas perguntas. Quero ver se posso ajudar.

— Sério? — Os olhos de Zoe brilharam, e a careta se desfez. — Que maravilha. Obrigada. — Ela hesitou. — Olha. Aquilo que eu falei ontem... que queria que o Sebastian estivesse aqui... Me desculpa.

Mariana balançou a cabeça. Ela entendia. Zoe e Sebastian sempre tiveram uma ligação especial. Na infância, era para Sebastian que Zoe invariavelmente corria quando ralava o joelho ou se cortava, ou precisava de uma palavra de consolo. Mariana não se importava; sabia como era importante ter um pai. E Sebastian era quem mais se aproximava de uma figura paterna para Zoe desde que ela perdera os pais. Mariana sorriu.

— Não precisa se desculpar. O Sebastian sempre foi melhor que eu em momentos de crise.

— Acho que ele sempre cuidou de nós. E agora... — Zoe deu de ombros.

Mariana lhe dirigiu um sorriso animador.

— Agora temos que cuidar uma da outra. Certo?

— Certo. — Zoe assentiu. Então falou com firmeza, recompondo-se. — Espera só uns vinte minutos para eu tomar uma chuveirada e me arrumar. A gente pode elaborar um plano...

— Como assim? Você não tem aula hoje?

— Tenho, mas...

— Nada de "mas" — disse Mariana, decidida. — Vai assistir às suas aulas. Encontro você na hora do almoço. E aí a gente conversa.

— Ah, Mariana...

— Não. Estou falando sério. Agora é mais importante que nunca que você se mantenha ocupada... e foque nos estudos. Certo?

Zoe suspirou fundo mas parou de argumentar.

— Certo.

— Ótimo — disse Mariana, dando-lhe um beijo no rosto. — Mais tarde a gente se vê.

Mariana saiu do quarto de Zoe e foi até o rio.

Passou pela casa de barcos da faculdade e pela fileira de canoas atracadas, pertencentes ao Saint Christopher's, acorrentadas à margem, balançando na água.

Enquanto andava, Mariana ligou para seus pacientes para cancelar as sessões da semana.

Não lhes contou o que tinha acontecido. Disse apenas que tivera uma emergência na família. E a maioria deles recebeu bem a notícia — exceto Henry. Mariana não esperava que ele reagisse bem, e ele não reagiu mesmo.

— Muito obrigado — disse Henry com sarcasmo. — Legal, cara. Adorei.

Mariana tentou explicar que havia acontecido uma emergência, mas ele não estava interessado. Como uma criança, Henry só conseguia ver as próprias necessidades sendo frustradas, e seu único interesse era em puni-la.

— Você se importa *comigo*? Dá a mínima?

— Henry, isto está além do meu controle...

— E eu? Eu preciso de você, Mariana. Isso é que está além do *meu* controle. Têm acontecido coisas. Eu... Eu estou aqui afundando...

— O que foi? O que aconteceu de errado?

— Não posso falar pelo telefone. Preciso de você... Por que você não está em casa?

Mariana congelou. Como ele sabia que ela não estava lá? Ele deve ter vigiado a casa de novo.

Ela sentiu um alarme repentino soando em sua mente — a situação com Henry era insustentável; em primeiro lugar, teve raiva de si mesma por ter permitido que chegasse a esse ponto. Precisava lidar com a situação, lidar com Henry. Mas agora não. Hoje não.

— Tenho que ir — disse.

— Eu sei onde você está, Mariana. Você não faz ideia, né? Estou te vigiando. Estou te vendo...

Mariana desligou. Sentiu-se irritada. Olhou para a margem do rio e para as duas direções da trilha, mas não viu Henry em lugar algum.

Lógico que não, ele só queria assustá-la. Ficou chateada por ter mordido a isca.

Balançou a cabeça... e continuou andando.

3

Era uma linda manhã. Em toda a extensão do rio, a luz do sol brilhava entre os salgueiros, refletindo o verde intenso das folhas acima da cabeça de Mariana. E, aos seus pés, ciclames silvestres se espalhavam pela trilha, feito pequeninas borboletas cor-de-rosa. Era difícil associar tanta beleza ao motivo pelo qual estava ali ou aos seus pensamentos, que orbitavam em torno de assassinato e morte.

Que diabos estou fazendo?, pensou. *Isto é loucura.*

Era difícil não ficar remoendo o pessimismo — tudo que ela não sabia. Não tinha ideia de como pegar um assassino. Não era criminologista nem psicóloga forense, como Julian. Tudo o que tinha era um conhecimento instintivo da natureza e do comportamento humanos, resultado de anos de trabalho com pacientes. E teria que funcionar; precisava se livrar da dúvida que sentia de si mesma ou isso iria limitá-la. Precisava confiar nos seus instintos. Pensou por um instante.

Por onde começar?

Bem, para início de conversa — e isso era muito importante —, precisava entender Tara: quem ela era como pessoa, quem ela amava, quem odiava... e quem temia. Mariana desconfiava que Julian estivesse certo: Tara conhecia o assassino. Logo, precisava descobrir os segredos dela. Isso não seria muito difícil. Em grupos semelhantes a esse, em comunidades pequenas, enclausuradas, boatos se espalhavam e as pessoas conheciam intimamente a vida umas das outras. Se houvesse qualquer fundo de verdade no suposto romance que Tara afirmava ter com Edward Fosca, por exemplo, com certeza haveria alguma fofoca. Muito se poderia saber a partir do que as pessoas na faculdade diriam. Era assim que Mariana pretendia começar: fazendo perguntas.

E, mais importante ainda, ouvindo.

Tinha chegado a um ponto mais movimentado do rio, perto da Mill Lane. Mais à frente, pessoas caminhavam, corriam, pedalavam. Mariana as contemplava. O assassino podia ser qualquer um desses indivíduos. Poderia estar ali nesse momento.

Poderia estar olhando para ela.

Como iria reconhecê-lo? A resposta simples é que não conseguiria. E, apesar de se achar um grande especialista, Julian também não seria capaz de fazer isso. Mariana sabia que, se perguntassem a ele sobre psicopatia, Julian referenciaria o dano no lobo frontal ou temporal no cérebro; ou mencionaria uma série de denominações sem sentido — transtorno de personalidade antissocial, narcisismo perverso — acrescidas de um conjunto simplista de características, tais como inteligência excepcional, charme superficial, grandiosidade, mentira patológica, desprezo pela moralidade; e tudo isso explicaria muito pouco. Não explicava como, ou por quê, uma pessoa acabava desse jeito: um monstro impiedoso, usando outros seres humanos como se fossem brinquedos quebrados para serem esmigalhados.

Tempos atrás, a psicopatia costumava ser chamada simplesmente de "mal". Indivíduos maus, que sentiam satisfação em ferir ou matar outros, figuravam em obras literárias desde que Medeia, de posse de um machado, investiu contra os próprios filhos, e provavelmente muito antes disso. A palavra "psicopata" foi cunhada por um psiquiatra alemão em 1888 — o mesmo ano em que Jack, o Estripador, aterrorizou Londres — a partir do termo *psychopastiche*, que significa em alemão, literalmente, "alma sofredora". Para Mariana, essa era a chave — o *sofrimento*, a noção de que esses monstros também sofrem. Pensar neles como vítimas lhe permitia ser mais racional na abordagem e mais compreensiva. Psicopatia e sadismo jamais surgiam do nada. Não se tratava de um vírus, infectando alguém de repente. Tinha uma longa história pregressa na infância.

Mariana acreditava que a infância era uma experiência reativa, o que significava que, para sentir empatia por outro ser humano, nós precisamos primeiro que a empatia nos seja *demonstrada* — por nossos pais ou responsáveis. O homem que assassinou Tara já foi um menino, um menino que não conheceu nenhuma empatia nem bondade. Ele sofreu — e sofreu demais.

No entanto, muitas crianças crescem em ambientes onde existe violência e não se tornam assassinas. Por quê? Bem, como dizia a antiga orientadora de Mariana: "Não é preciso fazer muito esforço para salvar uma infância." Um pouco de gentileza, alguma compreensão ou incentivo: alguém para reconhecer e admitir a realidade da criança — e resgatar sua sanidade.

Nesse caso, Mariana imaginava que ninguém — nenhuma avó bondosa, nenhum tio preferido, nenhum vizinho bem-intencionado ou professor tivesse percebido o sofrimento, dado nome a ele e o tornado real. A única realidade pertencia ao assediador, e os sentimentos de vergonha, medo e revolta do menino eram perigosos demais para serem processados sozinhos — ele não sabia como fazer isso —, então eles não foram processados; ele parou de senti-los. Sacrificou o seu verdadeiro eu, todo o sofrimento e a raiva que não sentiu, em prol do Mundo Inferior, do mundo obscuro do inconsciente.

O menino perdeu o vínculo com quem ele realmente era. E o homem que atraiu Tara até aquele lugar ermo era tão estranho a si mesmo quanto a qualquer outro indivíduo. Ele era, Mariana suspeitava, um ator brilhante: impecavelmente educado, gentil e charmoso. Mas Tara o provocou de alguma maneira — e a criança aterrorizada no interior dele se revoltou e puxou a faca.

Mas o que o incitou?

Essa era a pergunta. Se pelo menos Mariana pudesse ver o interior da mente dele e ler seus pensamentos — onde quer que ele estivesse.

— Olá!

A voz atrás de Mariana fez com que ela se sobressaltasse. Rapidamente se virou.

— Foi mal — disse ele. — Não quis assustar você.

Era Fred, o jovem que ela conhecera no trem. Estava empurrando a bicicleta, segurando um maço de papéis debaixo do braço, comendo uma maçã. Sorriu.

— Lembra de mim?

— Lembro.

— Eu disse que a gente se veria de novo, não disse? Eu previ. Eu falei para você, sou um pouco vidente.

Mariana sorriu.

— Cambridge é um lugar pequeno. É coincidência.

— Vai por mim. Eu sou físico. Não existe coincidência. O artigo que estou escrevendo comprova isso.

Fred indicou com a cabeça o maço de papéis, que escorregou por baixo de seu braço, e folhas de equações matemáticas despencaram por toda a trilha.

— Droga.

Ele deixou cair a bicicleta e correu atrás das folhas. Mariana se abaixou para ajudar.

— Obrigado — disse ele enquanto juntavam as últimas folhas.

Ele estava a alguns centímetros do rosto dela, encarando os olhos dela. Entreolharam-se por um segundo. Ele tinha belos olhos, pensou ela, antes de afastar o pensamento. Levantou-se.

— Que bom que você ainda está aqui — disse ele. — Vai ficar por mais tempo?

Mariana deu de ombros.

— Não sei. Estou aqui por causa da minha sobrinha... Ela... Ela teve más notícias.

— Você está se referindo ao assassinato? Sua sobrinha está no Saint Christopher's, certo?

Mariana piscou, confusa.

— Eu... não me lembro de ter dito isso a você.

— Ah... bem, você disse. — Fred continuou depressa. — Todo mundo está comentando... o que aconteceu. Tenho pensado muito no assunto. Tenho algumas teorias.

— Que tipo de teorias?

— Sobre o Conrad. — Fred consultou o relógio. — Tenho que ir agora, mas você não gostaria de beber alguma coisa? Quem sabe... hoje à noite? A gente pode conversar. — Olhou para ela, esperançoso. — Quer dizer, só se você quiser... é óbvio, sem pressão... nada de mais...

Ele estava metendo os pés pelas mãos; Mariana estava decidida a recusar e livrá-lo do constrangimento. Mas algo a impediu. O que ele sabia sobre Conrad? Mariana poderia lhe fazer algumas perguntas e obter informações — ele poderia saber algum detalhe útil. Valia a pena tentar.

— Tudo bem — disse ela.

Fred ficou surpreso e animado.

— Sério? Excelente. Que tal às nove? No Eagle? Vou te dar o meu número.

— Não preciso do seu número. Vou estar lá.

— Está bem — disse ele com um sorriso. — Vai ser o nosso encontro.

— Não é bem um encontro.

— Não, claro que não. Não sei por que falei isso. Certo... Até mais tarde.

Montou na bicicleta.

Mariana observou Fred pedalar pela trilha à margem do rio. Em seguida se virou e começou a andar de volta para a faculdade.

Hora de começar. Hora de arregaçar as mangas e trabalhar.

4

Mariana atravessou depressa o Pátio Principal, indo em direção a um grupo de mulheres de meia-idade, todas bebericando chá de suas canecas fumegantes, servindo-se de biscoitos e fofocando. Eram as camareiras — no intervalo do chá.

As camareiras eram um tipo de instituição na universidade — durante centenas de anos, batalhões de mulheres da região foram contratados pelas faculdades para arrumar camas, esvaziar lixeiras e limpar quartos, embora, verdade seja dita, o contato diário de camareiras com alunos significava que o trabalho como arrumadeira muitas vezes se confundia com o de conselheira. Às vezes, a camareira de Mariana era a única pessoa com quem ela conversava todos os dias, até conhecer Sebastian.

As camareiras formavam um grupo e tanto. Mariana se sentiu um pouco intimidada ao se aproximar delas. Perguntava-se, não pela primeira vez, o que de fato pensavam dos alunos; essas mulheres da classe operária que não desfrutavam de nenhuma das vantagens desses jovens privilegiados e, muitas vezes, mimados.

Talvez elas nos odeiem, pensou Mariana de repente. Não podia culpá-las se odiassem.

— Bom dia, senhoras — disse.

A conversa cessou. As mulheres lançaram a Mariana um olhar de curiosidade e leve desconfiança. Ela sorriu.

— Será que poderiam me ajudar? Estou procurando a camareira de Tara Hampton.

Várias cabeças se voltaram para uma mulher que estava mais atrás, acendendo um cigarro.

A mulher devia ter quase 70 anos ou mais. Usava avental azul e carregava um balde com vários produtos de limpeza e um espanador de penas. Não chegava a ser gorda, mas era forte e tinha um rosto redondo. Os cabelos eram pintados de ruivo, brancos na raiz, e as sobrancelhas deviam ser desenhadas diariamente; hoje estavam bem para cima, na testa, dando-lhe um ar espantado. Parecia um pouco irritada de estar na berlinda. Dirigiu a Mariana um sorriso forçado.

— Sou eu, querida. Me chamo Elsie. No que posso ajudar?

— Meu nome é Mariana. Fui aluna aqui. E eu... — continuou, improvisando — sou psicoterapeuta. O diretor pediu que conversasse com vários integrantes da faculdade para saber como foi a repercussão da morte da Tara. Estava pensando se poderíamos... ter uma conversinha.

Ela não finalizou bem, e não teve muita esperança de que Elsie mordesse a isca. Com razão.

Elsie comprimiu os lábios.

— Não estou precisando de terapeuta, querida. Nada de errado com a minha cabeça, muito obrigada.

— Não foi isso que eu quis dizer... É um interesse meu, na verdade. É que... estou conduzindo uma pesquisa.

— Bem, não tenho tempo, mesmo...

— Não vai demorar. Talvez eu possa te oferecer um chá? Uma fatia de bolo?

Ao ouvir falar em bolo, um brilho surgiu nos olhos de Elsie. Sua atitude abrandou. Ela deu de ombros e tragou o cigarro.

— Tá certo. Temos que andar depressa. Tenho mais uma escadaria para limpar antes do almoço.

Elsie apagou o cigarro na calçada de pedra, tirou o avental e o empurrou para outra camareira, que o pegou sem dizer uma palavra.

Então foi até Mariana.

— Vem comigo, querida — disse ela. — Conheço o melhor lugar.

Elsie saiu marchando. Mariana seguiu atrás dela, e, quando virou de costas, ouviu as outras mulheres sussurrando umas para as outras desenfreadamente.

5

Mariana seguiu Elsie pela King's Parade. Passaram pela Market Square, com suas marquises verdes e brancas e suas bancas vendendo flores, livros e roupas; e pela Senate House, reluzindo branca por trás de grades pretas e brilhantes. Passaram por uma loja de fudges — e das portas abertas veio um aroma doce ao extremo de açúcar e fudge quente.

Elsie parou em frente ao toldo vermelho e branco do Copper Kettle.

— Este é o meu lugar preferido — disse ela.

Mariana fez que sim. Lembrava-se do salão de chá dos tempos de estudante.

— Você primeiro.

Seguiu Elsie para o interior. O lugar estava movimentado, com alunos e turistas, e um burburinho em diferentes idiomas.

Elsie foi direto para a vitrine de bolos. Examinou a seleção de bolo de chocolate, torta de coco, torta de maçã, torta de limão e brownies.

— Eu não devia, na verdade — disse ela. — Bem... quem sabe só um.

Virou-se para a garçonete idosa, de cabelo branco, atrás do balcão.

— Uma fatia de bolo de chocolate, por favor. E um bule de English Breakfast — disse, indicando Mariana com um gesto de cabeça. — Ela está pagando.

Mariana pediu chá, e se sentaram à mesa próxima à janela.

Houve uma pausa. Mariana sorriu.

— Eu me pergunto se você conhece a minha sobrinha, a Zoe. Ela era amiga da Tara.

Elsie fez um resmungo. Não pareceu se impressionar.

— Ah, ela é sua sobrinha, é? Sim, já cuidei dela. É uma madamezinha, é sim.

— A Zoe? Como assim?

— Ela foi bastante rude comigo... várias vezes.

— Ah... Sinto muito saber disso. Não é do feitio da Zoe. Vou conversar com ela.

— É bom mesmo, querida.

Houve um constrangimento momentâneo.

Foram interrompidas pela chegada de uma garçonete — jovem, bonita, do Leste Europeu, trazendo chá e bolo. Elsie se alegrou.

— Paulina. Como vai?

— Vou bem, Elsie. E você?

— Não ficou sabendo? — Os olhos dela se arregalaram e o tremor de uma emoção fingida se infiltrou em sua voz. — Uma das menininhas da Elsie foi morta brutalmente... cortada em pedaços lá no rio.

— Sim, sim, eu soube. Sinto muito.

— Presta atenção por onde você anda agora. Não é seguro... uma menina bonita como você, por aí à noite.

— Vou tomar cuidado.

— Isso mesmo. — Elsie sorriu e observou a garçonete se afastar. Então se concentrou no bolo, atacando-o com vontade. — Nada mau — comentou entre uma mordida e outra. Havia vestígios de chocolate em volta de sua boca. — Quer um pouco?

Mariana balançou a cabeça.

— Não, obrigada.

O bolo funcionou, melhorando o humor de Elsie. Pensativa, ela olhou para Mariana enquanto mastigava.

— Olha, querida — disse ela —, espero que você não ache que estou acreditando nessa bobagem de psicoterapia. Pesquisa, sei...

— Você é muito perspicaz, Elsie.

Elsie deu uma risadinha e depositou um cubo de açúcar no chá.

— A Elsie não perde uma.

Elsie tinha o hábito desconcertante de se referir a si mesma na terceira pessoa. Lançou a Mariana um olhar intenso.

— Então, vamos lá... de verdade, o que você quer saber?

— Eu só quero fazer umas perguntas sobre a Tara... — Ela adotou um tom confidencial. — Você era íntima da Tara, não era?

Elsie olhou para ela com certo receio.

— Quem disse isso? A Zoe?

— Não... eu só presumi que, você sendo a camareira da Tara, provavelmente se encontrava bastante com ela. Eu tinha muita afeição pela minha camareira.

— Tinha, querida? Que simpática.

— Bem, o trabalho que vocês fazem é tão importante... Não sei se ele é sempre reconhecido.

Elsie assentiu com entusiasmo.

— Você está certa. As pessoas pensam que ser uma camareira é só uma questão de tirar o pó aqui e ali e esvaziar a lixeira. Mas as meninas estão fora de casa pela primeira vez... não se pode deixar que elas se virem sozinhas... elas precisam ser supervisionadas. — Ela sorriu com meiguice. — É a Elsie que cuida delas. É a Elsie que vai ver como elas estão todo dia... e que vai acordá-las de manhã... ou que as encontra mortas, caso tenham se enforcado durante a noite.

Mariana hesitou, perplexa.

— Quando foi que você viu a Tara pela última vez?

— No dia em que ela morreu, naturalmente... Jamais vou me esquecer. Eu vi a pobrezinha caminhar para a morte.

— Como assim?

— Bem, eu estava no pátio, esperando por duas senhoras... a gente sempre pega o ônibus para casa juntas. E eu vi a Tara sair do quarto dela. Parecia bastante contrariada. Acenei para ela e chamei... mas por algum motivo ela não me escutou. Vi quando ela foi embora... e nunca mais voltou...

— A que horas foi isso? Você se lembra?

— Quinze para as oito, precisamente. Eu lembro porque estava verificando o relógio... a gente estava quase perdendo o ônibus. — Elsie fez um muxoxo. — Não que ele chegue mais na hora certa.

Mariana serviu um pouco mais de chá para Elsie.

— Sabe, eu estava pensando nas amigas da Tara. Qual a sua impressão sobre elas?

Elsie ergueu uma sobrancelha.

— Ah, você quer dizer *aquelas amigas*, né?

— "Aquelas"?

Elsie sorriu, mas não respondeu. Mariana prosseguiu, com cautela.

— Quando falei com o Conrad, ele as chamou de "bruxas".

— Chamou? Mesmo? — Elsie deu uma risada. — "Piranhas" é mais o caso, querida.

— Você não gosta delas?

Elsie deu de ombros.

— Não eram amigas da Tara, não de verdade. A Tara detestava aquelas meninas. A sua sobrinha era a única que era legal com ela.

— E as outras?

— Ah, elas implicavam com a Tara, pobrezinha. Ela costumava chorar no meu ombro, chorava mesmo. "Você é a minha única amiga, Elsie", ela falava. "Eu te amo tanto, Elsie."

Elsie secou uma lágrima imaginária. Mariana se sentiu nauseada: a encenação era excessivamente doce, como o bolo de chocolate que Elsie tinha acabado de devorar... e Mariana não acreditou numa só palavra. Ou Elsie fantasiava demais ou não passava de uma boa e velha mentirosa. De um jeito ou de outro, Mariana estava cada vez mais constrangida na presença dela. Mesmo assim, perseverou.

— Por que implicavam com a Tara? Eu não entendo.

— Elas sentiam inveja, né? Porque ela era muito bonita.

— Entendo... Mas eu me pergunto se tinha mais alguma coisa além disso...

— Bem... *isso* é melhor perguntar para a Zoe, você não acha?

— Para a Zoe? — Mariana se surpreendeu. — O que você quer dizer? O que a Zoe tem a ver com isso?

Elsie abriu um sorriso enigmático em resposta.

— Então essa é uma pergunta a ser feita, não é, querida?

Ela não elaborou. Mariana se sentiu irritada.

— E quanto ao professor Fosca?

— O que é que tem ele?

— O Conrad disse que ele tinha uma queda pela Tara.

Elsie não pareceu impressionada nem surpresa.

— O professor é homem, né?... como qualquer outro.

— E o que isso quer dizer?

Elsie bufou, mas não fez nenhum comentário. Mariana percebeu que a conversa estava chegando ao fim e que, se insistisse mais, obteria um desdém ainda maior. Então, da forma mais casual que conseguiu, chegou ao ponto que a levara a subornar Elsie com elogios e bolo.

— Elsie. Você acha que... eu poderia ver o quarto da Tara?

— O quarto dela? — Elsie deu a entender que iria recusar. Mas então deu de ombros. — Acho que mal não faz. A polícia já viu tudo... Eu fiquei de fazer uma boa limpeza amanhã... Olha. Deixa eu terminar esta xícara, e a gente vai andando juntas até lá.

Mariana sorriu, satisfeita.

— Obrigada, Elsie.

6

Elsie destrancou a porta do quarto de Tara. Entrou e acendeu a luz. Mariana foi atrás.

Era como qualquer outro quarto de adolescente, talvez mais bagunçado que a maioria. A polícia havia examinado os pertences sem deixar indícios de que esteve no local — parecia que Tara tinha acabado de sair e voltaria a qualquer momento. Ainda havia no ar um vestígio do perfume dela e o odor almiscarado de maconha impregnado na mobília.

Mariana não sabia o que estava procurando. Buscava *alguma coisa* que a polícia deixara passar, mas o quê? Tinham retirado todos os equipamentos nos quais Zoe havia depositado suas esperanças de obter alguma pista — o computador, o celular, o iPad de Tara, tudo tinha sido levado. As roupas ficaram lá, no armário e largadas na poltrona, empilhadas no chão — roupas caras tratadas como trapos. Livros lidos pela metade tratados com o mesmo descaso, jogados no chão, abertos, as lombadas danificadas.

— Ela sempre foi assim, bagunceira?

— Ah, sim, querida. — Elsie fez um muxoxo e deu uma risadinha. — Caso perdido. Não sei o que ela teria feito se não fosse eu para cuidar dela.

Elsie se sentou na cama. Aparentemente, passara a confiar em Mariana. E sua conversa não tinha mais reservas; pelo contrário.

— Os pais vão encaixotar as coisas dela hoje — disse ela. — Eu me ofereci para fazer isso. Para poupá-los dessa função. Não quiseram, por algum motivo. Não é a todo mundo que a gente consegue agradar. Para mim não é surpresa. Sei o que a Tara pensava deles. Ela me falou. Que Lady Hampton era uma piranha esnobe... e não tinha *nada de lady*, cá entre nós. Agora, o marido dela...

A atenção de Mariana estava dividida, desejando que Elsie saísse para que ela pudesse se concentrar. Aproximou-se da pequena penteadeira. Olhou para ela. Havia um espelho com algumas fotos presas na moldura. Uma das fotos era de Tara com os pais. Tara era linda demais, resplandecia beleza. Tinha cabelos longos e ruivos e fisionomia sofisticada — o semblante de uma deusa grega.

Mariana considerou os demais objetos sobre a penteadeira. Dois vidros de perfume, maquiagem e uma escova de cabelo. Olhou para a escova. Um fio de cabelo ruivo estava preso nela.

— O cabelo dela era lindo — disse Elsie, observando Mariana. — Eu costumava escová-lo. Ela adorava que eu o escovasse.

Mariana sorriu educadamente. Pegou um bichinho de pelúcia — um coelho peludo encostado no espelho. Ao contrário da antiga Zebra de Zoe, velha e acabada depois de anos de maus-tratos, este brinquedo era estranhamente novo — quase intocado.

Elsie logo solucionou o mistério.

— Fui eu que comprei para ela. Era tão sozinha quando chegou aqui. Precisava de alguma coisa com que se aconchegar. Então eu trouxe o coelhinho.

— Foi muita gentileza sua.

— A Elsie é só amor. Também trouxe para ela a bolsa de água quente. Aqui faz um frio danado à noite. O cobertor que eles dão não serve para nada... fino feito papelão. — Ela bocejou, dando a impressão de estar entediada. — Ainda vai demorar muito, querida? É que preciso mesmo ir andando. Tenho outra escadaria para limpar.

— Não quero te prender. Será... Será que eu posso ficar mais uns minutos?

Elsie ponderou por um segundo.

— Tudo bem. Vou lá fora fumar um cigarrinho. Feche a porta quando sair.

— Obrigada.

Elsie saiu do quarto, fechando a porta ao passar. Mariana deixou escapar um suspiro. Graças a Deus. Passou os olhos pelo cômodo. Ainda não tinha encontrado seja lá o que estivesse procurando. Esperava reconhecer tal coisa quando a visse. Alguma pista — um *insight* quanto ao estado mental de Tara. Algum detalhe que ajudasse Mariana a compreender... mas o quê?

Foi até a cômoda. Abriu cada uma das gavetas, examinando os objetos que continham. Uma tarefa deprimente e mórbida. Parecia um procedimento cirúrgico, como se ela abrisse uma incisão no corpo de Tara e mexesse nos órgãos. Mariana observou os pertences mais íntimos — a lingerie, a maquiagem, produtos de cabelo, o passaporte, carteira de motorista, cartões de crédito, fotos da infância, instantâneos de quando Tara era bebê, pequenos avisos e bilhetes que escreveu para si mesma, antigas notas fiscais de lojas, absorventes internos soltos, frascos de cocaína vazios, tabaco solto e vestígios de maconha.

Era estranho; Tara tinha desaparecido, assim como Sebastian, deixando tudo para trás. *Depois que morremos*, pensou Mariana, *tudo o que resta de nós é mistério; e nossos pertences, obviamente, vão ser revirados por terceiros.*

Resolveu desistir. Seja lá o que estivesse procurando, não estava lá. Talvez nem existisse, para começo de conversa. Fechou a última gaveta e se preparou para sair do quarto.

Então, quando se aproximou da porta, parou por algum motivo... e se virou. Passou os olhos pelo quarto mais uma vez.

Seus olhos pousaram no quadro de cortiça acima da escrivaninha. Avisos, folhetos, postais, duas fotos, tudo preso no quadro.

Um dos postais era de uma imagem que Mariana conhecia: uma pintura de Ticiano — *Tarquínio e Lucrécia*. Mariana parou. Olhou mais de perto.

Lucrécia estava em seus aposentos, na cama, nua e indefesa; Tarquínio de pé, acima dela — erguendo um punhal que brilhava, refletindo a luz, e posicionado para o ataque. Era lindo, mas muito perturbador.

Mariana tirou o cartão-postal do quadro. Virou-o.

Ali, no verso, havia uma citação escrita a mão com tinta preta. Quatro linhas, em grego clássico.

ἓν δὲ πᾶσι γνῶμα ταὐτὸν ἐμπρέπει:
σφάξαι κελεύουσίν με παρθένον κόρῃ
Δήμητρος, ἥτις ἐστὶ πατρὸς εὐγενοῦς,
τροπαῖά τ᾽ ἐχθρῶν καὶ πόλει σωτήριαν.

Mariana ficou olhando fixamente para aquilo, intrigada.

7

Mariana encontrou Clarissa sentada na poltrona ao lado da janela, cachimbo na mão, cercada de nuvens de fumaça, corrigindo uma pilha de provas apoiadas em seu colo.

— Posso falar com você? — perguntou Mariana, hesitante, à porta.

— Ah, Mariana? Você por aqui ainda? Entre, entre. — Clarissa acenou para ela entrar. — Pode se sentar.

— Não estou interrompendo o seu trabalho?

— Qualquer coisa que me afaste da correção das provas dos graduandos é bem-vinda. — Clarissa sorriu e deixou de lado os papéis. Dirigiu a Mariana um olhar curioso quando ela se sentou no sofá. — Decidiu ficar?

— Só por uns dias. A Zoe precisa de mim.

— Bom. Muito bom. Fico feliz com isso. — Clarissa acendeu de novo o cachimbo e tragou por um momento. — E então, como posso ajudar?

Mariana enfiou a mão no bolso e tirou dele o cartão-postal. Entregou-o a Clarissa.

— Encontrei isto no quarto da Tara. Fiquei me perguntando se você saberia do que se trata.

Clarissa olhou de relance para a ilustração, então virou o cartão. Ergueu a sobrancelha e leu a citação em voz alta:

— ἓν δὲ πᾶσι γνῶμα ταὐτὸν ἐμπρέπει:/ σφάξαι κελεύουσίν με παρθένον κόρῃ/ Δήμητρος, ἥτις ἐστὶ πατρὸς εὐγενοῦς,/ τροπαῖά τ᾽ ἐχθρῶν καὶ πόλει σωτήριαν.

— O que é? — perguntou Mariana. — Você reconhece?

— Acho que é... Eurípides. *Os Heráclidas*, se não me engano. Você conhece?

Mariana sentiu um certo constrangimento por nunca ter sequer ouvido falar dessa peça, muito menos lido o texto.

— Você pode refrescar a minha memória?

— É passada em Atenas — disse Clarissa, pegando o cachimbo. — O rei Demofonte se prepara para a guerra, para proteger a cidade contra os micênicos. — Posicionou o cachimbo no canto da boca, acendeu um fósforo e o reacendeu. Falou entre uma baforada e outra. — Demofonte consulta o oráculo... para saber quais são as suas chances de vitória... A citação vem desse trecho da peça.

— Entendi.

— Isso ajuda?

— Não muito.

— Não? — Clarissa abanou uma nuvem de fumaça. — Qual é a sua dificuldade?

Mariana sorriu diante da pergunta. Às vezes a erudição de Clarissa a fazia se sentir meio burra.

— Meu grego clássico está um pouco enferrujado, infelizmente.

— Ah... sim. Lógico, me desculpe... — Clarissa olhou para o cartão-postal e o traduziu: — Por alto diz... "Os oráculos concordam: para derrotar o inimigo e salvar a cidade... uma donzela deve ser sacrificada... uma donzela de origem nobre..."

Mariana piscou, surpresa.

— De origem nobre? Diz isso?

Clarissa assentiu.

— A filha de πατρὸς εὐγενοῦς... um nobre... deve ser sacrificada à κόρῃ Δήμητρος...

— Δήμητρος?

— A deusa Deméter. E um dos significados de "κόρῃ" é...

— Filha.

— Isso mesmo. — Clarissa fez que sim. — Uma donzela de origem nobre deve ser sacrificada à filha de Deméter... à Perséfone, digo.

Mariana sentiu o coração disparar. *É só coincidência*, pensou. *Não significa nada.*

Clarissa lhe entregou o cartão-postal e sorriu.

— Perséfone era uma deusa bem vingativa, como você sabe muito bem.

Mariana teve receio de falar. Ela só assentiu.

Clarissa deu uma boa olhada nela.

— Você está bem, querida? Parece um pouco...

— Estou bem... é que...

Por um instante ela se sentiu tentada a revelar a Clarissa seus sentimentos. Mas o que poderia dizer? Que nutria a fantasia supersticiosa de que essa deusa vingativa tinha alguma coisa a ver com a morte do seu marido? Como poderia expressar tal ideia em voz alta sem parecer completamente louca? Em vez disso, deu de ombros e falou:

— É um tanto irônico, só isso.

— O quê? Ah, você quer dizer, sendo Tara de *origem nobre*... E sendo *sacrificada*, por assim dizer? De fato, uma ironia deveras desagradável.

— E você não acha que poderia significar algo mais?

— Em que sentido?

— Não sei. Digamos... por que isso estava lá? No quarto dela? De onde surgiu?

Clarissa agitou o cachimbo despreocupadamente.

— Ah, isso é fácil... O trabalho de Tara neste período foi sobre tragédia grega. Não seria improvável que ela copiasse a citação de uma das peças, não acha?

— Não... suponho que não.

— Foge um pouco à personalidade dela, admito... e tenho certeza de que o professor Fosca poderia atestar isso.

Mariana piscou.

— O professor Fosca?

— Ele foi o professor dela de tragédia grega.

— Ah, sei — disse Mariana, tentando falar de modo casual. — É mesmo?

— Foi, sim. Afinal, ele é especialista. É brilhante. Você precisa assistir a um dos seminários dele enquanto estiver aqui. É impressionante. Sabe, os seminários dele são, de longe, os com a maior frequência de alunos na faculdade... Os estudantes fazem fila na escada desde o térreo para entrar e se sentam no chão se todas as cadeiras já estiverem ocupadas... Já ouviu falar de uma coisa dessas? — Clarissa riu e acrescentou depressa: — É claro que meus seminários sempre tiveram bastante público. Quanto a isso, sempre tive sorte. Mas não nesse nível, reconheço... Sabe, se está curiosa em relação a Fosca, devia conversar com a Zoe. Ela o conhece bem.

— A Zoe? — Mariana ficou espantada. — É mesmo? Por quê?

— Bem, ele é o orientador dela, afinal.

— Ah... entendo. — Mariana assentiu, pensativa. — Lógico, com certeza.

8

Mariana levou Zoe para almoçar. Foram a uma *brasserie* que tinha sido aberta recentemente nas imediações. Era frequentada por alunos esfomeados que recebiam a visita de familiares.

Era bem mais sofisticada que os restaurantes de que Mariana se lembrava do tempo de estudante. Estava movimentada, com o barulho de conversas e risadas e de talheres tilintando nos pratos. O aroma do lugar era sedutor, de alho refogado e vinho, além da carne grelhada. Um garçom bem-vestido, de colete e gravata, conduziu Mariana e Zoe até uma mesa num canto, forrada com toalha branca e com cadeiras de couro preto.

Fazendo uma extravagância, Mariana resolveu pedir meia garrafa de champanhe rosé. Não era bem o estilo dela, e Zoe ergueu uma sobrancelha.

— Bem, por que não? — disse Mariana, dando de ombros. — Pode cair bem.

— Não estou reclamando — disse Zoe.

Quando o champanhe chegou, as bolhas cor-de-rosa, efervescentes e cintilantes nas taças de cristal espesso lhes deram bastante ânimo. De início, não falaram de Tara nem do assassinato. Saltavam de um assunto a outro, colocando a conversa em dia. Falaram dos estudos de Zoe no Saint Christopher's e de como se sentia ingressando no terceiro ano — e da frustrante indefinição quanto à vida e ao que pretendia fazer.

Em seguida elas falaram de amor. Mariana perguntou a Zoe se ela estava saindo com alguém.

— Lógico que não. Eles não passam de *garotos*. — E balançou a cabeça. — Estou bem feliz de ser autossuficiente. Jamais vou me apaixonar.

Mariana sorriu. Zoe parecia tão infantil, pensou, quando falava desse jeito. *Ela pode até dizer isso...* Desconfiava que, apesar dos protestos de Zoe, quando ela se apaixonasse, seria intensa e profundamente.

— Um dia — disse Mariana — você vai ver. Vai acontecer.

— Não. — Zoe balançou a cabeça. — Não, obrigada. Pelo que eu sei, amor só traz infelicidade.

Mariana teve que rir.

— Isso me parece um pouco pessimista.

— Você não quis dizer *realista*?

— Não mesmo.

— Mas e você e o Sebastian?

Mariana não estava preparada para esse golpe, decididamente baixo e desferido de modo tão casual. Levou um segundo para se recuperar.

— Sebastian me trouxe muito mais do que tristeza.

Zoe rapidamente se desculpou.

— Foi mal. Eu não queria te chatear... Eu...

— Não estou chateada. Está tudo bem.

Mas não estava tudo bem. Estar naquele restaurante maravilhoso, bebendo champanhe, fez com que brincassem de faz de conta por algum tempo — com que conseguissem esquecer o assassinato e tudo de desagradável — e vivessem alegremente na pequena bolha do momento presente. Mas naquele instante Zoe furou a bolha, e Mariana sentiu toda a tristeza, toda a preocupação e todo o medo voltarem a imperar.

Comeram em silêncio por um tempo. Então Mariana perguntou em voz baixa:

— Zoe. Como você está...? Em relação a Tara.

Zoe não respondeu de imediato. Deu de ombros. Não ergueu o olhar.

— Mais ou menos. Não muito bem. Eu não consigo parar de pensar... no jeito que ela morreu, digo. Não consigo... tirar isso da minha cabeça.

Zoe olhou para Mariana. E Mariana sentiu a dor da empatia frustrada; queria que tudo se acertasse, queria acabar com o sofrimento de Zoe, como acontecia quando ela era pequena — aplicar um curativo no ferimento e dar um beijo para sarar —, mas sabia que era impossível. Estendeu o braço sobre a mesa e apertou a mão dela.

— Sei que é difícil de acreditar agora... mas vai melhorar.

— Vai mesmo? — Zoe deu de ombros. — Já se passou um ano desde que o Sebastian morreu... e ainda não melhorou. Ainda dói.

— Eu sei. — Mariana balançou a cabeça, incapaz de contradizer Zoe. Ela estava certa, por isso não adiantava argumentar. — Tudo o que podemos fazer — disse ela — é tentar honrar a memória deles... da melhor maneira possível.

Zoe sustentou o olhar de Mariana e assentiu.

— Tá.

Mariana prosseguiu:

— E o melhor jeito de honrar a Tara...

— É pegando o assassino?

— É. E nós vamos conseguir.

Esse argumento pareceu consolar Zoe. Ela fez que sim com a cabeça.

— Então, você fez algum progresso?

— Na verdade, fiz, sim. — Mariana sorriu. — Conversei com a camareira da Tara, a Elsie. E ela disse...

— Ai, meu Deus. — Zoe revirou os olhos. — Saiba que a Elsie é uma sociopata. E a Tara a *odiava*.

— Ah, é? A Elsie disse que elas duas eram íntimas... A Elsie também disse que você costuma ser grosseira com ela.

— Porque ela é *psicopata*, só isso. Ela me dá arrepios.

"Psicopata" não era a palavra que Mariana teria empregado, mas não discordava totalmente da impressão de Zoe.

— De qualquer maneira, não é do seu feitio ser grosseira. — Mariana hesitou. — A Elsie também deu a entender que você sabe mais do assunto do que está me contando.

E observou Zoe atentamente.

Mas Zoe apenas deu de ombros.

— Enfim. Ela também te disse que a Tara a baniu do quarto dela? Porque a Elsie entrava sem bater, tentando surpreendê-la saindo do chuveiro. Ela estava praticamente assediando a Tara.

— Entendo. — Mariana refletiu por um instante e enfiou a mão no bolso. — E o que você acha disto aqui?

Pegou o cartão-postal que tinha encontrado no quarto de Tara. Traduziu a citação e perguntou a opinião de Zoe a respeito.

— Acha que a Tara poderia ter escrito isso?

Zoe balançou a cabeça.

— Duvido.

— Por quê?

— Bem, para ser sincera, a Tara não dava a mínima para tragédia grega.

Mariana não conseguiu conter um sorriso.

— Tem alguma ideia de quem poderia ter mandado esse postal para ela?

— Não, mesmo. É tão estranho. Uma citação tão sinistra.

— E o professor Fosca?

— O que é que tem?

— Acha que poderia ter sido ele?

Zoe deu de ombros. Não pareceu convencida.

— Quer dizer, talvez... mas por que mandar uma mensagem escrita em grego clássico? E por que esse tipo de mensagem?

— Verdade... por quê? — Mariana assentiu com a cabeça. Olhou para Zoe por um instante. — Me fala dele. Do professor.

— Falar o quê?

— Tipo, como ele é?

Zoe deu de ombros, franzindo a testa ligeiramente.

— Você sabe, Mariana. Eu contei tudo sobre o professor Fosca quando ele começou a me dar aula. Contei para você e para o Sebastian.

— Ah, é? — Mariana concordou quando lhe ocorreu a lembrança. — Ah, sim... o professor americano. Foi isso. Agora me lembro.

— Lembra?

— Sim, isso ficou na minha cabeça por um motivo. Eu me lembro do Sebastian se perguntando se você teria uma queda por ele.

Zoe fez uma careta.

— Bem, ele estava errado. Eu não tinha.

Zoe disse isso tão na defensiva e com tanta veemência que Mariana de repente se perguntou se ela teve, *sim*, uma queda por ele — e se tivesse tido? Não era incomum que alunas se apaixonassem por seus professores, ainda mais quando eram carismáticos e bonitos como Edward Fosca.

Mas ela poderia estar interpretando Zoe erradamente... Talvez fosse algo totalmente diferente.

Decidiu deixar isso de lado, por enquanto.

9

Depois do almoço, elas voltaram para a faculdade pela margem do rio.

Zoe comprou um sorvete de chocolate e estava concentrada em comê-lo. As duas andaram num silêncio relaxado e tranquilo por alguns instantes.

Durante todo o tempo, Mariana estava ciente de uma espécie de imagem dupla — uma fotografia esmaecida projetada nesta agora: uma lembrança de Zoe quando criança, percorrendo esse mesmo caminho de pedrinhas, com outro sorvete na mão. Foi naquela visita, quando Mariana ainda era aluna, que a pequena Zoe conheceu Sebastian. Ela se lembrava da timidez de Zoe — e de como Sebastian quebrou o gelo com um truquezinho de mágica, fazendo aparecer uma moeda atrás da orelha de Zoe, um truque que continuou divertindo-a por anos.

E agora Sebastian também andava com elas, obviamente, outra imagem fantasmagórica projetada no presente.

É engraçado do que a gente se lembra. Mariana olhou de relance para um banco de madeira castigado pelo tempo quando passaram por ele. Tinham se sentado lá, naquele banco — ela e Sebastian —, depois das provas finais de Mariana, celebrando com prosecco misturado com licor de cassis e fumando os cigarros Gauloises do pacote azul que Sebastian tinha roubado de uma festa na noite anterior. Lembrava-se de tê-lo beijado e de como eram doces os seus beijos, com um leve gosto de licor combinado com tabaco nos lábios.

Zoe olhou para ela de relance.

— Você está muito quieta. Está tudo bem?

Mariana fez que sim.

— Podemos nos sentar um minuto? — E acrescentou depressa: — Não nesse banco. — Indicou outro banco, mais distante. — Naquele.

Foram até lá e se sentaram.

Era um cantinho tranquilo, na sombra rajada de um salgueiro, bem na beira da água. Os galhos do salgueiro se agitavam ao sabor da brisa, e as pontas deslizavam na água. Mariana viu uma canoa deslizar por baixo da ponte.

Então passou um cisne, e os olhos dela o acompanharam.

O cisne tinha bico laranja e manchas pretas ao redor dos olhos. Parecia meio acabadinho. As penas, outrora brilhantes, estavam sujas e descoradas em volta do pescoço, com manchas verdes por causa das águas do rio. Mas era uma criatura impressionante — meio abatida, mas serena e imperiosa. Virou o pescoço comprido e olhou na direção de Mariana.

Era imaginação sua ou ele estava olhando fixamente para ela?

Por um segundo, o cisne sustentou o olhar de Mariana. Seus olhos pretos pareciam avaliá-la com uma inteligência calculada.

Então a avaliação terminou. Ele virou a cabeça, e Mariana foi descartada — esquecida. Ela o viu desaparecer por baixo da ponte.

— Me diz uma coisa — disse ela, olhando para Zoe. — Você não gosta dele, gosta?

— Do professor Fosca? Eu nunca disse isso.

— É só uma impressão que eu tenho. Gosta?

Zoe deu de ombros.

— Não sei... O professor... Ele me *fascina*, acho.

Mariana ficou surpresa diante desse comentário, sem saber ao certo o que ela queria dizer com aquilo.

— E você não gosta de se sentir fascinada?

— É lógico que não. — Zoe balançou a cabeça. — Gosto de saber no que estou me metendo. E ele me parece... não sei descrever... É como se ele *atuasse*... como se não fosse o que demonstra ser. Como se não quisesse que a gente visse o que ele é de verdade. Mas talvez eu esteja errada... Todo mundo o considera maravilhoso.

— É, a Clarissa me disse que ele é bastante popular.

— Você não faz ideia. É como se fosse um culto. As garotas, principalmente.

De repente Mariana lembrou das meninas de branco, reunidas em torno de Fosca durante a cerimônia para Tara.

— Está se referindo às amigas da Tara? Aquele grupo de meninas? Não são suas amigas também?

Zoe sacudiu a cabeça vigorosamente.

— Não mesmo. Fujo delas como o diabo foge da cruz.

— Entendo. Parece que elas não são muito populares.

Zoe lhe dirigiu um olhar intenso.

— Isso depende de a quem você pergunta.

— Como assim?

— Bem, elas são as preferidas do professor Fosca... O *fã-clube* dele.

— Como assim, fã-clube?

Zoe deu de ombros.

— Elas fazem parte de um grupo de estudos particular. Uma sociedade secreta.

— Por que secreta?

— É só para *elas*, suas alunas "especiais". — Zoe revirou os olhos. — Ele as chama de as Musas. Não é a coisa mais idiota que você já ouviu?

— As Musas? São todas meninas?

— Ã-hã.

— Entendo.

E Mariana entendeu mesmo — ou começava a entender, percebendo aonde tudo isso levava e por que Zoe estava tão reticente.

— E a Tara era uma das Musas?

— Pois é. — Zoe assentiu. — Era.

— Sei. E as outras? Posso conhecê-las?

Zoe fez uma careta.

— Você quer isso mesmo? Elas não são muito simpáticas.

— Onde elas estão neste exato momento?

— Agora? — Zoe olhou o relógio. — Bem, o seminário do professor Fosca vai começar daqui a meia hora. Todo mundo vai estar lá.

Mariana fez que sim.

— E nós também.

10

Mariana e Zoe chegaram à Faculdade de Inglês em cima da hora.

Consultaram a programação do dia no quadro de avisos em frente ao prédio do anfiteatro. O seminário da tarde do professor Fosca seria no maior espaço no andar de cima. Elas foram para lá.

O anfiteatro era amplo, bem-iluminado, com fileiras de mesas de madeira escura que desciam até o palco na base, onde havia um pódio e um microfone.

Clarissa tinha razão quanto à popularidade dos seminários de Fosca — o auditório estava lotado. Elas encontraram dois lugares vagos, na parte alta, bem atrás. Havia um clima de expectativa palpável enquanto a plateia aguardava, mais apropriado a um concerto ou uma apresentação teatral que a um seminário sobre tragédia grega, pensou Mariana.

Então o professor Fosca entrou.

Usava um terno elegante, preto, e os cabelos estavam presos na nuca em um nó apertado. Segurava uma pasta com anotações e atravessou o palco, subindo no estrado. Ajustou o microfone, inspecionou o recinto por um instante e então baixou a cabeça numa reverência.

Uma onda de entusiasmo percorreu a plateia. Todo o falatório deu lugar ao silêncio. Mariana não conseguiu deixar de lado o ceticismo — sua formação em teoria de grupo lhe dizia que, em geral, devia suspeitar de qualquer grupo de alunos apaixonado pelo professor; situações desse tipo raramente terminavam bem. Para Mariana, Fosca parecia mais um pop star taciturno que um palestrante, e ela meio que esperou que ele fosse começar a cantar. Porém, quando ele olhou para cima, não cantou. Mariana se surpreendeu ao ver que os olhos de Fosca estavam marejados de lágrimas.

— Hoje — disse ele —, eu quero falar sobre Tara.

Mariana ouviu sussurros a sua volta e viu cabeças se virando, olhares sendo trocados; era isso que os estudantes estavam esperando. Ela percebeu que alguns deles até começaram a chorar.

As lágrimas de Fosca verteram de seus olhos e rolaram pelas faces, sem que ele as secasse. Recusou-se a reagir a elas, e sua voz permaneceu calma e firme. Ele a projetava muito bem, pensou Mariana, nem precisava de microfone.

O que Zoe tinha dito? Que ele estava sempre atuando? Se isso era verdade, a atuação era tão boa que Mariana — como os demais — não conseguiu não se emocionar.

— Como muitos de vocês sabem — disse Fosca —, Tara era uma das minhas alunas. E estou aqui num estado de... desconsolo. Quase falei "desespero". Eu quis cancelar o seminário de hoje. Mas o que eu mais gostava em Tara era sua força, seu destemor... e ela não iria querer que nós nos entregássemos ao desespero e fôssemos vencidos pelo ódio. Precisamos seguir em frente. Essa é a nossa única defesa contra o mal... e o melhor meio de honrar nossa amiga. Estou aqui hoje por Tara. Assim como vocês.

Houve aplausos estrondosos e saudações da plateia. Ele agradeceu inclinando a cabeça. Reuniu as anotações e olhou para cima novamente.

— E agora, senhoras e senhores... ao trabalho.

O professor Fosca era um orador impressionante. Raramente consultava as anotações e dava a impressão de estar improvisando o seminário inteiro. Era entusiasmado, envolvente, espirituoso, ardoroso — e, acima de tudo, presente; parecia estar se comunicando diretamente com cada espectador na plateia.

— Hoje — disse ele —, pensei que seria uma boa ideia falar, entre outras coisas, sobre *liminaridade* na tragédia grega. O que significa? Bem, pensem em Antígona, pressionada a escolher entre a morte e a desonra; ou Ifigênia, preparando-se para morrer pela Grécia; ou Édipo, decidindo se cegar e perambular pelas estradas. A *liminaridade* está entre dois mundos... no extremo do que significa ser humano... onde tudo é retirado de você; onde você transcende esta vida e experimenta o que está além dela. E, quando as tragédias estão em ação, elas nos dão um vislumbre do sentimento que isso provoca.

Então Fosca mostrou um slide, projetado numa grande tela atrás dele. Era um relevo esculpido em mármore de duas mulheres, ambas de pé, tendo ao centro um jovem nu, cada uma com a mão direita virada para ele.

— Alguém reconhece essas duas damas?

Um mar de cabeças meneantes. Mariana tinha uma ligeira ideia de quem poderiam ser, e torcia para estar enganada.

— Essas duas deusas estão prestes a iniciar o jovem nos cultos secretos de Elêusis. São, obviamente, Deméter e sua filha, Perséfone.

Mariana prendeu a respiração. Fez o possível para não se distrair. Tentou se concentrar.

— São os mistérios eleusinos — prosseguiu Fosca. — Os ritos secretos de Elêusis... que proporcionam exatamente a experiência limítrofe entre vida e morte... e de transcender a morte. O que eram esses mistérios? Bem, *Elêusis* é a história de Perséfone... a Donzela, como era conhecida... deusa da morte, soberana do Mundo Inferior, ou Submundo...

Enquanto Fosca falava, captou o olhar de Mariana por um segundo. E sorriu de leve.

Ele sabe, pensou. *Sabe o que aconteceu com Sebastian, e é por isso que está agindo assim. Para me atormentar.*

Mas como... como ele poderia saber? Não poderia. Não é possível. Ela não tinha contado a ninguém, nem mesmo a Zoe. Era só coincidência — só isso; não significava *nada*. Ela fez um esforço para se acalmar e se concentrar no que ele dizia.

— Quando perdeu sua filha em Elêusis, Deméter mergulhou o mundo na escuridão invernal, até que Zeus foi forçado a intervir. Permitiu que Perséfone voltasse do mundo dos mortos, a cada ano, por seis meses, que são a nossa primavera e o nosso verão, e, consequentemente, durante os seis meses que ela reside no Mundo Inferior, temos outono e inverno. Luz e escuridão... vida e morte. Essa jornada percorrida por Perséfone, da vida à morte e de volta, deu origem aos mistérios de Elêusis. E lá, em Elêusis, à entrada do Mundo Inferior, *você também* pode participar desses ritos secretos... que vão lhe proporcionar a mesma experiência da deusa.

Ele baixou a voz, e Mariana pôde ver cabeças inclinadas para a frente, pescoços se esticando para captar cada palavra. Fosca tinha a plateia na palma da mão.

— A natureza exata dos ritos em Elêusis permaneceu secreta por milhares de anos — disse ele. — Os ritos, os mistérios, eram "indizíveis", porque eram uma tentativa de nos iniciar em algo que transcende as palavras. Aqueles que os vivenciavam nunca mais eram os mesmos. Havia relatos de visões e aparições e jornadas à vida após a morte. Sendo os ritos disponíveis a todos, homens, mulheres, pessoas escravizadas, ou crianças... sequer era preciso ser grego. O único requisito era que *se entendesse* grego, para que soubesse o que estava sendo dito. Na preparação, era necessário que o participante tomasse uma bebida chamada *kykeon*, que era feita de cevada. E nessa cevada específica havia um fungo preto chamado *ergot*, que possuía propriedades alucinógenas; milhares de anos depois, o LSD foi feito dessa substância. Se os gregos sabiam disso ou não, fato é que todos estavam "viajando" de leve, o que pode explicar algumas das visões.

Fosca disse isso com uma piscadela, provocando risadas. Esperou que o riso diminuísse e continuou num tom mais sério.

— Imaginem. Só por um segundo. Imaginem estar naquele lugar... Imaginem o entusiasmo e a apreensão. Todas aquelas pessoas à meia-noite diante do Plutonion... e sendo conduzidas pelos sacerdotes até as câmaras do rochedo... até as cavernas. As únicas luzes eram das tochas levadas pelos sacerdotes. Quão escuro e esfumaçado devia ser. Rocha fria e úmida, descendo cada vez mais até um enorme salão... o espaço *limiar*, na fronteira do Mundo Inferior. O Telesterion, onde aconteciam os mistérios. Era imenso... quarenta e duas colunas de mármore, altíssimas... uma floresta de pedra. Podia acomodar milhares de iniciados ao mesmo tempo e era grande o bastante para abrigar outro templo... o Anaktoron, o espaço sagrado onde somente os sacerdotes podiam entrar... onde eram guardadas as relíquias da Donzela.

Os olhos pretos de Fosca brilhavam enquanto ele falava. Visualizava tudo diante de si, conjurando as imagens com suas palavras, como se lançasse um feitiço.

— Jamais saberemos o que acontecia lá exatamente... Os mistérios de Elêusis, afinal, permanecem um *mistério*, mas, ao raiar do dia, os iniciados voltavam à luz, depois de se submeter à experiência de morte e renascimento... com um novo entendimento do significado de ser humano... de estar vivo.

Fez uma pausa e olhou atentamente para a plateia por um instante. Dessa vez falou num tom diferente: tranquilo, ardoroso, emotivo.

— Permitam que eu lhes diga o seguinte: é *disso* que tratam as peças gregas. Do que significa ser humano. Do que significa estar vivo. E, se vocês não percebem esse sentido quando as leem... se tudo que enxergam é um punhado de palavras mortas... não estão entendendo coisa nenhuma. Não quero dizer somente nas peças... Quero dizer na vida de vocês, *agora*. Se não estão cientes do transcendental, se não estão despertos para o mistério glorioso da vida e da morte do qual têm a sorte de participar... se isto não lhes enche de alegria e não lhes causa fascinação... podem muito bem não estar vivos de verdade. Essa é a mensagem das tragédias. Participem do deslumbramento. Para o seu próprio bem, para o bem de Tara, *vivam* o deslumbramento.

Teria sido possível ouvir um alfinete caindo. E então, aplausos... repentinos, intensos, emocionados, espontâneos.

Os aplausos continuaram por um bom tempo.

11

Zoe e Mariana entraram na fila nos degraus da escada para sair do anfiteatro.

— E aí? — perguntou Zoe, olhando para ela com curiosidade. — O que achou?

Mariana deu uma risada.

— Se quer saber, "fascinante" é uma boa palavra.

Zoe sorriu.

— Eu te disse.

Saíram para o pátio ensolarado. Mariana fitou os grupos de alunos circulando por lá.

— Elas estão aqui? As Musas?

Zoe assentiu.

— Lá.

Apontou para seis jovens conversando em torno de um banco. Quatro estavam de pé, duas sentadas; duas fumavam.

Diferentemente dos outros alunos que andavam pela faculdade, essas jovens não se vestiam com desleixo nem com excentricidade. Suas roupas eram elegantes e pareciam caras. Todas cuidavam da aparência: maquiadas, os penteados impecáveis, as unhas feitas. O que mais se destacava era a postura: com evidente autoconfiança, até superioridade.

Mariana as contemplou por um instante.

— Você tem razão. Elas não parecem nada simpáticas.

— Não são mesmo. São bem esnobes. Se acham tão "importantes". Imagino que sejam... mas, mesmo assim...

— Por que você diz isso? Por que elas são importantes?

Zoe deu de ombros.

— Bem... — falou, apontando para a loira alta sentada no braço do banco. — Por exemplo... aquela é a Carla Clarke. O pai dela é o *Cassian Clarke*.

— Quem?

— Ai, Mariana. O ator. Ele é muito famoso.

Mariana sorriu.

— Ah, tá. Tudo bem. E as outras?

Zoe continuou indicando discretamente as outras integrantes do grupo.

— A que está do lado esquerdo, a bonitinha de cabelo preto e curto. É a Natasha. É russa. O pai dela é um oligarca ou coisa assim... ele é dono de metade da Rússia... Diya é uma princesa indiana... ano passado conseguiu alcançar a mais alta dignidade acadêmica da universidade. É praticamente um gênio... ela está conversando com a Veronica... O pai dela é senador... Acho que se candidatou à presidência... — Olhou para Mariana. — Deu para entender...?

— Deu, sim. Você quer dizer que são inteligentes... e altamente privilegiadas.

Zoe assentiu.

— Só de ouvir falar dos lugares onde elas passam férias dá vontade de vomitar. Sempre iates e ilhas particulares, chalés e estações de esqui...

Mariana sorriu.

— Consigo imaginar.

— Não é à toa que elas são odiadas por todo mundo.

Mariana olhou para ela.

— Odiadas por todo mundo?

Zoe deu de ombros.

— Bem, todo mundo sente inveja, pelo menos.

Mariana pensou por um segundo.

— Certo. Vamos tentar.

— Tentar o quê?

— Falar com elas... sobre a Tara e o Fosca.

— Agora? — Zoe meneou a cabeça. — Nem pensar. Não vai dar certo, nunca.

— Por que não?

— Elas não conhecem você, então vão se fechar... ou vão se voltar contra você... ainda mais se mencionar o professor. Vai por mim, não faz isso.

— Você parece ter medo delas.

Zoe fez que sim.

— Tenho pavor.

Antes que Mariana pudesse falar qualquer outra coisa, viu o professor Fosca sair do anfiteatro. Foi até as meninas, e elas se juntaram à sua volta, sussurrando.

— Vamos lá — disse Mariana.

— O quê? Mariana, não...

Mas ela ignorou Zoe e marchou em direção a Fosca e às alunas.

Ele ergueu o olhar quando Mariana se aproximou. Sorriu.

— Boa tarde, Mariana — disse Fosca. — Pensei ter visto você no anfiteatro.

— E viu.

— Espero que tenha gostado.

Mariana procurou as palavras certas.

— Foi muito... elucidativo. Muito impressionante.

— Obrigado.

Mariana olhou para as jovens reunidas ao redor do professor.

— São suas alunas?

Fosca olhou para as jovens com um leve sorriso.

— Algumas das minhas alunas. Algumas das mais interessantes.

Mariana sorriu para as estudantes. Elas reagiram com um olhar inexpressivo, erguendo uma parede metafórica à frente delas.

— Eu sou a Mariana — disse. — Tia da Zoe.

Olhou em volta procurando Zoe, mas não havia mais nenhum sinal dela. Mariana se virou para as outras, sorrindo.

— Sabe, eu não pude deixar de notar a presença de vocês na cerimônia em memória da Tara. Vocês se destacaram, todas vestidas de branco. — Sorriu para elas. — Fiquei curiosa para saber o motivo.

Houve uma ligeira hesitação. Então uma delas, Diya, olhou para Fosca e disse:

— Foi ideia minha. Na Índia, sempre se usa branco nos velórios. E branco também era a cor preferida da Tara, então...

Ela deu de ombros, e outra menina completou a frase:

— Então a gente se vestiu em homenagem a ela.

— Ela odiava preto — disse outra.

— Entendi — falou Mariana, assentindo com a cabeça. — Que interessante.

Sorriu novamente para as meninas. Elas não fizeram o mesmo.

Houve uma breve pausa. Mariana olhou para Fosca.

— Professor. Tenho um favor a pedir a você.

— Pode dizer.

— Bem, o diretor solicitou que eu, na condição de psicoterapeuta, tivesse uma conversa informal com os estudantes, para ver como estão lidando com o ocorrido. — Ela olhou para as jovens. — Poderia me emprestar algumas das suas alunas?

Mariana disse isso com a expressão mais ingênua possível, mas agora, com os olhos voltados para as meninas, sentiu o olhar cortante de Fosca — encarando-a, tentando avaliá-la. Conseguia imaginá-lo pensando, perguntando-se se ela estava sendo sincera — ou se tentava, secretamente, descobrir informações sobre ele. Fosca olhou para o relógio.

— Vamos ter uma aula daqui a pouco — disse. — Mas imagino que possa dispensar duas alunas. — E assentiu para as meninas. — Veronica? Serena? O que acham?

As duas jovens olharam de relance para Mariana. Era impossível interpretar o que sentiam.

— Sem problemas — disse Veronica, dando de ombros. Falava com sotaque americano. — Quer dizer, psiquiatra eu já tenho... Mas aceito uma cerveja se ela pagar.

Serena concordou.

— Eu também.

— Certo, então. Uma cerveja, com certeza. — Mariana sorriu para Fosca. — Obrigada.

Os olhos pretos de Fosca se fixaram no rosto de Mariana. Ele retribuiu o sorriso.

— É um prazer, Mariana. Espero sinceramente que você consiga tudo o que quer.

12

Ao sair da Faculdade de Inglês, Mariana encontrou Zoe encolhida perto da entrada. Convidou Zoe a se juntar a elas — e a oferta de uma cerveja fez Zoe aceitar. Dirigiram-se a um bar universitário nas imediações do Saint Christopher's College, situado em um dos cantos do Pátio Principal.

O bar universitário era todo de madeira — assoalho antigo, empenado e nodoso, paredes com lambris de carvalho e um balcão largo, também de madeira. Mariana e as três jovens se sentaram juntas à mesa grande de carvalho perto da janela, de onde se via, do lado de fora, um muro coberto de hera. Mariana se sentou ao lado de Zoe, em frente a Veronica e Serena.

Mariana reconheceu Veronica, a jovem que tinha feito a emocionante leitura da Bíblia durante a cerimônia em memória de Tara. Seu nome era Veronica Drake, e vinha de uma família rica de políticos americanos — o pai dela era senador em Washington.

Veronica era deslumbrante e sabia disso. Seus cabelos eram loiros e compridos, e tinha o hábito de jogá-los de lado e brincar com eles enquanto falava. Sua maquiagem era pesada, realçando a boca e os grandes olhos azuis. Tinha um corpo maravilhoso, que exibia no jeans apertado. E se portava com segurança, com o senso de autoridade de alguém que tivera acesso a todas as oportunidades desde o nascimento.

Pediu um copo de Guinness, que bebeu rapidamente. Falava bastante. Sua fala era um tanto afetada. Mariana se perguntou se tivera aulas de oratória. Quando Veronica revelou que, depois da graduação, pretendia ser atriz, Mariana não se surpreendeu. Pensou que, por baixo da maquiagem, do comportamento e da dicção, havia outra pessoa, mas não fazia ideia de quem poderia ser e suspeitava que nem Veronica soubesse.

O aniversário de 20 anos de Veronica seria dali a uma semana. Ela estava planejando uma festa, apesar da atmosfera atual de tristeza na faculdade.

— A vida continua, não é mesmo? É o que a Tara teria desejado. De qualquer forma, estou reservando um salão privado no Groucho Club, em Londres. Zoe, você tem que ir — acrescentou, sem muita convicção.

Zoe emitiu algo como um grunhido e se concentrou na bebida.

Mariana olhou de relance para a outra menina — Serena Lewis, que bebericava em silêncio o vinho branco. Serena tinha um porte esguio, mignon, e o jeito como estava sentada ali lembrava a Mariana um passarinho empoleirado, observando tudo sem dizer nada.

Ao contrário de Veronica, Serena não usava maquiagem — não que precisasse; tinha a pele clara e sem imperfeições. Os cabelos longos e escuros estavam presos numa trança, e usava uma blusa de um cor-de-rosa claro e uma saia que passava do joelho.

Serena era natural de Cingapura, mas tinha sido criada numa série de internatos na Inglaterra. A voz dela era suave, com o distinto sotaque da classe alta. Serena era tão discreta quanto Veronica era expansiva. Passava o tempo todo verificando o celular; sua mão era atraída para ele feito um ímã.

— Me contem sobre o professor Fosca — disse Mariana.

— O que você quer saber dele?

— Eu soube que ele e a Tara eram bem íntimos.

— Não sei onde você ouviu isso. Eles não eram íntimos *mesmo*. — Veronica se virou para Serena. — Eram?

Seguindo a deixa, Serena ergueu o olhar, desviando-o do que estava digitando. Balançou a cabeça.

— Não, nem um pouco. O professor era legal com a Tara... mas ela só se aproveitava dele.

— Se aproveitava? — perguntou Mariana. — Como ela se aproveitava?

— Não foi isso que Serena quis dizer — interrompeu Veronica. — Ela quis dizer que a Tara o fazia perder tempo e energia. O professor Fosca é muito dedicado a nós, sabe. É o melhor tutor que existe.

Serena fez que sim.

— Ele é o professor mais sensacional do mundo. O mais inteligente. E...

Mariana interrompeu o elogio.

— Eu estava me perguntando sobre a noite do assassinato.

Veronica deu de ombros.

— A gente ficou com o professor Fosca até tarde. Ele estava dando aula particular para nós nas dependências dele. A Tara deveria estar lá, mas não apareceu.

— E a que horas foi isso?

Veronica deu uma olhada em Serena.

— Começou às oito, não foi? E ele foi até... o quê? Dez?

— É, acho que sim. Dez ou um pouco mais tarde.

— E o professor Fosca esteve com vocês o tempo todo?

As duas responderam ao mesmo tempo.

— Sim — disse Veronica.

— Não — disse Serena.

Houve um lampejo de irritação nos olhos de Veronica. Ela dirigiu a Serena um olhar acusador.

— Do que você está falando?

Serena pareceu desnorteada.

— Ah, eu... nada. Quer dizer, ele só saiu por uns minutos, foi isso. Para fumar.

Veronica voltou atrás.

— Ah, é, foi. Eu tinha me esquecido. Ele saiu só por uns minutos.

Serena assentiu.

— Ele não fuma na minha presença porque tenho asma. Ele é muito atencioso.

De repente uma notificação tocou no celular dela, indicando que tinha chegado uma mensagem. Ela pegou o aparelho depressa. Seu semblante se iluminou ao ler a mensagem.

— Tenho quer ir — avisou Serena. — Tenho que me encontrar com alguém.

— Ah, é? — Veronica revirou os olhos. — O homem misterioso?

Serena fez cara feia para ela.

— Para com isso.

Veronica riu e disse, cantarolando:

— *Serena tem um namorado secreto.*

— Ele não é meu namorado.

— Mas é secreto... ela não diz para a gente quem é. Nem mesmo para *mim*. — E deu uma piscadela como quem troca uma confidência. — Me pergunto... ele é *casado*?

— Não, não é casado — disse Serena, ruborizando. — Ele não é *nada*... só um amigo. Preciso ir.

— Na verdade, eu também — disse Veronica. — Tenho ensaio. — Sorriu com meiguice para Zoe. — Uma pena você não ter entrado n'*A duquesa de Malfi*. Vai ser uma produção maravilhosa. Nikos, o diretor, é um gênio. Ele vai ser muito famoso um dia. — Veronica olhou com ar de júbilo para Mariana. — *Eu* vou interpretar a duquesa.

— Claro que vai. Bem, obrigada por conversar comigo, Veronica.

— Sem problemas.

Veronica olhou com malícia para Mariana; então saiu do bar, seguida por Serena.

— Eca... — Zoe empurrou para longe o copo vazio e deu um longo suspiro. — Eu falei. Completamente tóxicas.

Mariana não discordou. Também não tinha gostado muito delas.

Mais importante que isso, Mariana tinha a sensação, aprimorada ao longo de anos de trabalho com pacientes, de que Veronica e Serena estavam mentindo.

Mas a respeito de quê? E por quê?

13

Durante anos tive receio até de abrir o armário onde ele estava.

Mas hoje me vi de pé em cima de uma cadeira, esticando o braço para pegar a cestinha de vime — esse apanhado de coisas que eu queria esquecer.

Sentei-me perto da luz e a abri. Examinei o conteúdo: as tristes cartas de amor que escrevi para algumas meninas e jamais enviei, dois relatos infantis sobre a vida na fazenda, alguns poemas ruins que eu tinha esquecido.

Mas o último item nessa caixa de Pandora era um objeto do qual eu me lembrava muito bem. O diário com capa de couro marrom que escrevi naquele verão, quando tinha 12 anos, o verão em que perdi minha mãe.

Abri o diário e folheei as páginas — longos registros escritos com caligrafia imatura, infantil. Parecia tão banal. Mas, se não fosse o conteúdo dessas páginas, minha vida teria sido muito diferente.

Às vezes ficava difícil decifrar a letra. Era irregular e parecia um garrancho, principalmente quando se aproximava do fim, como se o texto tivesse sido escrito depressa, num acesso de loucura — ou de sanidade. Enquanto eu estava sentado lá, uma neblina pareceu começar a se dissipar.

Uma trilha surgiu, de volta àquele verão. De volta à minha juventude.

É uma jornada familiar. Nos meus sonhos refaço com frequência essa viagem: fazendo a curva na estrada sinuosa de terra em direção à casa da fazenda.

Não quero voltar.

Não quero me lembrar...

Mesmo assim, preciso lembrar. Porque é mais que uma confissão. É uma busca pelo que se perdeu, por todas as esperanças perdidas e perguntas esquecidas. É uma busca por explicações: pelos segredos terríveis aludidos naquele diário de criança — que agora consulto como se fosse um vidente, desvendando a bola de cristal.

Só que eu não tento ver o futuro.

Tento ver o passado.

14

Às nove horas, Mariana foi se encontrar com Fred no Eagle.

O Eagle era o pub mais antigo de Cambridge, tão famoso agora como era no século XVII. Era um conjunto de salões contíguos, revestidos de lambris. Velas acesas iluminavam o ambiente que cheirava a cordeiro assado, alecrim e cerveja.

O salão principal era conhecido como RAF Bar. Vários pilares sustentavam o teto irregular, coberto de inscrições feitas na Segunda Guerra Mundial. Enquanto Mariana esperava no bar, analisou as mensagens dos mortos escritas acima de sua cabeça. Pilotos britânicos e americanos usavam canetas, velas e isqueiros para escrever no teto o nome e o número do esquadrão a que pertenciam e rabiscavam desenhos — como, por exemplo, caricaturas de mulheres nuas.

Mariana despertou a atenção de um barman com cara de bebê que usava uma camisa xadrez verde e preta. Ele sorriu enquanto retirava do lava-louça uma bandeja fumegante contendo copos.

— O que posso lhe servir, querida?

— Uma taça de sauvignon blanc, por favor.

— É pra já.

Serviu-lhe uma taça de vinho branco. Mariana pagou e procurou um lugar onde se sentar.

Havia casais jovens por toda parte, de mãos dadas e conversando intimamente. Ela se recusou a olhar para a mesa do canto esquerdo, onde ela e Sebastian costumavam ficar.

Verificou o relógio. Nove e dez.

Fred estava atrasado — talvez não viesse. Ficou esperançosa ao pensar nisso. Esperaria mais dez minutos, depois iria embora.

Não resistiu mais e olhou de relance para a mesa no canto. Estava vazia. E se dirigiu para lá.

Ela se sentou e passou a ponta dos dedos nas rachaduras da mesa de madeira, como costumava fazer. Sentada ali, bebericando o vinho gelado de olhos fechados, ouvindo o som atemporal de conversas e risadas ao redor, ela se imaginou transportada ao passado — enquanto mantivesse os olhos fechados, poderia estar naquele lugar, com 19 anos, esperando Sebastian chegar de camisa de malha branca e jeans desbotado, rasgado à altura dos joelhos.

— Oi — disse ele.

Mas era a voz errada — não de Sebastian —, e Mariana, por uma fração de segundo, ficou confusa, antes de abrir os olhos. O encanto se desfez.

A voz era de Fred, que segurava um copo de Guinness e sorria para ela. Seus olhos cintilavam, e ele estava corado.

— Foi mal pelo atraso. Meu estudo dirigido demorou mais do que deveria, então pedalei o mais rápido que pude. Bati num poste.

— Você está bem?

— Estou. O poste levou a pior. Posso?

Mariana fez que sim, e ele se sentou — na cadeira de Sebastian. Por um segundo Mariana pensou em perguntar se podiam mudar de mesa. Mas se impediu de fazer isso. O que foi mesmo que Clarissa disse? Tinha que parar de olhar para trás. Precisava focar o presente.

Fred sorriu. Retirou do bolso um pacotinho com castanhas. Ofereceu a Mariana. Ela balançou a cabeça.

Ele jogou duas castanhas na boca e mastigou, mantendo o olhar em Mariana. Houve uma pausa desconfortável enquanto ela esperava que ele falasse. Estava irritada consigo mesma. O que estava fazendo ali com aquele jovem inocente? Que ideia idiota. Não era do seu feitio ser ríspida, mas ela decidiu ser. Afinal de contas, não tinha nada a perder.

— Olha — disse ela. — Não vai acontecer nada entre nós. Está entendido? Nunca.

Fred engasgou com uma castanha e começou a tossir. Tomou um gole de cerveja e conseguiu recobrar o fôlego.

— Foi mal — disse ele, parecendo desconcertado. — Eu não... não estava esperando por isso. Mensagem recebida. Você é areia demais para o meu caminhãozinho, na verdade.

— Não seja bobo. — Mariana balançou a cabeça. — Não é isso.

— Então, por quê?

Ela deu de ombros, pouco à vontade.

— Um milhão de motivos.

— Diz um.

— Você é muito novo para mim.

— O quê? — O rosto de Fred ficou vermelho. Ele parecia indignado e constrangido. — Isso é *ridículo*.

— Quantos anos você tem?

— Não sou tão novo assim... Tenho quase vinte e nove.

Mariana riu.

— *Isso* é ridículo.

— Por quê? Quantos anos você tem?

— O suficiente para não precisar arredondar a minha idade. Tenho trinta e seis.

— E daí? — Fred deu de ombros. — Idade não importa. Não quando existe sentimento... — Olhou para ela de relance. — Sabe, quando vi você pela primeira vez, no trem, tive uma forte premonição... de que, um dia... eu pediria você em casamento. E você diria sim.

— Bem, você estava enganado.

— Por quê? Você é... casada?

— Sou... Não, na verdade...

— Não me diz que ele te abandonou. Que idiota.

— É, eu penso isso com frequência. — Mariana suspirou, então falou depressa para se livrar do assunto. — Ele... morreu. Um ano atrás. É difícil... falar disso.

— Sinto muito. — Fred ficou cabisbaixo. Por um instante não falou nada. — Agora me sinto um idiota.

— Não. A culpa não é sua.

Mariana se sentiu tão cansada, de repente, e frustrada consigo mesma. Tomou o vinho todo de uma vez.

— Tenho que ir.

— Não, ainda não. Preciso dizer o que estou pensando sobre o assassinato. Sobre Conrad. Foi por isso que você veio aqui, não foi?

— E aí?

Fred dirigiu a ela um olhar matreiro, de soslaio.

— Acho que pegaram o homem errado.

— Pegaram? E por que você diz isso?

— Eu já estive com o Conrad. Conheço o cara. Ele não é assassino de jeito nenhum.

Mariana assentiu.

— A Zoe concorda com você. Mas a polícia, não.

— Bem, estive pensando. Estou praticamente decidido a tentar resolver o caso por minha conta. Gosto de resolver mistérios. Tenho esse tipo de cérebro. — Fred sorriu para ela. — Que tal?

— Que tal o quê?

— Você e eu — disse Fred com um sorriso — nos juntarmos? Resolvermos isso juntos?

Mariana pensou por um instante. A ajuda dele poderia ser útil, e ela fraquejou... mas sabia que se arrependeria. Balançou a cabeça.

— Acho que não. Mas obrigada.

— Bem, se mudar de ideia, me avisa. — Tirou uma caneta do bolso e rabiscou seu número de telefone no verso do porta-copos. Entregou a ela. — Aqui. Se precisar de alguma coisa... qualquer coisa, pode me ligar.

— Obrigada... mas não vou ficar muito tempo aqui.

— Você fica dizendo isso, mas ainda está aqui. — Fred sorriu. — Tenho um bom pressentimento em relação a você, Mariana. Uma intuição. Acredito muito em intuições.

Quando saíram do pub, Fred conversou alegremente com Mariana.

— Você é da Grécia, não é?

Ela assentiu.

— Sou, de Atenas.

— Ah, Atenas é sensacional. Adoro a Grécia. Já esteve em muitas ilhas?

— Algumas.

— O que você acha de Naxos?

Mariana ficou petrificada. Permaneceu ali, parada sem jeito no meio da rua, sem conseguir olhar para ele.

— O quê? — sussurrou ela.

— Naxos? Eu fui lá no ano passado. Sou um bom nadador... bem, mergulhador, principalmente... e o lugar é perfeito para isso. Você já esteve lá? Devia...

— Preciso ir agora.

Mariana se virou antes que Fred visse as lágrimas em seus olhos e continuou a andar, sem olhar para trás.

— Ah — ela o ouviu dizer. Parecia um tanto surpreso. — Tudo bem, então. Até mais ver...

Mariana não falou nada. *É só coincidência*, disse para si mesma. *Não significa nada... Esquece, não é nada. Nada.*

Tentou afastar da mente a menção à ilha e continuou andando.

15

Assim que se afastou de Fred, Mariana seguiu apressada de volta para a faculdade.

Nessa época do ano, já fazia mais frio no cair da tarde, e havia uma leve friagem no ar. A neblina se espalhava pelo rio, e, mais à frente, a rua desaparecia em meio ao nevoeiro, a bruma pairando feito fumaça espessa acima do solo.

Mariana logo percebeu que estava sendo seguida.

Os mesmos passos que tinha escutado atrás dela assim que saiu do Eagle. Era uma passada pesada, masculina; firme, botas de sola reforçada batendo repetidamente na calçada, ecoando pela rua deserta — e não muito longe dela. Era difícil calcular a proximidade dos passos sem se virar. Encheu-se de coragem e olhou para trás.

Não havia ninguém — até onde conseguia ver, que não era longe. A neblina tinha envolvido a rua, engolindo-a.

Mariana prosseguiu. Dobrou numa esquina.

Segundos depois, os passos seguiram sua trajetória.

Ela acelerou as passadas. E os passos também.

Olhou para trás e, dessa vez, viu alguém.

A sombra de um homem, não muito distante dela. Andava afastado da luz da rua, perto do muro, mantendo-se na escuridão.

Mariana sentiu o coração disparar. Olhou em volta procurando uma saída e viu um homem e uma mulher, do outro lado da rua, andando de braços dados. Mais que depressa desceu do meio-fio e foi na direção deles.

Mas, logo que chegou à calçada, eles subiram alguns degraus até uma porta, destrancaram-na e desapareceram no interior do prédio.

Mariana continuou andando, atenta aos passos. E, olhando rapidamente para trás, lá estava ele: um homem de roupa escura, o rosto nas sombras, atravessando a rua enevoada atrás dela.

Mariana viu de relance um beco à esquerda. Tomou uma decisão rápida e entrou nele. Sem olhar para trás, começou a correr.

Correu pelo beco até chegar ao rio. A ponte de madeira estava à sua frente. Ela continuou correndo e a cruzou até o outro lado do rio.

Estava mais escuro lá, no nível da água, sem postes para iluminar a penumbra. O nevoeiro estava mais denso, acentuando o frio e a umidade em sua pele, e tinha um cheiro gélido, como neve.

Com cuidado, Mariana afastou alguns galhos de uma árvore. Contornou-a e se escondeu atrás dela. Segurou-se ao tronco, sentindo a casca lisa e molhada, e tentou ficar tão imóvel e silenciosa quanto possível. Tentou desacelerar a respiração e então silenciá-la.

E observou, e aguardou.

Como esperado, alguns segundos depois, ela o viu — ou a sombra dele — movendo-se furtivamente pela ponte até a margem do rio.

Perdeu-o de vista, mas ainda escutava os passos, agora no solo mais macio, na terra — rondando, a poucos metros de distância.

Em seguida, silêncio. Nenhum som. Ela prendeu a respiração.

Onde ele estava? Aonde tinha ido?

Esperou pelo que lhe pareceu uma eternidade, só por garantia. Será que ele tinha ido embora? Parecia que sim.

Com todo o cuidado, saiu de trás da árvore. Ela levou alguns segundos para se localizar. Então se deu conta — o rio estava diante dela, reluzindo na escuridão. Tudo que precisava fazer era seguir seu curso.

Andou depressa ao longo da margem, até a entrada dos fundos do Saint Christopher's. Lá, atravessou a ponte de pedra e seguiu para o portão grande de madeira no muro de tijolos.

Estendeu a mão, agarrou a fria argola de bronze e puxou. O portão não se mexeu. Estava trancado.

Mariana hesitou, sem saber o que fazer. Então... ouviu passos.

Os mesmos passos apressados. O mesmo homem.

E se aproximava cada vez mais.

Mariana olhou ao redor, mas não viu nada, apenas a neblina desaparecendo nas sombras.

Mas sentia que ele se aproximava, cruzando a ponte em sua direção.

Tentou abrir o portão mais uma vez, mas nada aconteceu. Estava encurralada. Começou a entrar em pânico.

— Quem é? — falou para a escuridão. — Quem está aí?

Não houve resposta. Só passos cada vez mais próximos, mais próximos...

Mariana abriu a boca para gritar...

Então, de repente, da sua esquerda, um pouco adiante, veio um rangido. No muro, um pequeno portão se abriu. Estava parcialmente coberto por um arbusto, que Mariana não tinha visto antes. Era de madeira lisa, sem verniz, e três vezes menor que o portão principal. O facho de uma lanterna surgiu na escuridão e iluminou seu rosto, ofuscando-a.

— Tudo bem, senhorita?

Ela reconheceu a voz de Morris e sentiu um alívio imediato. Ele afastou a luz da lanterna de seus olhos, e ela o viu se endireitar, depois de dobrar o corpo para passar pelo portão baixo. Morris estava de sobretudo e luvas pretos. Olhou para ela atentamente.

— A senhorita está bem? — perguntou. — Estou fazendo a ronda. O portão dos fundos fecha às dez, a senhorita deveria saber.

— Eu esqueci. Sim... estou bem.

Morris iluminou a ponte com a lanterna. Ansiosa, Mariana seguiu a luz com o olhar. Nenhum sinal de qualquer pessoa.

Ela apurou os ouvidos. Silêncio. Nada de passos.

Ele tinha desaparecido.

— Pode me deixar entrar? — disse ela, voltando-se para Morris.

— Lógico. Por aqui. — Indicou o pequeno portão atrás dele. — Eu costumo usá-lo para cortar caminho. Siga por essa passagem que a senhorita vai chegar ao Pátio Principal.

— Obrigada — disse Mariana. — Muito obrigada mesmo.

— Não há de quê, senhorita.

Ela passou por ele, indo em direção ao portão aberto. Baixou a cabeça, curvou-se ligeiramente e entrou. A antiga passagem de tijolos estava muito escura e exalava umidade. O portão foi fechado atrás dela. Ouviu quando Morris o trancou.

Com cuidado, Mariana seguiu pelo atalho, pensando no que havia acontecido. Por um instante chegou a duvidar — alguém realmente a teria seguido? Se isso aconteceu, quem teria sido? Ou ela só estava ficando paranoica?

Em todo caso, sentia-se aliviada de voltar ao Saint Christopher's.

Chegou a um corredor com lambris de carvalho que fazia parte do prédio que abrigava a cafeteria do Pátio Principal. Estava para sair pela porta principal quando olhou de relance para trás. E parou.

Havia uma série de retratos pintados em quadros pendurados ao longo da passagem mal-iluminada. No fim da passagem, um retrato atraiu sua atenção. Estava isolado numa parede. Mariana o encarou. Era um rosto que ela reconhecia.

Piscou algumas vezes, sem saber ao certo se estava vendo direito — então se aproximou dele, como uma pessoa em transe.

Chegou perto e ficou ali, o rosto na altura da pintura. Olhou fixamente para ela. Sim, era ele. Tennyson.

Mas não era Tennyson idoso, de cabelos grisalhos e barba comprida, como em outros retratos que Mariana tinha visto. Este era Alfred Tennyson quando jovem. Quando era apenas um rapaz.

Devia ter no máximo 29 anos quando o quadro foi pintado. Parecia ainda mais jovem que isso. Mas era ele, sem dúvida.

Seu rosto era um dos mais bonitos que Mariana já tinha visto. E, vendo-o ali, de perto, sua beleza quase a deixou sem ar. Tinha mandíbula forte, angulosa, lábios sensuais e cabelos escuros, na altura dos ombros, despenteados. Por um instante a fez se lembrar de Edward Fosca, mas afastou o professor do pensamento. Para começar, os olhos eram bem diferentes. Os olhos de Fosca eram escuros, enquanto os de Tennyson eram azul-claros, como água.

Hallam provavelmente tinha falecido cerca de sete anos antes de esse quadro ser pintado, o que significa que Tennyson teve outra longa década à sua frente antes de concluir *In Memoriam*. Outros dez anos de tristeza.

Mesmo assim, esse não era um rosto marcado pelo desespero. Era surpreendente que seu semblante mostrasse pouca, ou talvez nenhuma, emoção. Nenhuma tristeza, nenhum sinal de melancolia. Havia serenidade e uma beleza glacial. Pouco além disso.

Por quê?

Era como se Tennyson olhasse para alguma coisa... algo perto dele, Mariana pensou, semicerrando os olhos para observar o retrato.

Sim, pensou ela, os olhos azul-claros pareciam encarar algo além do seu campo de visão, na lateral, atrás da cabeça de Mariana.

Para o que ele olhava?

Ela se afastou do quadro sentindo-se frustrada — como se Tennyson a tivesse decepcionado. Não sabia o que esperava encontrar nos olhos dele — um pouco de alento, talvez? —, consolo ou força; até desilusão amorosa teria sido preferível.

Mas não *nada*.

Ela afastou o retrato dos pensamentos. E se apressou para voltar ao seu quarto.

Em frente à porta, algo esperava por ela.

Um envelope preto no chão.

Mariana o pegou e abriu. Dentro havia uma folha de um bloco de anotações, dobrada ao meio. Ela a desdobrou e leu.

Era uma mensagem escrita a mão com tinta preta, com uma letra elegante e inclinada.

Cara Mariana,

Espero que esteja bem. Estive me perguntando se gostaria de se encontrar comigo para conversarmos um pouco amanhã de manhã. Que tal às dez horas no Fellows' Garden?

Atenciosamente,
Edward Fosca

16

Se eu tivesse nascido na Grécia antiga, teria havido inúmeros maus augúrios e horóscopos prevendo desastres no meu nascimento. Eclipses, cometas em chamas e presságios carregados de destruição...

Mas nada aconteceu, e, na verdade, meu nascimento foi caracterizado pela ausência de acontecimentos. Meu pai, o homem que iria deformar minha vida e me transformar num monstro, nem estava presente. Jogava baralho com alguns dos empregados da fazenda, fumando charutos e bebendo uísque noite adentro.

Se tento visualizar a minha mãe — se estreito os olhos —, consigo até vê-la, embaçada e fora de foco: minha bela mãe, uma menina de 19 anos, num quarto de hospital. Ela ouve a conversa e as risadas das enfermeiras no fim do corredor. Está sozinha, mas isso não é problema. Sozinha ela fica em paz — pode pensar o que quiser sem ter medo de ser atacada. Está ansiosa para ver seu bebê, ela se dá conta, porque bebês não falam.

Ela sabe que o marido quer um filho, mas, no fundo, reza para que seja uma menina. Se for menino, vai ser um homem quando crescer.

E não se pode confiar em homens.

Fica aliviada quando as contrações recomeçam. Fazem com que ela se distraia e não pense. Prefere se concentrar no físico: na respiração, na contagem — a dor lancinante que varre todos os pensamentos, feito giz que se apaga no quadro escolar. Então ela se entrega à agonia e se perde...

Até que, de madrugada, eu nasci.

Para desgosto da minha mãe, eu não era uma menina. Quando meu pai recebeu a notícia, que ele tinha um menino, ficou exultante. Fazendeiros, como reis, precisam ter muitos filhos. Fui o primeiro.

Preparado para celebrar meu nascimento, chegou ao hospital trazendo uma garrafa de espumante barato.

Mas era uma celebração?

Ou uma catástrofe?

Meu destino já estava selado naquele momento? Era tarde demais? Deveriam ter me asfixiado ao nascer? Me deixado para morrer e apodrecer na encosta do morro?

Sei o que minha mãe diria se pudesse ler esta minha busca por culpabilidade, minha procura por condenação. Ela não teria paciência.

Ninguém é responsável, diria ela. *Não enalteça os acontecimentos da sua vida nem tente dar significado a eles. Não existe significado. A vida não significa nada. A morte não significa nada.*

Mas ela nem sempre pensou desse jeito.

Nela havia mais de uma pessoa. Antigamente havia outra pessoa, uma que prensava flores e sublinhava versos de poesias: um passado secreto que encontrei numa caixa de sapatos escondida atrás de um armário. Fotos antigas, flores achatadas, poemas de amor com erros de ortografia do meu pai para minha mãe, escritos na época do namoro. Mas meu pai logo parou de escrever poesia. E minha mãe parou de ler.

Ela se casou com um homem que mal conhecia. E ele a afastou de todos que ela conhecia. Levou-a para um mundo de desconforto — de madrugadas frias e trabalho físico extenuante que durava o dia inteiro: pesar ovelhas, tosquiá-las, alimentá-las. De novo, e de novo. E de novo.

Havia momentos mágicos, obviamente — a época da cria, quando as criaturas pequeninas e inocentes pipocavam feito cogumelos brancos. Era o melhor de tudo.

Mas ela não se deixava apegar às ovelhas. Aprendeu a não fazer isso.

O pior era a morte. Constante, interminável — e todos os processos associados: marcar aquelas que deveriam morrer, as que ganhavam pouco ou muito peso, ou que não emprenhavam. E então vinha o açougueiro, com aquele avental horrível manchado de sangue. E meu pai ficava por perto, ansioso por ajudar. Ele gostava de matar. Parecia sentir prazer naquilo.

Minha mãe sempre corria e se escondia enquanto isso se desenrolava, levando uma garrafa de vodca para o banheiro, para o chuveiro, de onde achava que ninguém escutaria suas lágrimas. E eu ia para o lugar mais distante da fazenda, o mais longe que podia. Tampava os ouvidos, mas, mesmo assim, escutava os balidos.

Quando eu voltava para casa, o cheiro de morte estava em toda parte. Corpos, cortados no estábulo aberto, nas imediações da cozinha — e sangue vermelho correndo como rios nas valetas. Havia um fedor de carne enquanto ela era pesada e empacotada na nossa cozinha. Pedaços de carne com sangue coagulado ficavam presos à mesa, e poças de sangue se acumulavam nas superfícies, circundadas por moscas-varejeiras.

As partes rejeitadas — vísceras e outros restos — eram enterradas pelo meu pai. Ele as jogava na vala nos fundos da fazenda.

A vala era um lugar que eu sempre evitava. Aquilo me aterrorizava. Meu pai ameaçava me enterrar vivo na vala se eu lhe desobedecesse, ou se me comportasse mal — ou se contasse seus segredos.

Ninguém vai encontrar você, dizia ele. *Ninguém jamais vai saber.*

Eu costumava me imaginar sendo enterrado vivo naquela vala — cercado de carcaças apodrecidas e me contorcendo com vermes e minhocas e outras criaturas cinzentas e comedoras de carne — e tremia de medo.

Ainda tremo agora só de pensar nisso.

17

Na manhã seguinte, às dez horas, Mariana saiu para se encontrar com o professor Fosca.

Chegou ao Fellows' Garden assim que o relógio da capela bateu as dez. O professor já estava lá. Usava uma camisa branca, o botão do pescoço aberto, e um blazer cinza-escuro de veludo cotelê. Os cabelos estavam soltos, na altura dos ombros.

— Bom dia — disse ele. — Fico feliz em ver você. Não tinha certeza se viria mesmo.

— Aqui estou.

— E tão pontual. O que isso diz sobre você, Mariana?, eu me pergunto.

Ele sorriu. Mariana não fez o mesmo. Estava determinada a ceder o mínimo possível.

Fosca abriu o portão de madeira e fez um gesto indicando o jardim.

— Vamos?

Ela o seguiu. O Fellows' Garden era para uso exclusivo de professores e seus convidados — não era permitido que graduandos entrassem. Mariana não se lembrava de ter estado ali antes.

Ficou logo impressionada com o quanto era tranquilo, com o quanto era bonito. Era um jardim abaixo do nível do terreno da faculdade em estilo Tudor — circundado por um antigo e irregular muro de tijolos.

Valerianas vermelho-sangue brotavam entre os tijolos, nas rachaduras, lentamente rasgando o muro. E plantas coloridas cresciam por todo o perímetro, cor-de-rosa, azuis e vermelho-vivo.

— É lindo — comentou ela.

Fosca fez que sim.

— Ah, sim, é mesmo. Venho sempre aqui.

Começaram a andar pela trilha enquanto Fosca se referia à beleza do jardim e de Cambridge de modo geral.

— Há um tipo de mágica neste lugar. Você também sente, não sente? — Olhou de relance para ela. — Tenho certeza de que você percebeu isso logo de cara... assim como eu. Consigo imaginá-la... graduanda, recém-chegada a este país, como um peixe fora d'água... como eu... entrando numa vida nova. Sem refinamento... sozinha... Estou certo?

— Está falando de mim ou de você?

Fosca sorriu.

— Imagino que nós tenhamos vivido experiências semelhantes.

— Duvido.

Fosca deu uma olhada nela. Avaliou-a por um segundo, como se fosse dizer alguma coisa... mas resolveu se calar. Andaram em silêncio.

Por fim, ele falou:

— Você está muito quieta. Não era o que eu esperava.

— O que você esperava?

Fosca deu de ombros.

— Não sei. Uma inquisição.

— Inquisição?

— Interrogatório, digamos. — Ofereceu-lhe um cigarro. Ela balançou a cabeça.

— Não fumo.

— Ninguém mais fuma... a não ser eu. Tentei parar e não consegui. Não consigo controlar meus impulsos.

Pôs um cigarro na boca. Era uma marca americana, com filtro branco. Riscou um fósforo, acendeu-o e soprou uma longa linha de fumaça. Mariana observou a fumaça voltear e desaparecer no ar.

— Eu chamei você aqui — disse ele — porque senti que devíamos conversar. Ouvi dizer que você tem demonstrado interesse por mim.

Fazendo todo tipo de perguntas às minhas alunas... A propósito — acrescentou —, confirmei com o diretor. Que ele se lembre, jamais solicitou que você conversasse com qualquer um dos estudantes, informalmente ou não. Então a pergunta é, Mariana, o que você está tramando?

Mariana olhou brevemente para ele e o viu a encarando, tentando ler sua mente com seu olhar penetrante. Ela evitou aquele olhar e deu de ombros.

— Estou curiosa, só isso...

— Sobre mim, em particular?

— Sobre as Musas.

— As Musas? — Fosca pareceu surpreso. — Por quê?

— Parece estranho ter um grupo especial de alunas. Sem dúvida isso só desperta rivalidades e ressentimentos entre os outros, não?

Fosca sorriu e tragou o cigarro outra vez.

— Você é terapeuta de grupo, não é? Então, mais do que ninguém, sabe que grupos pequenos proporcionam o ambiente perfeito para que mentes excepcionais floresçam... É o que estou fazendo: criando esse espaço.

— Um casulo... para mentes excepcionais?

— Uma boa definição.

— Mentes femininas.

Fosca piscou e lhe dirigiu um olhar frio.

— As mentes mais inteligentes quase sempre são femininas... É tão difícil aceitar isso? Não tem nada de sinistro acontecendo. Sou um professor inofensivo com um generoso subsídio para bebidas alcoólicas, só isso... Se tem alguém sofrendo algum tipo de violência aqui, sou eu.

— Quem falou em violência?

— Não se faça de ingênua, Mariana. Eu vejo que você me considera o vilão: um predador de alunas vulneráveis. Só que, agora que conheceu essas jovens, você pôde ver que elas nada têm de vulneráveis. Não acontece nada de inapropriado nesses encontros... é só um pequeno grupo de estudos discutindo poesia, apreciando vinho e debate intelectual.

— Só que agora uma dessas garotas está morta.

O professor Fosca franziu a testa. Houve um inequívoco lampejo de raiva em seu olhar. Ele a encarou.

— Você acha que consegue ver o interior da minha alma?

Mariana desviou o olhar, constrangida pela pergunta.

— Não, lógico que não. Eu não quis dizer...

— Deixa pra lá. — Ele tragou mais uma vez o cigarro; a raiva aparentemente tinha desaparecido. — A palavra "psicoterapeuta", como você sabe, vem do grego *psyque*, que significa "alma", e *therapeia*, que significa "cura". Você cura almas? Pode curar a minha?

— Não. Só você pode fazer isso.

Fosca deixou cair o cigarro na trilha. Apagou-o com o pé.

— Você está determinada a não gostar de mim. Não sei por quê.

Para total irritação de Mariana, ela se deu conta de que também não sabia.

— Vamos voltar?

Começaram a andar de volta para o portão. Ele continuava olhando de relance para Mariana.

— Estou curioso em relação a você — disse ele. — Me pergunto no que está pensando.

— Não estou pensando. Estou... escutando.

E estava mesmo. Mariana podia não ser detetive, mas era terapeuta e sabia ouvir. Ouvir não apenas o que era dito, mas todo o *não dito*, todas as palavras omitidas — as mentiras, os subterfúgios, as projeções, as transferências e outros fenômenos psicológicos que ocorrem entre duas pessoas e que requerem um tipo especial de escuta. Mariana precisava prestar atenção aos *sentimentos* que Fosca inconscientemente lhe comunicava. No contexto terapêutico, esses sentimentos eram chamados de transferência e diziam a ela tudo o que precisava saber sobre esse homem, quem ele era e o que estava escondendo. Desde que ela conseguisse distanciar suas emoções, obviamente, o que não era fácil. Procurava ouvir o próprio corpo enquanto andavam e sentia uma tensão crescente: mandíbulas contraídas, dentes trincados. E sentia uma ardência no estômago, um formigamento na pele... que associava à raiva.

Mas a raiva partia de quem? Dela?

Não, era *dele*.

A raiva que ele sentia. Sim, ela percebia. Agora ele estava em silêncio enquanto andavam, mas por baixo do silêncio havia fúria. Ele negava, óbvio, mas estava lá, borbulhando logo abaixo da superfície: de algum modo, Mariana tinha irritado o professor durante esse encontro; ela se mostrou imprevisível, difícil de ser interpretada, complicada... e deflagrou a raiva dele. De repente, ela pensou: *Se ele perde a cabeça assim, tão depressa... o que acontece se eu o provocar de verdade?*

Ela não estava certa se queria mesmo saber.

Então, quando chegaram ao portão, Fosca parou. Olhou para ela, ponderando. E tomou uma decisão.

— Eu me pergunto — disse ele — se você gostaria de continuar esta conversa... num jantar. Que tal amanhã à noite?

Fitou-a, esperando a resposta. Mariana olhou nos olhos dele sem pestanejar.

— Tudo bem — respondeu.

Fosca sorriu.

— Bom... Nas minhas dependências, às oito? E mais uma coisa...

Antes que ela pudesse detê-lo, ele se inclinou para a frente...

E lhe deu um beijo na boca.

Durou apenas um segundo. Quando ela se deu conta do que estava acontecendo, ele já havia afastado o rosto do dela.

Fosca se virou e saiu pelo portão aberto. Mariana o ouviu assobiar enquanto se afastava.

Passou as costas da mão na boca.

Como ele se atreve?

Sentiu como se tivesse sido assaltada, atacada, e que, de certo modo, ele havia vencido, conseguido, num drible, intimidá-la.

Enquanto estava lá, parada, sentindo calor e frio na manhã de sol, ardendo de raiva, uma coisa ela soube com certeza.

Dessa vez, a raiva que sentia não era a dele.

Era a sua.

Toda sua.

18

Depois do encontro com Fosca, Mariana pegou o porta-copos que Fred tinha lhe dado. Ligou para o número e perguntou se ele estava livre para vê-la.

Vinte minutos depois, encontrou-se com Fred perto do portão principal do Saint Christopher's. Observou-o acorrentar a bicicleta no gradil. Ele retirou da bolsa duas maçãs vermelhas.

— Este vai ser o meu café da manhã. Quer uma?

Ofereceu a ela uma das maçãs. Mariana estava prestes a recusar no automático quando se deu conta de que estava com fome. Fez que sim.

Fred ficou satisfeito. Escolheu a melhor das duas, deu-lhe um polimento na manga da camisa e entregou a ela.

— Obrigada. — Mariana a pegou e deu uma mordida. Estava crocante e doce.

Fred sorriu para ela, falando entre uma mordida e outra.

— Fiquei feliz quando você ligou. Ontem à noite... você foi embora meio de repente... Eu pensei que tinha te chateado ou coisa assim.

Mariana deu de ombros.

— Não foi por sua causa... Foi por causa de... Naxos.

— Naxos? — Fred olhou para ela atentamente, confuso.

— É que... meu marido morreu lá. Ele... se afogou lá.

— Jesus. — Os olhos de Fred se arregalaram. — Meu Deus. Sinto muito...

— Você não sabia?

— Como eu poderia saber? É lógico que não.

— Então foi só coincidência? — Ela o observou com atenção.

— Bem... eu te disse. Sou um pouco sensitivo. Então talvez estivesse captando... e por isso Naxos surgiu na minha cabeça.

Mariana franziu a testa.

— Sinto muito, eu não acredito nisso.

— Bem, é verdade. — Houve uma pausa desconfortável. Então Fred retomou depressa: — Olha, me desculpa se magoei você...

— Não magoou, de verdade. Não importa. Esquece.

— Foi por isso que você me ligou? Para me dizer isso?

Mariana balançou a cabeça.

— Não.

Não sabia ao certo por que tinha ligado para ele. Provavelmente estava cometendo um erro. Ela se convencera de que precisava da ajuda de Fred, mas na verdade era uma desculpa — provavelmente se sentia só e frustrada por causa do encontro com Fosca. Estava chateada consigo mesma por ter ligado, mas era tarde demais, agora Fred estava ali. Deveriam tirar o melhor da situação.

— Vem — disse ela. — Quero te mostrar uma coisa.

Entraram na faculdade, atravessaram o Pátio Principal e em seguida passaram pela arcada, entrando no Pátio Eros.

Assim que adentraram o pátio, Mariana olhou para cima, para o quarto de Zoe. Ela não estava lá — estava em aula com Clarissa. Mariana não tinha contado a ela sobre Fred porque não sabia como explicar a existência dele — nem para Zoe, nem para si mesma.

Enquanto se aproximavam da escada de Tara, Mariana indicou a janela do térreo com um movimento de cabeça.

— Esse é o quarto da Tara. Na noite em que ela morreu, a camareira disse que a viu deixar o quarto precisamente às quinze para as oito.

Fred gesticulou para o portão nos fundos do Pátio Eros, que conduzia aos Backs.

— E ela foi para aquele lado?

— Não. — Mariana balançou a cabeça. Apontou para a outra direção, para a arcada. — Ela saiu pelo Pátio Principal.

— Hum. Esquisito... O portão dos fundos dá para o rio... o caminho mais rápido até o Paradise.

— O que sugere... que ela estava indo para outro lugar.

— Se encontrar com o Conrad, como ele disse?

— Provavelmente. — Mariana parou para pensar. — Tem mais um detalhe... Morris, o bedel, viu Tara sair pelo portão da frente às oito. Logo, se ela saiu do quarto às quinze para as oito...?

Ela deixou a pergunta no ar. Fred completou:

— Por que ela levou quinze minutos para percorrer uma distância que leva um ou dois minutos no máximo? Entendo... Bem, pode ser qualquer coisa. Ela podia estar mandando uma mensagem para alguém, ou viu um amigo, ou...

Enquanto ele falava, Mariana olhou para o canteiro debaixo da janela de Tara, onde se destacavam dedaleiras-roxas e cor-de-rosa.

E lá, na terra, havia uma guimba de cigarro. Ela se abaixou e a pegou. Tinha um característico filtro branco.

— É uma marca americana — disse Fred.

Mariana concordou.

— Sim... como os cigarros do professor Fosca.

— Fosca? — disse Fred em voz baixa. — Já ouvi falar dele. Tenho amigos nesta faculdade. Ouvi histórias.

Mariana olhou para ele de relance.

— Que histórias? Do que você está falando?

— Cambridge é um lugar pequeno. Todo mundo comenta.

— O que as pessoas comentam?

— As famosas... ou *infames*... Bem, as festas dele.

— Que festas? O que você sabe?

Fred deu de ombros.

— Não muito. São festas só para os alunos dele. Mas, quer dizer... Ouvi relatos de que são bem loucas. — Ele olhou para ela atentamente, lendo sua expressão. — Você acha que ele tem alguma coisa a ver com isso? Com o assassinato da Tara?

Mariana refletiu, então cedeu.

— Olha — disse ela. — Eu vou te contar.

Deram a volta no pátio enquanto ela lhe relatava as acusações de Tara contra Fosca — e sua subsequente negação, seu álibi corroborado; e como, apesar disso, Mariana não conseguia deixar para lá. Esperava que Fred risse ou zombasse dela ou, no mínimo, não acreditasse nela, mas não foi isso que fez. E ela ficou grata a ele. Sentiu-se mais próxima dele e, pela primeira vez, menos sozinha.

— A menos que Veronica, Serena e as outras estejam mentindo — concluiu Mariana —, Fosca esteve com elas o tempo todo... a não ser por alguns minutos, quando saiu para fumar um cigarro...

— Tempo suficiente — disse Fred —, caso ele tivesse visto a Tara pela janela e descido para se encontrar com ela, no pátio.

— E combinar o encontro com ela no Paradise às dez?

— Exato. Por que não?

Mariana deu de ombros.

— Ainda assim ele não teria conseguido. Se a Tara foi assassinada às dez, ele não teria chegado a tempo. São vinte minutos a pé até lá, no mínimo, e talvez ainda mais de carro...

Fred pensou por um instante.

— A não ser que ele tenha ido pelo rio.

Mariana olhou para Fred sem entender.

— O quê?

— Talvez ele tenha pegado uma canoa.

— Uma canoa? — Ela quase riu, parecia tão absurdo.

— Por que não? Ninguém vigia o rio, ninguém teria notado uma canoa... muito menos à noite. Ele poderia chegar ao local e voltar sem ser visto... em poucos minutos.

Mariana considerou isso.

— Talvez você esteja certo.

— Você sabe conduzir esse tipo de canoa?

— Não muito bem.

— Eu sei. — Fred sorriu. — Aliás, sou muito bom... modéstia à parte... Não precisa de força. É só questão de jeito com a vara, que ela desliza que nem uma gôndola. Que tal?

— Que tal o quê?

— A gente ir até a casa de barcos, pegar uma canoa emprestada... e experimentar? Por que não?

Antes que Mariana pudesse responder, o telefone dela tocou. Era Zoe. Ela atendeu imediatamente.

— Zoe? Tudo bem com você?

— Onde você está? — A voz de Zoe tinha aquele tom urgente, ansioso, que dizia a Mariana que alguma coisa estava errada.

— Estou na faculdade. Onde você está?

— Estou com a Clarissa. A polícia acabou de vir aqui...

— Por quê? O que aconteceu?

Houve uma pausa. Mariana podia ouvi-la tentando não chorar. Zoe falou num sussurro.

— Aconteceu de novo.

— O que... como assim?

Mariana sabia o que Zoe queria dizer. Mesmo assim, precisava que ela falasse em voz alta.

— Outro esfaqueamento — disse Zoe. — Encontraram outro corpo.

Parte 3

Para que uma fábula seja bela, é portanto necessário que ela se proponha um fim único e não duplo, como alguns pretendem; ela deve oferecer a mudança, não da infelicidade para a felicidade, mas, pelo contrário, da felicidade para o infortúnio, e isto não em consequência da perversidade da personagem, mas por causa de algum erro grave.

ARISTÓTELES, *Poética*

I

O corpo tinha sido encontrado num campo, à beira do Paradise. Era uma terra comunal medieval, da qual fazendeiros conservaram antigos direitos de pastagem, e um deles, ao soltar o rebanho de vacas para pastar naquela manhã, havia feito a terrível descoberta.

Mariana não via a hora de chegar lá. Apesar dos protestos furiosos de Zoe, Mariana não permitiu que ela a acompanhasse. Estava determinada a proteger Zoe o máximo possível de qualquer experiência desagradável. E isso, sem dúvida, seria.

Sendo assim, ela se pôs a caminho com Fred. Ele se valeu do mapa no celular para guiá-los até o campo.

Enquanto andavam à margem do rio, passando pelas faculdades e pelo prado, Mariana sentiu o cheiro da grama, da terra e das árvores — e foi transportada para aquele primeiro outono, tantos anos atrás, quando chegou à Inglaterra, tendo trocado o calor úmido da Grécia pelos céus cinzentos e pela relva molhada da Ânglia Oriental.

Desde então, a zona rural da Inglaterra jamais tinha deixado de despertar o ânimo de Mariana — até hoje. Hoje ela não sentia ânimo nenhum, só um pavor aterrorizante. Esses campos e prados que ela amava, essas trilhas que percorrera com Sebastian, estariam para sempre manchados. Não eram mais sinônimo de amor e felicidade — de agora em diante, significariam apenas sangue e morte.

Andaram quase o tempo todo em silêncio. Após cerca de vinte minutos, Fred indicou o local à frente.

— Ali está.

À frente deles havia um campo. À entrada dele via-se uma fileira de carros — viaturas da polícia, vans da imprensa — estacionados um atrás do outro ao longo da estradinha de terra. Mariana e Fred passaram dos carros até chegar à faixa de isolamento da polícia, onde vários policiais mantinham a imprensa afastada. Havia um pequeno ajuntamento de curiosos.

Mariana olhou brevemente para esse grupo e se lembrou de repente da multidão macabra que havia se juntado na praia para ver o corpo de Sebastian sendo retirado da água. Lembrava-se daqueles rostos — expressões de preocupação mascarando uma empolgação lasciva. Deus, como os detestara — e agora, vendo as mesmas expressões, ficou nauseada.

— Vem — disse ela. — Vamos lá.

Mas Fred não se mexeu. Parecia meio indeciso.

— Aonde nós vamos?

Mariana apontou para além da faixa de isolamento.

— Para lá.

— Como vamos entrar? Eles vão ver a gente.

Mariana olhou em volta.

— Que tal você ir até lá para distraí-los... e me dar a chance de passar sem ser vista?

— Tudo bem. Posso fazer isso.

— Você não se importa se não for comigo?

Fred balançou a cabeça. Evitou olhar nos olhos dela.

— Para ser sincero, sou um pouco sensível quando se trata de sangue... cadáveres e coisas assim. Prefiro esperar aqui.

— Tá. Não vou demorar.

— Boa sorte.

— Para você também.

Ele precisou de um segundo para tomar coragem. Então foi até os policiais. Começou a conversar com eles, fazendo perguntas... e Mariana aproveitou a chance.

Ela foi até a faixa, levantou-a e passou por baixo.

Então esticou o corpo e continuou a andar, mas, poucos passos depois, ouviu uma voz.

— Ei! O que você está fazendo?

Mariana se virou. Um policial vinha atrás dela.

— Parada. Quem é você?

Antes que Mariana pudesse responder, foram interrompidos por Julian. Ele surgiu de trás de uma tenda forense e acenou para o policial.

— Está tudo certo. Ela está comigo. É uma colega de profissão.

O policial olhou meio desconfiado para Mariana, mas se afastou. Mariana o viu ir embora e se virou para Julian.

— Obrigada.

Julian sorriu.

— Você não desiste fácil, né? Gosto disso. Vamos torcer para não dar de cara com o inspetor. — Piscou para ela. — Quer dar uma olhada? O patologista é um velho amigo meu.

Eles andaram até a tenda. O patologista estava de pé diante dela, digitando no celular. Era um homem com seus 40 anos, alto, completamente careca, de intensos olhos azuis.

— Kuba — disse Julian. — Eu trouxe uma colega, tudo bem?

— Tudo bem. — Kuba olhou de relance para Mariana. Falava com um leve sotaque polonês. — Já vou avisando que não é uma visão agradável. Pior que da última vez.

Com a mão enluvada, fez um gesto indicando a parte de trás da tenda. Mariana respirou fundo e fez a volta.

E lá estava.

A coisa mais terrível que Mariana tinha visto na vida. Teve medo de olhar. Não parecia real.

O corpo de uma jovem, ou os restos mortais de um corpo, espalhados na grama. O torso tinha sido retalhado de tal maneira que ficou irreconhecível — o que sobrou foi uma mistura de sangue e vísceras, lama e terra. A cabeça estava intocada, e os olhos estavam arregalados, vendo e não vendo — nesse olhar, uma trajetória que levava ao esquecimento.

Mariana se fixou nos olhos, incapaz de desviar o rosto; paralisada diante desse olhar de Medusa — com o poder de petrificar mesmo depois da morte...

Uma frase de *A duquesa de Malfi* lhe ocorreu: "Cubram seu rosto, meus olhos se ofuscam — ela morreu jovem."

Morreu jovem, de fato. Jovem demais. Tinha apenas 20 anos. Seu aniversário seria na semana seguinte; ela estava cuidando dos preparativos para a festa.

Mariana sabia disso porque logo a reconheceu.

Era Veronica.

2

Mariana começou a andar para longe do corpo.

Estava enjoada. Precisava estabelecer uma distância entre si mesma e o que tinha visto. Queria se afastar, mas sabia que não tinha como fugir — aquele era o tipo de visão que a assombraria até o fim dos seus dias. O sangue, a cabeça, os olhos arregalados...

Para, pensou. *Para de pensar.*

Continuou andando até chegar a uma cerca frágil de madeira, que fazia uma divisa entre esse campo e o seguinte. A cerca parecia instável e prestes a cair; Mariana se apoiou nela — um suporte frágil, mas melhor que nada.

— Você está bem?

Julian surgiu ao lado dela. Olhou para Mariana, preocupado.

Ela fez que sim com a cabeça. E se deu conta de que seus olhos estavam cheios de lágrimas. Secou-as com as mãos, constrangida.

— Estou bem.

— Quando se vê muitas cenas de crime como eu, a gente se acostuma. Se quer saber, acho você corajosa.

Mariana balançou a cabeça.

— Não sou, não sou mesmo.

— E você tem razão a respeito de Conrad Ellis. Ele estava preso na hora do assassinato, então isso acaba com as suspeitas sobre ele... —

Julian olhou de relance para Kuba, que se aproximava. — A menos que você não ache que elas foram mortas pela mesma pessoa.

Kuba balançou a cabeça, tirando do bolso um cigarro eletrônico.

— Não, é o mesmo cara. O mesmo *modus operandi*... Contei vinte e duas facadas. — Ele deu uma tragada e exalou nuvens de fumaça.

Mariana o fitou.

— Tinha uma coisa na mão dela. O que era?

— Ah, você percebeu? Uma pinha.

— Foi o que eu pensei. Que estranho.

Julian olhou para ela.

— Estranho por quê?

Mariana deu de ombros.

— É que não tem pinheiros por aqui. — Ela refletiu por um segundo. — Estava me perguntando se existe um registro de tudo que foi encontrado junto ao corpo de Tara.

— Curioso você dizer isso — disse Kuba. — A mesma coisa me ocorreu... então verifiquei. Uma pinha também foi encontrada com o corpo de Tara.

— Uma pinha? — perguntou Julian. — Que interessante. Deve ter algum significado para ele... Mas qual seria?, eu me pergunto.

Assim que ele disse isso, Mariana se lembrou de repente de um dos slides que o professor Fosca exibiu durante o seminário sobre Elêusis: um relevo em mármore de uma pinha.

Sim, pensou. *Tem um significado.*

Julian olhava em volta, frustrado. Balançou a cabeça.

— Como é que ele faz isso? Mata a céu aberto... e desaparece, coberto de sangue, sem deixar testemunhas, nenhuma arma do crime, nenhuma evidência... nada.

— Só um vislumbre do inferno — disse Kuba —, mas você se engana sobre o sangue. Ele não estaria necessariamente coberto de sangue. Afinal de contas, as facadas aconteceram *post mortem*.

— O quê? — Mariana arregalou os olhos. — Como assim?

— Exatamente isso. Primeiro ele corta o pescoço.

— Tem certeza?

— Ah, sim. — Kuba assentiu com a cabeça. — Em ambos os casos, a causa da morte foi uma incisão profunda... rompendo os tecidos até o osso do pescoço. A morte deve ter sido instantânea. Considerando a profundidade do ferimento... suspeito que ele ataque pelas costas. Se me permite...?

Ele deu um passo atrás de Julian e demonstrou com elegância, usando o cigarro eletrônico como se fosse uma faca. Mariana estremeceu ao vê-lo fingir que cortava o pescoço de Julian.

— Viu? O jato da artéria vai para a frente. Então, deitando o corpo no chão, durante o esfaqueamento, o sangue vaza para baixo, para dentro da terra. Desse modo ele não ficaria com vestígios de sangue.

Mariana balançou a cabeça.

— Mas... isso não faz o menor sentido.

— Por que não?

— Porque isso não é... cólera. Não é perder o controle, não é *fúria*...

Kuba meneou a cabeça.

— Não. O oposto. Ele é muito calmo, controlado... como se desempenhasse um tipo de dança. É muito preciso. É... *rytualistyczny*... — Procurou a palavra correta. — Ritualístico...? É isso?

— Ritualístico?

Mariana olhou fixamente para ele, enquanto uma série de imagens passava rapidamente por sua mente: Edward Fosca no palco, discursando sobre ritos religiosos; o cartão-postal no quarto de Tara, com o antigo oráculo grego exigindo sacrifício; e — no fundo da sua mente — a lembrança permanente de um céu azul, com o sol intenso, e um templo em ruínas dedicado a uma deusa vingativa.

Havia um detalhe... Um detalhe sobre o qual ela precisava refletir. Mas, antes que pudesse pressionar mais Kuba, ouviu uma voz vindo de trás.

— O que está acontecendo aqui?

Todos se viraram. O inspetor-chefe Sangha estava parado bem ali. Não parecia satisfeito.

3

— O que ela está fazendo aqui? — perguntou Sangha, franzindo a testa.

Julian se adiantou.

— A Mariana está comigo. Imaginei que ela pudesse ter algum tipo de *insight*... e ela tem sido muito útil.

Sangha desenroscou a tampa da garrafa térmica, apoiou-a precariamente na estaca da cerca e se serviu de um pouco de chá. Parecia cansado, pensou Mariana — não invejava o emprego dele. O escopo da investigação tinha redobrado, e ele perdera o único suspeito. Ela receava complicar tudo, mas não tinha opção.

— Inspetor-chefe — disse ela —, o senhor está ciente de que a vítima é Veronica Drake? Ela era aluna do Saint Christopher's.

O inspetor lhe dirigiu um olhar de desânimo.

— Tem certeza?

Mariana fez que sim.

— E o senhor também está ciente de que o professor Fosca dava aula para as duas vítimas? Elas faziam parte do seu grupo especial.

— Que grupo especial?

— No meu entender, o senhor deveria perguntar isso a ele.

O inspetor Sangha tomou todo o chá antes de falar:

— Entendo. Mais alguma dica, Mariana?

Mariana não gostou do tom dele, mas sorriu com educação.

— Por enquanto é só isso.

Sangha derramou no chão um restinho de chá. Sacudiu a tampa e a enroscou de volta na garrafa térmica.

— Já pedi a você uma vez que não se intrometesse na minha investigação. Então, vou botar os pingos nos is: se eu pegar você invadindo outra cena de crime, eu mesmo vou prendê-la. Certo?

Mariana abriu a boca para responder. Mas Julian falou antes.

— Perdão. Isso não vai se repetir. Vamos, Mariana.

Ele afastou uma Mariana relutante dos demais, levando-a de volta à faixa de isolamento.

— Acho que o Sangha está chateado com você — disse Julian. — Se eu fosse você, ficaria longe dele. Ele morde muito mais do que ladra. — Piscou para ela. — Não se preocupe... Vou manter você informada sobre qualquer desdobramento.

— Obrigada.

Julian sorriu.

— Onde você está hospedada? Eles me alojaram num hotel perto da estação.

— Estou hospedada na faculdade.

— Muito bom. Que tal uma cerveja hoje à noite? A gente pode botar o papo em dia.

Mariana fez que não com a cabeça.

— Não... Sinto muito, não posso.

— Ah, por que não? — Julian sorriu para ela, mas depois seguiu o seu olhar... e viu que ela olhava para Fred, que acenava para Mariana do outro lado da faixa.

— Ah — Julian franziu a testa —, vejo que você já tem planos.

— O quê? — Mariana balançou a cabeça. — Não. Ele é só um amigo... da Zoe.

— Lógico. — Julian abriu um sorriso incrédulo. — Sem problemas. A gente se vê por aí, Mariana.

Julian pareceu um tanto contrariado. Virou-se e foi embora.

Mariana também estava contrariada, mas consigo mesma. Passou por baixo da faixa e foi na direção de Fred. Sentia-se cada vez mais irritada. Por que precisou contar aquela mentira boba, que Fred era amigo da Zoe? Mariana não era culpada de coisa nenhuma; não tinha o que esconder — então, por que *mentir*?

A não ser, obviamente, que não estivesse sendo sincera consigo mesma quanto a seus sentimentos por Fred. Seria possível isso? Em caso afirmativo, esse era um pensamento profundamente enervante.

Que outras mentiras estava contando para si mesma?

4

Quando foi divulgada a notícia de que uma segunda aluna do Saint Christopher's College tinha sido assassinada — e que era filha de um senador dos Estados Unidos —, a história foi destaque mundo afora.

O senador Drake embarcou no primeiro voo de Washington, acompanhado da esposa, perseguido pela mídia norte-americana e seguido pelo restante da imprensa mundial, que chegou ao Saint Christopher's em questão de horas.

Aos olhos de Mariana, a cena lembrava um cerco medieval. Hordas invasoras de jornalistas e cinegrafistas contidos por uma barreira frágil, vários policiais fardados e alguns bedéis da faculdade; o Sr. Morris estava à frente, as mangas arregaçadas, pronto para defender a faculdade com unhas e dentes.

Um amplo acampamento de imprensa foi montado na calçada em frente ao portão principal e se espalhou até a King's Parade, onde fileiras de vans de transmissão por satélite estavam estacionadas. Uma barraca especial da imprensa foi armada à margem do rio, onde o senador Drake e sua esposa concederam uma entrevista à televisão, fazendo um apelo comovente por qualquer informação que conduzisse à captura do assassino de sua filha.

Por solicitação do senador Drake, a Scotland Yard se envolveu no caso. Agentes suplementares da polícia foram enviados de Londres —

e montaram barricadas, fizeram visitas de casa em casa e patrulharam as ruas.

O entendimento de que agora lidavam com um assassino em série significava que a cidade toda estava em alerta. Nesse ínterim, Conrad Ellis foi solto, e todas as queixas contra ele foram retiradas.

Havia uma tensão no ar. Um monstro armado com uma faca estava entre eles, sem ser notado, espreitando pelas ruas, aparentemente capaz de entrar em ação e desaparecer na escuridão... A invisibilidade o tornava mais que humano, algo sobrenatural: uma criatura nascida de um mito, um fantasma.

Só que Mariana sabia que não se tratava de um fantasma nem de um monstro. Era apenas um homem, e não era digno de ser transformado em mito; não merecia.

Merecia apenas — se ela conseguisse reunir isso em seu coração — *pena* e *medo*. As mesmas qualidades, segundo Aristóteles, que constituíam a catarse na tragédia. Bem, Mariana não sabia o suficiente sobre esse maníaco para sentir pena.

Mas medo ela sentia.

5

Minha mãe sempre dizia que não queria aquela vida para mim.

Ela me dizia que um dia iríamos embora, ela e eu. Mas não seria fácil.

Não tenho instrução alguma, dizia ela. *Saí da escola aos 15 anos. Prometa que você não vai fazer a mesma coisa. Você precisa estudar, é assim que se ganha dinheiro. É assim que se sobrevive, que se mantém seguro.*

Jamais me esqueci disso. Mais que tudo, eu queria me sentir seguro.

Mesmo agora, não me sinto seguro.

Porque meu pai era um homem perigoso, por isso. Depois de umas tantas doses de uísque, uma pequena chama surgia em seus olhos. Ele queria arrumar uma discussão por tudo. Evitar sua raiva era andar em um campo minado.

Eu era melhor nisso que a minha mãe — melhor em manter as coisas estáveis, em tomar a frente, em manter conversas inofensivas, imaginando o rumo que tomariam, manobrando meu pai, se necessário, afastando-o de qualquer assunto que poderia provocar a fúria dele. Cedo ou tarde, minha mãe falhava. Fosse por acidente ou de propósito, por masoquismo, ela dizia alguma coisa, fazia alguma coisa, discordava dele, criticava-o, servia para ele algo de que não gostava.

Os olhos dele cintilavam. O lábio inferior se abria. Deixava à mostra os dentes. Tarde demais, ela percebia que ele estava enfurecido. Uma mesa era derrubada, um copo, quebrado. Eu ficava olhando, sem condições de defendê-la ou protegê-la, enquanto ela corria para o quarto em busca de refúgio.

Em pânico, ela tentava trancar a porta... mas era tarde demais. Com um empurrão ele a abria, e então, então...

Não entendo.

Por que ela não ia embora? Por que não fazia as nossas malas e me levava na calada da noite? Poderíamos ter saído juntos. Mas ela não fez essa escolha. Por que não? Era medo? Ou não queria admitir que sua família estava certa — que ela havia cometido um erro terrível e agora voltava correndo para a casa dos pais com o rabo entre as pernas?

Ou estava em negação, agarrada à esperança de que tudo ia se ajeitar como num passe de mágica? Talvez fosse isso. Afinal de contas, tinha desenvolvido a habilidade de ignorar o que não queria ver e que estava bem à sua frente.

Também aprendi a fazer isso.

Aprendi também, desde pequeno, que eu não andava no chão, mas em uma rede estreita de cordas invisíveis, acima do solo. Precisava abrir caminho por ela com cuidado, tentando não escorregar nem cair. Ao que parecia, certos aspectos da minha personalidade eram ofensivos. Eu tinha segredos terríveis a esconder — mesmo que não soubesse quais eram.

Mas meu pai sabia. Ele conhecia os meus pecados.

E me castigava de acordo.

Ele me carregava para o andar de cima. Ele me levava para o banheiro e trancava a porta...

E começava.

Se o vejo agora, aquele menino assustado... sinto dor ou tristeza? Uma pontada de empatia? Ele não passa de um menino, sem culpa por nenhum dos meus crimes — ele está aterrorizado, sofrendo. Sinto um segundo de compaixão? Lamento sua provação e tudo o que enfrentou?

Não. Não lamento.

Bani toda a pena do meu coração.

Eu não a mereço.

6

Veronica foi vista pela última vez saindo do ensaio de *A duquesa de Malfi* no ADC — o Amateur Dramatic Club — Theatre às seis horas. Depois, desapareceu, como num passe de mágica, até seu corpo ser encontrado no dia seguinte.

Como isso era possível?

Como o assassino surgiu do nada, sequestrou-a à luz do dia e não deixou testemunhas e nenhum vestígio? Mariana chegou a uma só conclusão: Veronica o seguiu de bom grado. Ela foi ao encontro da morte, por livre e espontânea vontade, porque conhecia e confiava no homem que a levou até lá.

Na manhã seguinte, Mariana decidiu dar uma olhada no local onde Veronica foi vista pela última vez. Então se dirigiu ao ADC Theatre, na Park Street.

O teatro era, originalmente, uma antiga estalagem, reformada mais tarde, em 1850. O logo era pintado acima da entrada em letras pretas.

Um painel grande exibia um cartaz da próxima produção, *A duquesa de Malfi*, que Mariana agora supunha que não se realizaria, considerando que Veronica representava o papel da duquesa.

Ela se dirigiu à porta principal. Tentou abri-la. Estava trancada. Não havia luzes acesas no saguão.

Pensou por um instante. Então se virou e dobrou a esquina, seguindo para a face lateral do prédio. Dois portões grandes e pretos de ferro forjado delimitavam um pátio, que outrora abrigara os estábulos. Mariana tentou abrir o portão, e estava destrancado. Foi aberto com facilidade. Então ela entrou no pátio.

Lá estava a porta de acesso ao palco. Foi até lá e tentou abri-la, mas estava trancada.

Ficou desanimada e prestes a desistir, quando um pensamento lhe ocorreu. Olhou para a saída de emergência. Uma escada em espiral que dava acesso ao bar do teatro no andar superior.

Quando Mariana era estudante, o bar do ADC era conhecido por ficar aberto até tarde. Ela e Sebastian iam até lá às vezes para uma saideira nas noites de sábado e ficavam dançando ou se beijando bêbados no bar.

Ela começou a subir os degraus, dando voltas até chegar ao topo, onde deparou com a saída de emergência.

Sem muita esperança, Mariana esticou o braço e puxou a maçaneta. Para sua surpresa, a porta se abriu.

Ela se deteve por um instante. E entrou.

7

O bar do ADC era antiquado — tinha banquetas forradas de veludo e cheirava a cerveja e fumaça de cigarro.

As luzes estavam apagadas. O ambiente era melancólico, sombrio, e Mariana se distraiu por um instante vendo um casal de fantasmas se beijando no bar.

Então uma pancada barulhenta a sobressaltou.

Outra pancada. Parecia que o prédio inteiro tinha sacudido.

Mariana decidiu verificar. Vinha do andar de baixo. Ela saiu do bar e foi mais para o interior do prédio. Tentando fazer o mínimo de barulho, desceu a escada central.

Outra pancada.

Parecia vir do próprio auditório. Ela parou na base da escada para prestar atenção. Mas houve apenas silêncio.

Ela se esgueirou até as portas do auditório. Abriu-as ligeiramente e olhou para o interior.

O auditório parecia vazio. O cenário para *A duquesa de Malfi* estava no palco — a visão aterrorizante de uma prisão no estilo expressionista alemão, com paredes tortas e barras estendidas em ângulos distorcidos.

E, no palco, havia um jovem.

Estava sem camisa e suava em bicas. Parecia disposto a demolir todo o cenário com um martelo. A violência das suas ações era alarmante.

Com cautela, Mariana percorreu o corredor, passando por cada fileira de cadeiras vermelhas vazias, até chegar ao palco.

Ele não notou a sua presença até ela estar logo abaixo dele. Ele tinha aproximadamente um metro e oitenta de altura, cabelos curtos e pretos e barba por fazer. Não devia ter mais de 21 anos, mas o rosto não era jovial nem amigável.

— Quem é você? — perguntou, encarando-a.

Mariana resolveu mentir.

— Sou... psicoterapeuta... Estou trabalhando com a polícia.

— Ah, sei. Eles acabaram de passar aqui.

— Certo. — Mariana reconheceu o sotaque. — Você é grego?

— Por quê? — Ele olhou para ela com interesse. — Você é?

Interessante o fato de que, por uma fração de segundo, ela teve o instinto de mentir. Por algum motivo, não queria que ele soubesse nada a seu respeito. Mas conseguiria obter mais informações se demonstrasse alguma afinidade.

— Meu pai era grego e minha mãe, inglesa — disse com um leve sorriso. Então disse, em grego: — Fui criada em Atenas.

Ele demonstrou satisfação ao ouvir isso. Pareceu ter se acalmado, e sua raiva abrandou um pouco.

— E eu sou de Tessalônica. Prazer em conhecê-la. — Sorriu, mostrando os dentes; eram afiados, como uma navalha. — Me deixa te ajudar a subir.

Então, com um movimento repentino, impetuoso, ele esticou o braço para baixo e a puxou com facilidade, colocando-a no palco. Ela aterrissou um pouco sem equilíbrio.

— Obrigada.

— Sou Nikos. Nikos Kouris. E o seu nome?

— Mariana. Você é estudante?

— Sim. — Nikos assentiu. — Sou responsável por isto aqui. — Gesticulou para o cenário arruinado à sua volta. — Sou o diretor. Você está olhando para a destruição das minhas ambições teatrais. — Ele deu uma risada falsa. — A apresentação foi cancelada.

— Por causa da Veronica?

Nikos franziu a testa.

— Um agente viria de Londres para assistir. Trabalhei o verão inteiro, planejando. Para nada...

Ele puxou parte da parede para baixo com violência — ela caiu com um estrondo que fez o chão estremecer.

Mariana o observava atentamente. Tudo nele era raiva; uma raiva mal contida, como se ele fosse perder o controle a qualquer momento, atacar tudo que aparecesse pela frente — e atingi-la em vez do cenário. Ele a deixou bastante assustada.

— Eu estava imaginando — disse ela — se poderia fazer algumas perguntas a você sobre a Veronica.

— O que tem ela?

— Queria saber quando foi a última vez que você a viu?

— No ensaio geral. Fiz algumas críticas. Ela não gostou. Era uma atriz bem medíocre, se quer saber. Nem de longe tão talentosa como pensava.

— Entendo. E como estava o humor dela?

— Depois que fiz as críticas? Nada bom. — Ele sorriu, exibindo os dentes.

— A que horas ela saiu? Você se lembra?

— Por volta das seis, eu diria.

— Ela falou para onde estava indo?

— Não. — Nikos balançou a cabeça. — Mas acho que ia se encontrar com o professor. — Sua atenção foi desviada, e ele passou a empilhar algumas cadeiras.

Mariana o observou, sentindo o coração bater mais rápido. Quando falou, parecia estar um pouco ofegante.

— O professor?

— É. — Nikos deu de ombros. — Não lembro o nome. Ele veio para assistir ao ensaio geral.

— Como ele era? Você pode descrevê-lo?

Nikos pensou por um instante.

— Alto. Barbudo. Americano. — Deu uma olhada no relógio. — O que mais você quer saber? Porque estou ocupado.

— É só isso, obrigada. Mas posso dar uma olhada no camarim? Sabe se a Veronica deixou alguma coisa lá?

— Acho que não. A polícia levou tudo. Não tinha muita coisa.

— Mesmo assim eu gostaria de ver. Se não tiver nenhum problema.

— Vai em frente. — Ele apontou para os bastidores. — Descendo a escada, à esquerda.

— Obrigada.

Nikos a encarou por um segundo, como se ponderasse. Mas não falou nada. Mariana foi depressa até os bastidores.

Estava escuro, e seus olhos levaram alguns segundos para se adaptar. Alguma coisa fez com que ela olhasse para trás, para o palco, e viu o rosto de Nikos, contorcido de raiva, enquanto ele arrancava o cenário. *Ele odeia o fato de não conseguir o que quer*, pensou ela. Havia muita raiva naquele jovem; ela ficou feliz de se afastar dele.

Mariana se virou, desceu depressa os degraus estreitos até as entranhas do teatro e entrou no camarim.

O camarim era um lugar bem apertado, usado por todos os atores. Araras de figurino competiam por espaço com perucas, maquiagem, acessórios, livros e penteadeiras. Ela olhou para toda a bagunça — era impossível saber o que pertencia a Veronica.

Mariana tinha dúvidas se encontraria algo de útil por ali. Mesmo assim...

Olhou as penteadeiras. Cada uma tinha o próprio espelho, e os espelhos estavam decorados com corações e beijos e mensagens de boa sorte rabiscadas com batom. Havia alguns cartões-postais e fotos presas na moldura dos espelhos.

Um cartão-postal atraiu de imediato o olhar de Mariana. Não se parecia com nenhum dos outros.

Ela olhou com atenção. Era uma imagem religiosa: o ícone de uma santa. A santa era linda, com cabelos compridos e loiros... como Veronica. Um punhal de prata estava enfiado em seu pescoço. Ainda mais perturbador, ela segurava uma bandeja onde se via um par de olhos humanos.

Mariana se sentiu nauseada enquanto olhava para o cartão-postal. Sua mão tremia quando a estendeu para pegá-lo. Retirou-o da moldura do espelho. Virou-o.

E lá, como antes, havia uma citação em grego clássico.

ἴδεσθε τὰν Ἰλίου
καὶ Φρυγῶν ἑλέπτολιν
στείχουσαν, ἐπὶ κάρα στέφη
βαλουμέναν χερνίβων τε παγάς,
βωμόν γε δαίμονος θεᾶς
ῥανίσιν αἱματορρύτοις
χρανοῦσαν εὐφυῆ τε σώματος δέρην
σφαγεῖσαν.

8

Depois do segundo assassinato, a atmosfera no Saint Christopher's College ficou silenciosa e sem vida.

Era como se um tipo de peste, uma praga, tivesse se alastrado pela faculdade — como no mito grego, a doença destrói Tebas; um veneno invisível transportado pelo ar circulava pelos pátios, e esses muros antigos, outrora um abrigo do mundo exterior, agora não ofereciam proteção nenhuma.

Apesar das declarações e das garantias de segurança feitas pelo diretor, pais retiravam seus filhos da faculdade em quantidade cada vez maior. Mariana não os culpava; tampouco culpava os alunos por quererem ir embora. Em parte ela desejava pegar Zoe e levá-la para Londres. Mas sabia que não lhe convinha sugerir isso: Zoe permaneceria lá, isso era certo — assim como Mariana.

O assassinato de Veronica havia afetado Zoe profundamente. O fato de ter se abalado tanto a deixou surpresa. Disse que se sentia hipócrita.

— E olha que eu nem *gostava* da Veronica... Não sei por que não consigo parar de chorar.

Mariana imaginava que Zoe estivesse usando a morte de Veronica para expressar parte da tristeza que sentia em relação a Tara, uma tristeza profunda e assustadora demais para ela. Então essas lágrimas eram bem-vindas, saudáveis, e Mariana disse isso a Zoe quando a abraçou, sentada na cama, balançando-a para a frente e para trás enquanto Zoe chorava.

— Tudo bem, querida. Tudo bem. Você vai se sentir melhor, pode extravasar.

E, por fim, as lágrimas de Zoe cessaram. Então Mariana insistiu em levá-la para almoçar; ela não tinha comido quase nada nas últimas vinte e quatro horas. Zoe, de olhos vermelhos e cansados, concordou. No caminho para o Hall, elas se encontraram com Clarissa, que sugeriu que lhe fizessem companhia na mesa alta.

A mesa alta ficava numa parte do refeitório reservada aos professores e seus convidados. Situava-se numa das extremidades do amplo salão, num estrado elevado como se fosse um palco, abaixo de retratos pintados de antigos mestres fixados nas paredes revestidas por lambris de carvalho. No outro extremo do salão havia um bufê para os estudantes, operado pelos funcionários, vestindo elegantes coletes e gravatas-borboleta. Os graduandos ocupavam as mesas compridas dispostas ao longo do salão.

Não havia muitos alunos no Hall. Mariana não conseguiu evitar olhar para os que estavam lá, com suas fisionomias tensas, falando em voz baixa enquanto se serviam. Nenhum deles parecia em melhor estado que Zoe.

Zoe e Mariana se sentaram com Clarissa à cabeceira da mesa alta, afastadas dos demais professores. Clarissa analisou o cardápio com interesse. Apesar dos acontecimentos terríveis, seu apetite permanecia inalterado.

— Voto no faisão — disse ela. — E depois... talvez peras ao vinho. Ou o *petit gâteau*.

Mariana fez que sim.

— E você, Zoe?

Ela balançou a cabeça.

— Não estou com fome.

Clarissa lhe dirigiu um olhar preocupado.

— Você precisa comer alguma coisa, minha querida... Você não parece bem. Precisa se alimentar para se manter forte.

— Quem sabe o salmão escalfado com legumes? — sugeriu Mariana. — Pode ser?

Zoe deu de ombros.

— Pode.

O garçom veio e anotou o pedido; em seguida, Mariana mostrou a elas o cartão-postal que tinha encontrado no ADC Theatre.

Clarissa o pegou, detendo-se na imagem.

— Ah. Santa Luzia, se não me engano.

— Santa Luzia?

— Não conhece? Suponho que ela seja um tanto desconhecida, que é o que acontece com alguns santos. Foi mártir durante a perseguição de Diocleciano aos cristãos... por volta do ano 300. Seus olhos foram arrancados antes que ela fosse apunhalada e morresse.

— Pobre Luzia.

— Ã-hã. Consequentemente, ela é a santa padroeira dos cegos. Normalmente é representada assim, levando seus olhos numa bandeja. — Clarissa virou o cartão-postal. Seus lábios se moveram em silêncio enquanto lia os versos em grego. — Bem — disse ela —, desta vez é de *Ifigênia em Áulis*, de Eurípides.

— O que diz?

— É sobre Ifigênia sendo conduzida para a morte. — Clarissa tomou um gole de vinho e traduziu: — "Contemple a donzela... com grinaldas nos cabelos e água benta aspergida sobre ela... andando para o altar do sacrifício da indescritível deusa, sobre o qual o sangue verterá"... αἱματορρύτοις é a palavra em grego... "quando seu lindo pescoço for ferido."

Mariana ficou nauseada.

— Meu Deus do céu.

— Não muito apetitoso, eu garanto — disse Clarissa, devolvendo o cartão-postal a Mariana.

Mariana olhou para Zoe.

— O que você acha? Acha que Fosca poderia ter mandado isso para ela?

— O professor Fosca? — disse Clarissa com um olhar perplexo enquanto Zoe examinava o cartão-postal. — Você não está sugerindo... Não acha que o professor...

— O Fosca tem um grupo de alunas preferidas. Você sabia disso, Clarissa? — Mariana olhou para Zoe por um instante. — Elas se encontram com o professor em particular... em segredo. Ele as chama de as Musas.

— As Musas? — disse Clarissa. — Primeira vez que ouço falar disso. Uma paródia dos Apóstolos, talvez?

— Apóstolos?

— A sociedade literária secreta de Tennyson... onde ele conheceu Hallam.

Mariana olhou fixamente para ela. Levou um segundo para recobrar a voz. Ela fez que sim.

— Talvez.

— Obviamente, os Apóstolos eram todos homens. Suponho que a afiliação das Musas seja feminina.

— Exatamente. E a Tara e a Veronica eram integrantes. Você não acha que é uma coincidência estranha? Zoe? O que você acha?

Zoe parecia desconcertada. Mas assentiu com a cabeça, olhando para Clarissa.

— Para ser sincera, acho que é *o tipo de coisa* que ele faria. Mandar um cartão-postal como esse.

— Por que você diz isso?

— O professor é antiquado assim... do tipo que manda cartões-postais, digo. Ele costuma enviar bilhetes escritos a mão. E no período passado deu um seminário sobre a importância da carta como forma artística... Sei que isso não prova nada.

— Não prova? — perguntou Mariana. — Não tenho tanta certeza.

Clarissa deu uma batidinha no cartão-postal.

— O que você acha que isto significa? Eu não... não entendo o propósito.

— Significa... que é um jogo. Anunciando a sua intenção desse jeito... É um desafio... e ele está se divertindo. — Escolheu as palavras com cuidado. — E tem mais uma coisa... da qual ele nem deve ter consciência. Existe uma razão para escolher essas citações; elas têm significado para ele.

— Como assim?

— Não sei. — Mariana balançou a cabeça. — Não entendo... e precisamos entender. É o único jeito de ele ser detido.

— E por "ele" você se refere a Edward Fosca?

— Talvez.

Clarissa pareceu bastante preocupada ao ouvir isso. Ela meneou a cabeça, mas não fez mais comentários. Mariana contemplou em silêncio o cartão-postal à sua frente.

Então chegou a comida, e Clarissa caiu dentro do almoço, enquanto Mariana dirigia a atenção a Zoe, certificando-se de que ela comesse um pouco.

Edward Fosca não foi mencionado de novo durante a refeição. Mas permaneceu nos pensamentos de Mariana — pendurado, nas sombras, feito um morcego.

9

Depois do almoço, Mariana e Zoe foram até o bar da faculdade para tomar uma bebida.

O bar estava nitidamente mais silencioso que o normal. Havia apenas um punhado de alunos por lá, bebendo. Mariana viu Serena sentada sozinha. Ela não percebeu a presença das duas.

Zoe pediu duas taças de vinho, enquanto Mariana foi até o fundo do bar, onde estava Serena, sentada numa banqueta alta, terminando um gim-tônica e mexendo no celular.

— Oi — disse Mariana.

Serena ergueu o olhar e voltou ao telefone, sem falar nada.

— Como vai, Serena?

Nenhuma resposta. Mariana olhou para Zoe, pedindo ajuda, e Zoe fez um gesto fingindo levar um copo à boca. Mariana entendeu.

— Posso te pagar outra bebida?

Serena balançou a cabeça.

— Não. Vou ter que sair daqui a pouco.

Mariana sorriu.

— É o seu admirador secreto?

Obviamente ela não devia ter dito isso. Serena olhou para Mariana com uma raiva surpreendente.

— Qual é o seu problema, porra?

— O quê?

— O que você tem contra o professor Fosca? É como se você estivesse obcecada, sei lá. O que foi que você falou dele para a polícia?

— Não sei do que você está falando.

Mas, no fundo, Mariana ficou aliviada ao saber que o inspetor-chefe a havia levado a sério o suficiente para interrogar Fosca.

— Eu não o acusei de nada — disse ela. — Só sugeri que o inspetor fizesse algumas perguntas a ele.

— Bem, ele fez. Um monte. E a mim também. Está contente agora?

— O que você disse à polícia?

— A verdade. Que eu estava com o professor Fosca quando a Veronica foi assassinada na quarta à noite... Tive aula com ele no período da noite. Entendeu?

— E ele não saiu? Nem para fumar?

— Nem para fumar.

Serena dirigiu um olhar frio para Mariana, mas se distraiu com uma mensagem no celular. Ela a leu e se levantou.

— Preciso ir.

— Espera. — Mariana baixou a voz. — Serena. Quero que você tome muito cuidado, está bem?

— Ah, vai à merda. — Serena pegou a bolsa e saiu.

Mariana suspirou. Zoe se sentou na banqueta que Serena tinha ocupado.

— Não deu muito certo.

— Não. — Mariana balançou a cabeça. — Não deu.

— E agora?

— Não sei.

Zoe deu de ombros.

— Se o professor Fosca estava com a Serena quando a Veronica foi morta, ele não poderia ter feito nada.

— A não ser que a Serena esteja mentindo.

— Você acha mesmo que ela mentiria por ele? Duas vezes? — Zoe olhou para ela como se duvidasse e deu de ombros. — Não sei, Mariana...

— O quê?

Zoe evitou o olhar de Mariana. Por um instante não falou nada.

— É o seu jeito quando se trata dele... É estranho.

— Estranho? Como assim?

— O professor tem um álibi para os dois assassinatos... e mesmo assim você não desiste. Isso tem a ver com ele... ou com *você*?

— Comigo? — Mariana não acreditava no que estava ouvindo. Sentiu as maçãs do rosto ruborizando de tanta indignação. — Do que você está falando?

Zoe balançou a cabeça.

— Esquece.

— Se você tem alguma coisa para me dizer... então diz de uma vez.

— Não adianta. O que eu sei é que, quanto mais me empenho em tirar da sua cabeça esse lance do professor Fosca, mais você insiste. Você é tão teimosa!

— Não sou teimosa.

Zoe deu uma risada.

— O Sebastian costumava dizer que você era a pessoa mais teimosa que ele tinha conhecido na vida.

— Ele nunca disse isso para mim.

— Bem, ele disse para *mim*.

— Não entendo aonde você quer chegar, Zoe. Não entendo o que está querendo dizer. Que *lance* é esse do Fosca?

— Me diz você.

— O quê? Eu não estou a fim dele... se é isso que você está insinuando!

Ela se deu conta de que tinha falado alto; dois alunos do outro lado do bar a ouviram e olharam em sua direção. Pela primeira vez desde que se lembrava, ela e Zoe estavam à beira de um bate-boca. Mariana se sentia irracionalmente irritada. Por quê?

Elas se entreolharam por um instante.

Zoe foi a primeira a ceder.

— Esquece — disse, balançando a cabeça. — Me desculpa. Eu estou falando bobagem.

— Me desculpa também.

Zoe olhou o relógio em seu pulso.

— Tenho que ir. Tenho uma aula sobre *Paraíso perdido*.

— Vai lá.

— Vejo você no jantar?

— Ah... — Mariana hesitou. — Não posso. Vou... me encontrar com...

Não queria contar a Zoe dos planos de jantar com o professor Fosca... não agora; Zoe entenderia tudo errado.

— Vou... Vou me encontrar com um amigo.

— Quem?

— Ninguém que você conhece, um antigo colega da faculdade. É melhor você ir agora, senão vai se atrasar.

Zoe fez que sim. Deu um beijo rápido no rosto de Mariana, que apertou o braço dela.

— Zoe. Toma cuidado você também. Está bem?

— Não entrar em carros com homens estranhos, é isso?

— Não brinca. Estou falando sério.

— Eu sei me cuidar, Mariana. Não estou com medo.

Era esse tom de valentia na voz de Zoe que mais preocupava Mariana.

10

Depois que Zoe saiu, Mariana ficou no bar por um tempo, segurando a taça de vinho, bebericando. Repassava a conversa mentalmente.

E se Zoe estivesse certa? E se Fosca fosse inocente?

Fosca tinha um álibi para ambos os assassinatos, e, mesmo assim, Mariana havia tecido uma rede de suspeitas em torno dele, simplesmente pegando alguns fiapos de... de quê, exatamente? Nem mesmo fatos, nada de concreto. Detalhes pequenos: aquele medo no olhar de Zoe, o fato de que ele lecionava tragédia grega para Tara e Veronica e o fato de que ela havia se convencido de que Fosca tinha enviado aqueles cartões.

E sua intuição lhe dizia que a pessoa que enviara os postais para essas meninas também as tinha assassinado. Mesmo que fosse uma abordagem irracional e até fantasiosa para um homem como o inspetor-chefe Sangha, da perspectiva de uma terapeuta como Mariana a intuição era quase sempre tudo em que podia se basear, embora parecesse inconcebível que um professor nessa universidade pudesse assassinar suas alunas, de modo tão terrível, tão às claras, e esperasse se livrar de qualquer suspeita.

Mesmo assim... se ela estivesse certa...

Então Fosca teria se livrado.

Mas e se ela estivesse enganada?

Mariana precisava pensar racionalmente, mas não conseguia. Sua mente estava anuviada, e não era por causa do vinho. Sentia-se atordoada e cada vez mais insegura. E agora? Não fazia ideia de qual seria o próximo passo.

Fica tranquila, pensou. *Se eu estivesse trabalhando com um paciente e me sentisse assim, tão perdida, o que eu faria?*

A resposta lhe ocorreu imediatamente. Ela pediria ajuda, obviamente. Solicitaria alguma orientação.

Não era má ideia.

Encontrar-se com sua supervisora só ajudaria. E sair dali — ir para Londres, fugindo dessa faculdade e de sua atmosfera tóxica, mesmo que por algumas horas — seria um imenso alívio.

Sim, pensou. *É o que vou fazer, vou ligar para a Ruth e vou vê-la em Londres amanhã cedo.*

Mas, antes de tudo, Mariana tinha um compromisso à noite, em Cambridge.

Às oito horas ela tinha um jantar... com Edward Fosca.

11

Às oito horas, Mariana chegou às dependências do professor Fosca.

Encarou a porta grande e imponente. Lá havia uma placa preta onde estava gravado *Professor Edward Fosca* em letras cursivas brancas.

Dava para ouvir música clássica vindo do interior. Ela bateu à porta. Nenhuma resposta.

Bateu de novo, mais forte. Nenhuma resposta por um instante, e então...

— Está aberta — falou uma voz distante. — Entre.

Mariana respirou fundo e abriu a porta. Foi saudada por uma escada de olmo: antiga, estreita e irregular nos pontos em que a madeira tinha empenado. Teve que prestar atenção aos passos enquanto subia.

A música agora estava mais alta. Era latim, uma ária religiosa ou um salmo musicado. Tinha escutado antes, em algum lugar, mas não lembrava onde. Era bonita, mas assustadora, com o pulsar de cordas fazendo lembrar as batidas de um coração, ironicamente imitando a batida ansiosa do coração de Mariana enquanto ela subia a escada.

Lá em cima, a porta estava aberta. Ela entrou. A primeira coisa que viu foi um grande crucifixo pendurado no hall de entrada. Era lindo — de madeira escura, ornamentado, gótico, com entalhes intrincados —, mas seu tamanho o tornava intimidador, e Mariana passou depressa por ele.

Entrou na sala de estar. Estava difícil enxergar algo; a única iluminação era proveniente de velas disformes derretidas pela metade aqui e ali. Seus olhos levaram alguns segundos para se adaptar à escuridão profunda, densa, com incenso queimando; sua fumaça preta atenuava a luz das velas, dificultando ainda mais a visibilidade.

Era um cômodo grande, com janelas voltadas para o pátio. Várias portas conduziam a outros cômodos. As paredes estavam cobertas de quadros, e as prateleiras, abarrotadas de livros. O papel de parede era verde-escuro e preto, um padrão repetitivo de folhas e folhagens com um efeito perturbador: dava a Mariana a sensação de estar numa selva.

Havia esculturas e enfeites dispostos no aparador da lareira e nas mesas: um crânio humano, brilhando no escuro, e uma estatueta de Pã — descabelado, segurando um odre de vinho, com pernas, chifres e cauda de bode. E, ao lado, uma pinha.

De repente, Mariana teve certeza de que estava sendo observada; sentiu o olhar em sua nuca. Ela se virou.

Edward Fosca estava ali, de pé. Ela não o ouviu entrar. Teria ele ficado nas sombras o tempo todo, observando-a?

— Boa noite — disse ele.

Os olhos pretos e os dentes brancos cintilavam à luz das velas, e os cabelos meio despenteados caíam sobre os ombros. Usava blazer preto, uma camisa branca impecável e gravata-borboleta preta. Ele era tão bonito, pensou Mariana... e imediatamente sentiu raiva de si mesma por pensar assim.

— Não sabia que iríamos à mesa alta — disse ela.

— Não vamos.

— Mas você está vestido...

— Ah. — Fosca olhou para sua roupa e sorriu. — Não é sempre que tenho a oportunidade de jantar com uma mulher tão bonita. Resolvi me vestir de acordo com a ocasião. Permita que eu lhe sirva uma bebida.

Sem esperar resposta, ele puxou do balde de gelo uma garrafa de champanhe já aberta. Completou sua própria taça, então serviu Mariana.

— Obrigada.

Edward Fosca ficou parado por um instante, observando-a, seus olhos pretos admirando-a.

— A nós — disse ele.

Mariana não brindou. Levou a taça aos lábios e provou o champanhe. Era borbulhante e seco, refrescante. O gosto era bom, e ela esperava que a acalmasse. Tomou outro gole.

Houve uma batida à porta no andar de baixo. Fosca sorriu.

— Ah. É o Greg.

— Greg?

— Da cafeteria.

Ouviu-se um alvoroço de passos, e Gregory, um garçom ágil, de colete e gravata, surgiu com uma embalagem para refeições quentes numa das mãos e uma embalagem para alimentos frios na outra. Sorriu para Mariana.

— Boa noite, senhorita. — Olhou para o professor. — Se me permite...?

— Por favor. — Fosca assentiu. — Pode arrumar. Eu mesmo sirvo.

— Muito bem, senhor.

Mais que depressa ele se retirou e foi para a sala de jantar. Mariana dirigiu a Fosca um olhar interrogativo. Ele sorriu.

— Eu queria ter mais privacidade do que o Hall pode oferecer. Mas não sou nenhum chef... então convenci o Greg a trazer o Hall para nós.

— E como conseguiu isso?

— Com uma gorjeta generosa. Não vou lisonjeá-la dizendo quanto foi.

— Você teve bastante trabalho, professor.

— Por favor, me chame de Edward. E é um prazer, Mariana.

Ele sorriu e olhou fixamente para ela em silêncio. Mariana se sentiu pouco à vontade e desviou o olhar. Seus olhos se dirigiram à mesa de centro... e à pinha.

— O que é isso?

Fosca seguiu seu olhar.

— A pinha? Nada, me lembra a minha terra. Por quê?

— Eu me lembro de um slide de pinha no seu seminário sobre Elêusis.

Fosca concordou, assentindo com a cabeça.

— Sim, de fato. Verdade. Cada iniciado no culto é presenteado com uma pinha à entrada.

— Entendo. Por que uma pinha?

— Bem, não é a pinha em si. É o que simboliza.

— Que é...?

Ele sorriu e a encarou por um instante.

— É a semente... a semente dentro da pinha. A semente dentro de nós... o espírito no interior do corpo. Trata-se de abrir a mente para esse fato. Um compromisso de olhar para o interior e encontrar a alma.

Fosca pegou a pinha. Ofereceu-a a Mariana.

— Eu a ofereço a você. É sua.

— Não, obrigada. — Mariana balançou a cabeça. — Não quero.

Ela disse isso com mais rispidez do que pretendia.

— Entendo.

Fosca abriu um sorriso de quem se divertia. Colocou a pinha de volta na mesa. Houve uma pausa. Um instante depois, Greg apareceu.

— Tudo certo, senhor. E a sobremesa está na geladeira.

— Obrigado.

— Boa noite.

Ele cumprimentou Mariana e se retirou da sala. Mariana ouviu quando ele desceu a escada e fechou a porta.

Estavam a sós.

Houve uma pausa, uma tensão entre eles quando se entreolharam. De qualquer maneira, foi essa a percepção de Mariana; não sabia o que Fosca sentia, o que havia por trás daquele seu jeito sereno, charmoso. Era quase impossível interpretá-lo.

Ele fez um gesto na direção da outra sala.

— Vamos?

12

Na sala de jantar escura, revestida de lambris de madeira, a mesa comprida tinha sido coberta com uma toalha de linho branca. Velas altas queimavam em castiçais de prata. E uma garrafa de vinho tinto tinha sido decantada e colocada no aparador.

Atrás da mesa, pela janela, dava para ver o carvalho do centro do pátio contra um céu que escurecia; estrelas cintilavam em meio aos galhos. Em qualquer outra situação, pensou Mariana, jantar nesta linda sala antiga seria absolutamente romântico. Mas não agora.

— Sente-se — disse Fosca.

Mariana foi até a mesa. Dois lugares tinham sido postos, um de frente para o outro. Ela se sentou, e Fosca foi até o aparador, onde a comida estava disposta — um pernil de cordeiro, batatas assadas e salada verde.

— O cheiro está bom — disse ele. — Pode acreditar... é bem melhor do que se eu tivesse me aventurado a preparar o jantar. Tenho um paladar um tanto sofisticado, mas sou limitado na cozinha. Só preparo mesmo as receitas corriqueiras de massa que uma mãe italiana ensinou ao filho.

Ele sorriu para Mariana e pegou uma grande faca de trinchar. Ela reluziu à luz das velas. Mariana observou enquanto ele manuseava a faca com rapidez e habilidade para cortar o cordeiro.

— Você é italiano? — perguntou ela.

Fosca fez que sim.

— Segunda geração. Meus avós emigraram de navio da Sicília.

— Você foi criado na cidade de Nova York?

— Não exatamente. No estado de Nova York. Numa fazenda, no meio do nada.

Fosca serviu a Mariana várias fatias de cordeiro, algumas batatas e um pouco de salada. Preparou para ele um prato semelhante.

— E você foi criada em Atenas?

— Fui, sim. — Assentiu com a cabeça. — Nos arredores.

— Que exótico. Sinto inveja.

Mariana sorriu.

— Eu poderia dizer o mesmo de uma fazenda em Nova York.

— Não se você tivesse conhecido o lugar. Era um buraco. Eu não via a hora de sair de lá. — Seu sorriso se desfez quando disse isso, e agora parecia bem diferente. Mais tenso e mais velho. Ele colocou o prato diante dela. Então levou o próprio prato para o outro lado da mesa e se sentou. — Prefiro malpassado. Espero que não se importe.

— Tudo bem.

— *Bon appétit!*

Mariana olhou para o prato à sua frente. As fatias finas de cordeiro estavam tão malpassadas que uma poça vermelha e brilhante de sangue tinha escorrido e se espalhava pela porcelana branca. Ela ficou enjoada só de olhar.

— Obrigado por aceitar jantar comigo, Mariana. Como eu disse no Fellows' Garden... você me intriga. É sempre intrigante quando alguém se interessa por mim. E foi o que aconteceu com você, certamente. — Ele deu uma leve risada. — Esta noite é a minha oportunidade de retribuir o favor.

Mariana pegou o garfo. Mas não conseguiu comer a carne. Em vez disso, concentrou-se nas batatas e na salada, afastando as folhas verdes da poça de sangue que aumentava.

Sentia os olhos de Fosca voltados para ela. Como era frio o seu olhar — como um basilisco.

— Você não provou o cordeiro. Não vai provar?

Mariana fez que sim. Cortou um pedaço pequeno de carne e enfiou uma lasca vermelha na boca. Tinha um gosto metálico, de sangue. Fez todo o esforço possível para mastigar e engolir.

Fosca sorriu.

— Perfeito.

Mariana pegou a taça. Lavou o gosto de sangue com o resto do seu champanhe.

Notando que a taça estava vazia, Fosca se levantou.

— Vamos tomar um vinho?

Foi até o aparador e serviu duas taças de bordeaux tinto. Voltou e entregou uma taça a Mariana. Ela levou o vinho aos lábios e bebeu. Era bastante terroso e encorpado. Já sentia os efeitos do champanhe no estômago vazio; devia parar de beber ou logo ficaria embriagada. Mas não parou.

Fosca se sentou outra vez, observando-a, sorrindo.

— Me fale do seu marido.

Mariana balançou a cabeça.

— Não.

Ele pareceu se surpreender.

— Não? Por que não?

— Não quero.

— Nem mesmo o nome dele?

Mariana falou em voz baixa.

— Sebastian.

E de algum modo, só de proferir o nome dele, ela o evocou por um segundo — seu anjo da guarda — e se sentiu mais segura, mais calma; e Sebastian sussurrou ao seu ouvido: *Não fique assustada, amor, imponha-se. Não tenha medo...*

Decidiu aceitar o conselho. Mariana ergueu o olhar e fitou os olhos de Fosca.

— Me fale de você, professor.

— Edward. O que você gostaria de saber?

— Me fale da sua infância.

— Minha infância?

— A sua mãe, como era? O que mais gostava nela?

Fosca achou graça.

— Minha mãe? Vai me analisar enquanto jantamos?

— Só estou curiosa — disse Mariana. — Me pergunto o que mais ela ensinou a você além das receitas de massa.

Fosca balançou a cabeça.

— Minha mãe me ensinou muito pouco, infelizmente... E você? Como era a sua mãe?

— Eu não conheci a minha mãe.

— Ah. — Fosca assentiu com a cabeça. — Acho que, na verdade, também não conheci minha mãe direito.

Ele avaliou Mariana por um instante, refletindo. Ela conseguia ver a mente de Fosca dando voltas — era realmente brilhante, pensou. Afiado como uma faca. Precisava ser cuidadosa. Assumiu um tom casual.

— Foi uma infância feliz?

— Posso ver que você está decidida a fazer disso uma sessão de terapia.

— Não uma sessão de terapia... só uma conversa.

— Conversas são vias de mão dupla, Mariana.

Fosca sorriu e esperou. Vendo que não tinha escolha, ela aceitou o desafio.

— Eu não tive uma infância feliz — disse ela. — Foi feliz em alguns momentos, talvez. Eu amava muito o meu pai, mas...

— Mas o quê...?

Mariana deu de ombros.

— Havia mortes demais.

Eles se entreolharam por um instante. Fosca assentiu com a cabeça lentamente.

— Sim, posso ver nos seus olhos. Há uma grande tristeza neles. Sabe, você me faz lembrar de uma heroína tennysoniana, do poema "Mariana": "Ele não vem", disse ela, "Nada me conforta. Estou cansada, cansada. Queria estar morta".

Ele sorriu. Mariana desviou o olhar, sentindo-se exposta e irritada. Pegou a taça. Tomou o vinho de um gole só. Então o encarou.

— Sua vez, professor.

— Muito bem. — Fosca bebericou um pouco de vinho. — Se eu fui uma criança feliz? — Balançou a cabeça. — Não, não fui.

— Por que não?

Ele não respondeu imediatamente. Levantou-se e foi buscar o vinho. Encheu a taça de Mariana enquanto falava.

— Para dizer a verdade? Meu pai era um homem muito violento. Eu vivia com medo, receava pela minha vida e pela vida da minha mãe. Eu o vi batendo nela várias vezes.

Mariana não esperava uma declaração tão sincera. Mas, apesar de as palavras parecerem verdadeiras, eram desprovidas de qualquer emoção. Era como se ele não sentisse nada.

— Sinto muito — disse ela. — Isso é terrível.

Ele deu de ombros. Não falou nada por um instante. Sentou-se de novo.

— Você tem a habilidade de arrancar das pessoas o que elas guardam, Mariana. É uma boa terapeuta, dá para ver. Apesar da minha intenção de não me revelar, você conseguiu me levar para o seu divã. — Ele sorriu. — Terapeuticamente falando, claro.

Mariana hesitou.

— Você já foi casado?

Fosca deu uma risada.

— Isso é que é seguir uma linha de raciocínio. Estamos nos transferindo do divã para a cama? — Ele sorriu e tomou mais vinho. — Não me casei, não. Nunca encontrei a mulher certa. — E olhou fixamente para ela. — Ainda não.

Mariana não disse nada. Ele continuou a encará-la. Seu olhar era pesado, intenso, insistente. Ela se sentia como um coelho diante de faróis de carro. Pensou na palavra que Zoe empregou: "fascinante". Finalmente, sentindo-se incapaz de sustentar o olhar dele, ela olhou para o lado, o que pareceu diverti-lo.

— Você é uma mulher bonita — ela o ouviu dizer —, mas tem mais que beleza. Tem uma qualidade... uma serenidade. Como a serenidade no fundo do oceano, muito abaixo das ondas, onde nada se move. Muito imóvel... e muito triste.

Mariana não disse uma palavra. Não lhe agradava o rumo que as coisas estavam tomando; percebia que estava perdendo o controle, se é que em algum momento o tivera. Também estava um pouco alta e despreparada para a repentina transição de Fosca, de romance para assassinato.

— Hoje de manhã eu recebi a visita do inspetor-chefe Sangha — disse ele. — Ele queria saber onde eu estava quando Veronica foi assassinada.

Ele olhou para Mariana, talvez esperando uma reação. Ela não correspondeu à sua expectativa.

— E o que você disse?

— A verdade. Que estava dando uma aula particular para Serena em minhas dependências. Sugeri que confirmasse com ela caso não acreditasse em mim.

— Entendo.

— O inspetor me fez muitas perguntas... e a última foi sobre você. Sabe o que ele me perguntou?

Mariana meneou a cabeça.

— Não faço ideia.

— Ele queria saber por que você desconfiava tanto de mim. O que eu fiz para merecer isso.

— E o que você disse?

— Disse que não fazia a menor ideia... mas que iria perguntar. — Ele sorriu. — Então estou lhe perguntando. O que está acontecendo, Mariana? Você tem movido uma campanha contra mim desde o assassinato de Tara. E se eu lhe disser que sou inocente? Adoraria atender às suas expectativas e ser o seu bode expiatório, mas...

— Você não é meu bode expiatório.

— Não? Um forasteiro... um colarinho-azul americano no mundo elitista da academia inglesa? Eu destoo.

— Isso não é verdade. — Mariana balançou a cabeça. — Eu diria que você se encaixa muito bem.

— Bem, é claro que fiz o melhor que pude para me integrar, mas o cerne da questão é que, embora os ingleses sejam muito mais discretos que os americanos no quesito xenofobia, eu sempre vou ser um estrangeiro... e, consequentemente, visto com desconfiança. — Ele fixou um olhar intenso em Mariana. — Como você... você também não é daqui.

— Não estamos falando de mim.

— Ah, estamos, sim... somos vinho da mesma pipa.

Ela franziu a testa.

— Não somos. De jeito nenhum.

— Ah, Mariana. — Ele riu. — Você não acha mesmo que eu esteja matando as minhas alunas, acha? É absurdo. Apesar de que algumas delas bem que mereciam. — Riu novamente, e sua risada fez Mariana sentir um arrepio na espinha.

Ela o encarou, achando ter acabado de vislumbrar quem ele realmente era: frio, sádico, totalmente indiferente. Estava entrando em território perigoso, ela bem sabia, mas o vinho a tornara destemida e imprudente, e talvez jamais tivesse outra oportunidade como essa. Escolheu as palavras com cuidado.

— Gostaria de saber, então, exatamente, que tipo de pessoa você acha que matou essas meninas?

Fosca olhou para ela, parecendo surpreso diante da pergunta. Mas assentiu.

— Pensei um pouco nisso, a propósito.

— Tenho certeza de que sim.

— E — disse ele — a primeira coisa que me chama atenção é que a coisa é de natureza religiosa. Isso é evidente. É um homem espiritual. Aos olhos dele, pelo menos.

Mariana se lembrou do crucifixo no hall de entrada. *Como você*, pensou.

Fosca bebericou o vinho e continuou.

— Os assassinatos não são meros ataques aleatórios. Acho que a polícia ainda não chegou a essa conclusão. Os homicídios são um ato de sacrifício.

Mariana ergueu o olhar incisivamente.

— Um ato de sacrifício?

— Isso mesmo... é um ritual... de renascimento e ressurreição.

— Não vejo ressurreição alguma. Apenas morte.

— Depende totalmente de como você vê. — Ele sorriu. — E ainda vou dizer mais. Ele é um ator. Adora representar.

Como você, pensou ela.

— Os assassinatos me fazem lembrar de uma tragédia jacobina — disse ele. — Violência e horror... para escandalizar e entreter.

— Entreter?

— Do ponto de vista teatral.

Ele sorriu. E Mariana foi tomada por um desejo de se afastar o máximo possível dele. Ela empurrou o prato.

— Já terminei.

— Tem certeza de que não quer mais?

Ela fez que não.

— Estou satisfeita.

13

O professor Fosca sugeriu que o café e a sobremesa fossem servidos na sala de estar, e Mariana, relutante, acompanhou-o até o cômodo ao lado. Ele indicou um amplo sofá escuro próximo à lareira.

— Não quer se sentar?

Mariana relutou em se sentar ao lado dele e em ficar tão perto — de certo modo, isso a deixava insegura. E um pensamento lhe ocorreu: se *ela* ficava apreensiva assim de estar a sós com ele, como se sentiria uma menina de 18 anos?

Ela balançou a cabeça.

— Estou cansada. Acho que vou dispensar a sobremesa.

— Não vá embora ainda. Deixe-me preparar o café.

Antes que ela pudesse recusar, Fosca saiu da sala e desapareceu na cozinha.

Mariana lutou contra o impulso de sair correndo, de dar o fora. Sentia-se tonta e frustrada — e chateada consigo mesma. Não tinha conseguido nada. Não descobrira nada além do que já sabia. Devia simplesmente partir antes que ele voltasse e ela fosse forçada a repelir suas investidas amorosas, ou coisa pior.

Enquanto pensava no que fazer, correu os olhos pela sala. Seu olhar se deteve numa pequena pilha de livros na mesa de centro. Encarou o primeiro livro da pilha. Virou a cabeça de lado para ver o título:

Obras completas de Eurípides.

Mariana deu uma olhada para trás, na direção da cozinha. Nenhum sinal dele. Apressou-se para pegar o livro.

Alcançou-o e o pegou. Uma parte do marcador de livro de couro vermelho estava para fora.

Ela abriu o livro na página marcada. O marcador estava inserido no meio de uma cena de *Ifigênia em Áulis*. O texto traduzido de um lado da página, e, do outro, o original, em grego clássico.

Vários versos tinham sido sublinhados. Mariana os reconheceu imediatamente. Eram os mesmos do cartão-postal que tinha sido enviado a Veronica:

ἴδεσθε τὰν Ἰλίου
καὶ Φρυγῶν ἑλέπτολιν
στείχουσαν, ἐπὶ κάρα στέφη
βαλουμέναν χερνίβων τε παγάς,
βωμόν γε δαίμονος θεᾶς
ῥανίσιν αἱματορρύτοις
χρανοῦσαν εὐφυῆ τε σώματος δέρην
σφαγεῖσαν.

— O que você está olhando?

Mariana deu um pulo; a voz dele estava logo atrás dela. Ela fechou o livro, batendo-o. Virou o rosto para ele com um sorriso forçado.

— Nada.

Fosca lhe entregou uma xícara pequena de *espresso*.

— Aqui.

— Obrigada.

Ele olhou de relance para o livro.

— Eurípides, como você pode ter percebido, é o meu preferido. Penso nele como um velho amigo.

— É?

— Ah, sim. Ele é o único autor de tragédias que diz a verdade.

— A verdade? Sobre o quê?

— Tudo. Vida. Morte. A crueldade inacreditável do ser humano. Ele é sincero.

Fosca tomou um pouco de café, encarando-a. E, quando olhou no fundo dos seus olhos pretos, Mariana não teve mais dúvidas. Tinha certeza absoluta.

Estava olhando para os olhos de um assassino.

Parte 4

E então, quando um homem vem e fala como seu próprio pai e se comporta do mesmo jeito que ele, até adultos (...) vão se submeter a esse homem, vão aclamá-lo, deixar-se manipular por ele e depositar nele a confiança, finalmente se rendendo por completo a ele sem sequer terem consciência de sua escravização. Normalmente, não se tem consciência daquilo que é continuação da própria infância.

ALICE MILLER, *For Your Own Good*

A infância revela o homem,
Como a manhã revela o dia.

JOHN MILTON, *Paraíso reconquistado*

I

A morte e o que acontece em seguida sempre foram um grande interesse meu.

Desde Rex, acho.

Rex é a minha memória mais antiga. Uma criatura linda: um cão pastor preto e branco. O melhor tipo de animal. Ele se conformava quando eu puxava suas orelhas ou tentava me sentar em cima dele e lidava com todos os maus-tratos que uma criança pequena é capaz de infligir; mesmo assim, ele abanava o rabo, me saudando com amor. Foi uma aula de perdão — não apenas uma vez, mas inúmeras vezes.

Ele me ensinou mais que perdão. Ele me ensinou sobre a morte.

Quando eu tinha quase 12 anos, Rex estava ficando velho e com dificuldade de cuidar das ovelhas. Minha mãe sugeriu aposentá-lo, conseguir um cão mais jovem para substituí-lo.

Eu sabia que meu pai não gostava do Rex — às vezes eu achava que ele o odiava. Ou era a minha mãe que ele odiava? Ela gostava muito do Rex, ainda mais do que eu. Ela gostava dele por sua afeição incondicional e porque ele não falava. Era sua companhia constante, trabalhando com ela o dia todo, e ela cozinhava para ele e cuidava dele com mais dedicação do que demonstrava ao marido, lembro-me de meu pai dizer isso durante uma briga.

Eu me lembro do que ele disse quando minha mãe propôs a aquisição de outro cão. Estávamos na cozinha. Eu estava no chão, afagando Rex. Minha mãe estava cozinhando no fogão. Meu pai se servia de uísque. Não era a primeira dose.

Não vou pagar para alimentar dois cães, disse ele. *Primeiro eu mato esse.*

Levei alguns segundos até apreender essas palavras, para entender o que exatamente significavam. Minha mãe balançou a cabeça.

Não, disse ela. Pelo menos dessa vez, ela foi firme. *Se você encostar a mão nesse cachorro, eu...*

O quê?, disse meu pai. *Você está me ameaçando?*

Eu sabia o que estava para acontecer. É preciso coragem para se arriscar para proteger alguém. Foi o que ela fez quando defendeu Rex naquele dia.

Meu pai enlouqueceu, óbvio. O barulho do copo se quebrando me disse que era tarde demais: eu devia ter corrido para me salvar, como Rex, que pulou para fora dos meus braços e já estava quase saindo pela porta. Eu não tive escolha a não ser ficar sentado ali no chão, encurralado, enquanto meu pai virava a mesa, quase me acertando. Minha mãe reagiu jogando pratos nele.

Ele investiu contra ela no meio dos pratos quebrados. Estava de punhos em riste. Ela ficou pressionada contra o balcão. Estava encurralada. E então...

Ela segurou uma faca. Uma faca enorme, usada para cortar carne de carneiro. Levantou-a, apontando para o peito do meu pai.

Vou te matar, desgraçado, disse ela. *Vou mesmo.*

Houve silêncio por um instante.

Percebi que era possível mesmo que ela o esfaqueasse. Para minha decepção, ela não o fez.

Meu pai não disse mais uma palavra. Ele só se virou e saiu. A porta da cozinha bateu depois que ele passou.

Por um segundo, minha mãe não se mexeu. Então começou a chorar. É horrível ver a própria mãe chorando. Você se sente tão impotente, tão fraco.

Eu vou matar ele por você, falei.

Mas isso só a fez chorar ainda mais.

E então... ouvimos o tiro.

E outro.

Não me lembro de ter saído de casa ou de ter cambaleado pelo pátio. Só me lembro de ver o corpo lânguido do Rex, sangrando no chão, e meu pai se afastando, segurando a espingarda.

Observei a vida se esvaindo do Rex. Os olhos ficaram embaciados e vazios. A língua ficou azul. Os membros aos poucos enrijeceram. Não conseguia tirar os olhos dele. Tive a impressão — mesmo naquele momento, quando eu era criança — de que a visão daquele animal morto tinha manchado a minha vida para sempre.

O pelo macio, molhado. O corpo tombado. O sangue. Fechei os olhos, mas ainda podia ver.

O sangue.

E mais tarde, quando minha mãe e eu carregamos o Rex até a vala e o jogamos lá, nas profundezas, para que ele apodrecesse com as outras carcaças, entendi que parte de mim foi lá para baixo com ele. A parte boa.

Tentei chorar, mas as lágrimas não vieram. Aquele pobre animal nunca me fez mal, não demonstrou nada além de amor, além de bondade.

Ainda assim, não consegui chorar por ele.

Em vez disso, estava aprendendo a odiar.

Uma semente de ódio, fria, dura, estava se formando no meu coração, feito um diamante num pedaço preto de carvão.

Jurei que jamais perdoaria meu pai. E um dia teria minha vingança. Mas até lá, até crescer, eu estava preso.

Então recorri à imaginação. Nas minhas fantasias, meu pai sofria.

E eu também.

No banheiro, com a porta trancada, ou no palheiro, ou atrás do curral, despercebido, eu fugia — desse corpo... dessa mente.

Interpretava cenas de morte cruéis, extremamente violentas: envenenamentos agonizantes, esfaqueamentos brutais — carnificina e estripação. Era arrastado e esquartejado, torturado até a morte. Sangrava.

Ficava de pé na minha cama e me preparava para ser sacrificado por sacerdotes pagãos. Eles me agarravam e me atiravam do penhasco, para baixo, para o mar, para as profundezas, onde circulavam monstros marinhos, esperando para me devorar.

Eu fechava os olhos e pulava da cama.

E então era destroçado.

2

Mariana estava trôpega quando saiu das dependências do professor Fosca.

E não era por causa do vinho e do champanhe, embora tivesse bebido mais do que deveria. Era o choque do que tinha acabado de ver: a citação em grego sublinhada no livro. Era estranho, pensou, como momentos de extrema lucidez costumavam se assemelhar aos de embriaguez.

Não poderia guardar isso para si mesma. Precisava conversar com alguém. Mas quem?

Ela se deteve no pátio para pensar melhor. Não fazia sentido procurar por Zoe — não agora, depois da última conversa que tiveram; Zoe, na certa, não iria levá-la a sério. Mariana precisava de um ouvido solidário. Pensou em Clarissa, mas não tinha certeza se Clarissa estaria inclinada a acreditar nela.

Logo, sobrou uma pessoa.

Pegou o celular e ligou para Fred. Ele disse que ficaria muito feliz em conversar com ela e sugeriu que se encontrassem na Gardies em uns dez minutos.

A Gardenia, conhecida como Gardies e adorada por gerações de estudantes, era uma lanchonete grega no coração de Cambridge, onde pratos simples eram servidos tarde da noite. Mariana foi andando até lá por uma viela curva para pedestres sentindo o aroma da Gardies antes mesmo de avistá-la — saudada pelo cheiro de batatas fritas chiando no óleo escaldante e peixe frito.

A Gardies era um lugar pequeno — comportava poucos clientes de cada vez —, por isso as pessoas se reuniam do lado de fora, comendo na viela. Fred estava aguardando à entrada, do lado de fora, debaixo do toldo verde e da placa na qual se lia: *Faça uma pausa à moda grega.*

Fred sorriu para Mariana enquanto ela se aproximava.

— Oi. Tá a fim de umas batatas? É por minha conta.

O cheiro de fritura a lembrou de que estava com fome — quase não tinha tocado o jantar sangrento de Fosca. Grata, ela assentiu.

— Eu adoraria.

— É pra já, senhorita.

Fred se desequilibrou ao entrar, tropeçando no degrau e colidindo com outro cliente, que o xingou. Mariana teve que sorrir — ele era mesmo uma das pessoas mais estabanadas que ela já tinha visto. Logo reapareceu com dois sacos de papel brancos, cheios de batatas fritas fumegantes.

— Pronto — disse ele. — Ketchup? Ou maionese?

Mariana balançou a cabeça.

— Nada, obrigada.

Soprou as batatas por um minuto para esfriá-las. Então experimentou uma. Estava salgada e ácida, talvez ácida demais, por causa do vinagre. Mariana tossiu, e Fred olhou ansioso para ela.

— Muito vinagre? Foi mal. Errei a mão.

— Tudo bem. — Mariana sorriu e balançou a cabeça. — Estão ótimas.

— Que bom.

Ficaram lá por um instante, em silêncio, comendo as batatas. Enquanto comia, Mariana olhou para ele. A luz fraca da lâmpada tornava seus traços de garoto ainda mais jovens. Ele era só um menino, pensou. Um escoteiro ansioso. Sentiu uma afeição sincera por ele.

Fred a flagrou olhando para ele. Abriu um sorriso tímido. Falou aos poucos, quando não estava de boca cheia.

— Vou me arrepender de dizer isso, tenho certeza. Mas estou muito feliz por você ter me ligado. Isso quer dizer que você sentiu a minha falta, mesmo que só um pouquinho... — Fred viu a expressão de Mariana e seu sorriso se desfez. — Ah, já vi que me enganei. Não foi por isso que você me ligou.

— Liguei porque aconteceu uma coisa... e eu queria falar com você.

Fred pareceu um pouco mais animado.

— Então você quis mesmo falar comigo?

— Ah, Fred. — Mariana revirou os olhos. — Presta atenção.

— Pode falar.

Fred comeu as batatas enquanto Mariana lhe contava o que tinha acontecido: sobre ter encontrado os cartões-postais e descoberto a mesma citação sublinhada no livro de Fosca.

Ele ficou em silêncio depois que ela terminou. Por fim, disse:

— O que você vai fazer?

Mariana balançou a cabeça.

— Não sei.

Fred passou a mão na boca para limpar as migalhas, amassou o saco de papel e o jogou na lixeira. Ela olhava para ele tentando interpretar sua expressão.

— Você não acha que eu estou... imaginando coisas?

— Não. — Fred meneou a cabeça. — Não acho.

— Mesmo ele tendo álibis... para os dois assassinatos?

Ele deu de ombros.

— Uma das garotas que serviu de álibi para ele está morta.

— Pois é.

— E a Serena pode estar mentindo.

— Pois é.

— E tem outra possibilidade, obviamente...

— Qual?

— Ele estar agindo com alguém. Um cúmplice.

Mariana olhou atentamente para ele.

— Eu não tinha pensado nisso.

— Por que não? Isso explicaria o fato de ele estar em dois lugares ao mesmo tempo.

— É possível.

— Você não me parece convencida.

Mariana deu de ombros.

— Ele não me parece o tipo de pessoa que teria um parceiro. Ele é muito lobo solitário.

— Talvez. — Fred pensou por um instante. — De qualquer forma, a gente precisa de alguma *prova*... sabe, algo concreto... ou ninguém vai acreditar.

— E como vamos conseguir isso?

— A gente vai pensar em alguma coisa. Vamos nos encontrar amanhã cedo e traçar um plano.

— Amanhã não posso... Preciso ir a Londres. Mas eu ligo para você quando voltar.

— Tá. — Ele baixou a voz. — Mas, Mariana, escuta. Fosca deve saber que você está atrás dele, então...

Ele não concluiu a frase, simplesmente a deixou no ar. Mariana fez que sim.

— Não precisa se preocupar. Estou tomando cuidado.

— Bom. — Fred fez uma pausa. — Tem só mais uma coisa que preciso dizer. — Ele sorriu. — Você está incrível, deslumbrante de tão bonita esta noite... Você me daria a honra de ser minha mulher?

— Não. — Mariana balançou a cabeça. — Não daria. Mas obrigada pelas batatas.

— De nada.

— Boa noite.

Sorriram um para o outro. Então Mariana se virou e foi embora. No fim da rua, ainda sorrindo, ela olhou para trás, mas Fred não estava mais lá.

Engraçado — ele parecia ter desaparecido.

No caminho de volta para a faculdade, o telefone de Mariana tocou. Ela o tirou do bolso. Deu uma olhada — o número de quem estava ligando era restrito.

Ela hesitou, então atendeu.

— Alô?

Não houve resposta.

— Alô?

Silêncio, e então uma voz sussurrante:

— Alô, Mariana.

Ela ficou petrificada.

— Quem é?

— Eu estou vendo você, Mariana. Estou observando você...

— Henry? — Tinha certeza de que era ele, reconheceu a voz. — É você, Henry?

A linha ficou muda. Mariana permaneceu lá, parada, encarando o celular por um instante. Sentiu-se bastante desconfortável. Olhou em volta... mas a rua estava deserta.

3

Na manhã seguinte, Mariana acordou cedo para ir a Londres.

Depois de sair do quarto, atravessando o Pátio Principal, olhou de relance para a arcada que dava para o Pátio Angel.

E lá estava ele — Edward Fosca — do lado de fora, perto da escadaria, fumando.

Mas não estava sozinho. Conversava com alguém, um bedel da faculdade que estava de costas para Mariana. Era evidente que, pelo porte e pela altura do homem, tratava-se de Morris.

Mariana foi depressa até a arcada. Ela se escondeu e, com cuidado, espiou por trás da quina da parede.

Alguma coisa lhe dizia que esse encontro merecia atenção; algo na expressão de Fosca. Um olhar contrariado que ela não tinha visto antes. O que Fred havia lhe dito surgiu em sua mente, sobre Fosca estar agindo com alguém.

Poderia ser Morris?

Ela viu Fosca passar alguma coisa para Morris. Parecia um envelope cheio. Um envelope cheio de quê? Dinheiro?

A imaginação de Mariana correu solta. Ela deixou que os pensamentos fluíssem. Será que Morris estava chantageando Fosca? Seria isso? Será que ele estava sendo pago para manter a boca fechada?

Poderia ser isso — o que ela precisava — uma prova concreta?

De repente, Morris se virou. Começou a andar, afastando-se de Fosca... e indo na direção de Mariana.

Ela recuou e ficou bem encostada no muro. Morris atravessou a arcada com passos firmes, passando por ela sem notá-la. Mariana observou quando ele atravessou o Pátio Principal e saiu pelo portão.

Ela o seguiu depressa.

4

Mariana se apressou para passar pelo portão e manteve uma boa distância de Morris na rua. Ele não parecia notar que estava sendo seguido. Andava tranquilamente, assoviando, aproveitando a caminhada, sem nenhuma pressa aparente.

Passou pelo Emmanuel College, pelas casas geminadas em toda a extensão da rua e pelas bicicletas acorrentadas nas grades. Então virou à esquerda, numa viela, e desapareceu.

Mariana acelerou o passo até a viela. Deu uma olhada nela. Era uma rua bem estreita, com uma fileira de casas de cada lado.

Terminava num beco sem saída — uma interrupção abrupta. Um muro punha fim à rua: um antigo muro de tijolos vermelhos, todo coberto de hera.

Para surpresa de Mariana, Morris continuou a andar, direto para o muro.

Chegou a ele. Cravou os dedos no espaço deixado por um dos tijolos soltos, agarrou-se e tomou impulso para subir. Então escalou o muro com facilidade, passou pelo alto e desapareceu do outro lado.

Droga, pensou ela.

Mariana refletiu por um instante.

Então foi depressa até o muro. Ela o avaliou. Não tinha certeza se conseguiria. Examinou os tijolos e viu um espaço onde se agarrar.

Esticou-se e segurou firme, mas o tijolo se soltou do muro, na sua mão. Ela caiu para trás.

Jogou o tijolo para o lado. Tentou de novo.

Desta vez, Mariana conseguiu se erguer. Com dificuldade, escalou até o topo do muro, então caiu do outro lado.

Aterrissou num mundo diferente.

5

Do outro lado do muro não havia viela. Nem casas. Só mato, árvores coníferas e amoreiras. Mariana levou um tempo para se localizar.

Era o cemitério abandonado da Mill Road.

Mariana estivera ali uma vez, cerca de vinte anos atrás, quando explorou o local com Sebastian, numa tarde quente e abafada de verão. Não tinha gostado do cemitério na época; achou o lugar muito sinistro e ermo.

Continuava não gostando dele agora.

Ela se levantou. Olhou em volta. Nenhum sinal de Morris. Apurou os ouvidos: estava tudo silencioso, nenhum som de passos, nem mesmo um canto de passarinho. Apenas um silêncio sepulcral.

Olhou para os caminhos interconectados à frente, no meio de um mar de túmulos repletos de musgo e imensos arbustos de azevinho. Muitas lápides tinham tombado ou se partido ao meio, projetando sombras escuras e pontiagudas no mato. Todos os nomes e datas nas lápides tinham se apagado pelo tempo e pelas intempéries. Todas essas pessoas não lembradas, todas essas vidas esquecidas. Era tamanha a sensação de perda, de falta de sentido. Mariana só pensava em ir embora daquele lugar.

Seguiu o caminho que margeava o muro. Não tinha a menor intenção de se perder, não agora.

Parou e ficou prestando atenção, mas, de novo, nada de passos.

Nenhum som.

Ela o havia perdido.

Talvez ele a tivesse visto e despistado. Era melhor não levar isso adiante.

Estava para virar de costas quando uma estátua grande atraiu sua atenção: um anjo sobre uma cruz, os braços estendidos, com asas grandes, quebradas nas pontas. Fascinada, Mariana encarou o anjo por um tempo. A estátua estava manchada e quebrada, mas ainda era linda — lembrava um pouco Sebastian.

E então Mariana notou — um pouco além da estátua, no meio da folhagem — uma jovem andando na trilha. Mariana a reconheceu de imediato.

Era Serena.

Serena não viu Mariana e se aproximou de uma lápide retangular que um dia fora mármore branco, mas agora estava manchada de cinza e verde-musgo, com flores silvestres crescendo à sua volta.

Ela se sentou na lápide, pegou o celular e olhou para a tela.

Mariana se escondeu atrás de uma árvore próxima. Espiou entre os galhos.

Viu quando Serena olhou para cima, para um homem que surgia no meio da folhagem.

Era Morris.

Ele se aproximou de Serena. Os dois não falaram nada. Ele tirou o chapéu-coco e o equilibrou numa lápide. Então segurou a nuca de Serena e, com um movimento repentino, violento, puxou-a para si, beijando-a com força.

Mariana viu quando Morris fez Serena se deitar no mármore, ainda aos beijos. Ele subiu nela. Começaram a fazer sexo — um sexo agressivo, animalesco. Mariana sentiu repulsa e, ao mesmo tempo, fascínio, incapaz de desviar o olhar. E então, tão abruptamente como começaram, chegaram ao clímax, e houve silêncio.

Ficaram parados por um instante. Então Morris se levantou. Ajeitou a roupa. Pegou o chapéu e passou a mão nele para tirar a poeira.

Mariana calculou que seria melhor sair dali. Deu um passo atrás e um galho se partiu debaixo do seu pé.

Houve um estalo alto.

Através dos galhos, viu Morris olhar em volta. Ele fez um gesto para que Serena ficasse em silêncio. Então foi para trás de uma árvore, e Mariana o perdeu de vista.

Mariana se virou e voltou depressa para a trilha. Mas onde ficava a entrada? Decidiu pegar o mesmo caminho por onde tinha vindo, ao longo do muro. Deu meia-volta...

E Morris estava logo atrás dela.

Ele a encarou, ofegante. Houve silêncio por alguns segundos.

Morris falou em voz baixa.

— Que merda você está fazendo aqui?

— O quê? Com licença. — Ela tentou passar por ele, mas Morris bloqueou a passagem. Ele sorriu.

— Gostou do show, é?

Mariana sentiu o rosto arder e desviou o olhar.

Ele riu.

— Você não me engana mesmo. Estou de olho em você desde o início.

— O que você quer dizer com isso?

— O que eu quero dizer é: não meta esse seu nariz nos assuntos que não te dizem respeito, como dizia o meu avô, ou eu arranco ele fora. Sacou?

— Você está me ameaçando?

Mariana parecia mais valente do que realmente se sentia. Morris apenas riu. Deu-lhe uma última olhada, virou-se e saiu andando.

Mariana ficou lá, tremendo, assustada, irritada e quase chorando. Ficou paralisada, presa no lugar. Foi quando olhou para cima e viu a estátua — o anjo olhava para ela, os braços estendidos, oferecendo um abraço.

Sentiu uma saudade imensa de Sebastian naquele momento, de ele segurá-la forte nos braços e lutar por ela. Mas ele tinha ido embora.

E Mariana teria que aprender a lutar sozinha.

6

Mariana pegou o trem expresso para Londres.

O trem não parou em nenhuma estação no trajeto e parecia estar correndo para chegar a seu destino. A impressão era de que estava indo rápido demais, aos trancos e barrancos, balançando e trepidando descontroladamente. Os trilhos guinchavam — um gemido agudo nos ouvidos de Mariana — como alguém gritando. E a porta do vagão não estava bem fechada. Ela ficava abrindo e fechando com força, cada batida assustando e atrapalhando seus pensamentos.

Havia tanto o que pensar. Ela estava profundamente abalada pelo confronto com Morris. Tentava compreender o que tinha acontecido. Então ele era o homem com quem Serena estava se encontrando? Não era à toa que mantinham o relacionamento em segredo: Morris perderia o emprego se esse caso com uma aluna fosse descoberto.

Mariana esperava que isso fosse tudo. Mas, de algum modo, duvidava.

Morris tinha alguma ligação com Fosca, mas que tipo de ligação? E qual era a relação disso com Serena? Estariam chantageando Fosca juntos? Se fosse esse o caso, era um jogo perigoso, antagonizar um psicopata — um que já tinha matado duas pessoas.

Mariana tinha se enganado quanto a Morris, conseguia enxergar isso agora; tinha se impressionado com sua atuação à moda antiga, mas ele não era nem de longe um cavalheiro. Ela lembrou do olhar perverso dele quando a ameaçou. Queria assustá-la... e conseguiu.

Bum — a porta do vagão bateu, sobressaltando-a.

Para, pensou ela. *Você está se levando à loucura.* Precisava se distrair, pensar em outra coisa.

Tirou o exemplar da *British Journal of Psychiatry* que ainda estava na bolsa. Folheou e tentou ler, mas não conseguia se concentrar. Alguma coisa a estava incomodando: não conseguia se livrar da sensação de estar sendo observada.

Olhou para trás, para o vagão inteiro — havia algumas pessoas, mas ninguém que ela conhecesse, ou, pelo menos, ninguém que reconhecesse. Aparentemente, ninguém a observava.

Mas não conseguia se livrar dela, dessa sensação de estar sendo observada. E, à medida que o trem se aproximava de Londres, um pensamento incômodo lhe ocorreu.

E se estivesse enganada quanto a Fosca? E se o assassino fosse algum estranho — despercebido, sentado bem ali, naquele vagão, olhando para ela neste exato segundo? Mariana teve um calafrio ao pensar nisso

Bum — a porta bateu.

Bum.

Bum.

7

O trem chegou a King's Cross. Ao sair da estação, Mariana continuava com a impressão de estar sendo observada. A sensação incômoda, insidiosa de que havia um par de olhos cravado em sua nuca.

De repente, convencida de que alguém a seguia, ela se virou, talvez na expectativa de ver Morris.

Mas ele não estava lá.

Mesmo assim, a sensação persistia. Chegou à casa de Ruth se sentindo inquieta e paranoica. *Talvez eu esteja louca*, pensou. *Talvez seja isso.*

Louca ou não, a melhor pessoa a quem poderia recorrer era a senhora idosa que a esperava no número 5 da Redfern Mews. Tocar a campainha já foi um alívio.

Ruth foi sua orientadora de estágio quando ela era estudante. E, quando Mariana se formou, Ruth passou a atuar como sua supervisora. Uma supervisora exerce um papel importante na vida de uma terapeuta — Mariana lhe passava informações sobre os pacientes, sobre os grupos, e Ruth a ajudava a entender seus sentimentos, distinguindo entre as emoções dos pacientes e as dela, o que nem sempre era fácil. Sem supervisão, os terapeutas podem acabar se sentindo esgotados e sobrecarregados emocionalmente por causa de todo o sofrimento que precisam administrar. E podem perder a imparcialidade que é tão importante para um trabalho eficaz.

Depois da morte de Sebastian, Mariana passou a se encontrar com Ruth com maior frequência, necessitando mais que nunca do seu apoio. Acabava que era uma sessão de terapia em tudo, menos no nome — então Ruth sugeriu que ela se entregasse de corpo e alma: que voltasse a fazer terapia e deixasse que Ruth tratasse dela. Mas Mariana declinou. Não sabia explicar por quê, só sabia que não precisava de terapia; precisava de Sebastian. E toda a conversa do mundo não o substituiria.

— Mariana, querida — disse Ruth, abrindo a porta. Exibiu um sorriso de boas-vindas. — Entre, por favor.

— Oi, Ruth.

Era tão bom entrar naquela casa, na sala que sempre teve aroma de alfazema, e ouvir o reconfortante tique-taque do relógio de prata no aparador da lareira.

Ela se sentou no lugar de sempre, na beirada do sofá azul desbotado. Ruth se sentou diante dela, na poltrona.

— Você parecia bem nervosa ao telefone — disse Ruth. — Por que não me conta o que está acontecendo, Mariana?

— É difícil saber por onde começar. Acho que foi quando a Zoe me ligou naquela noite, de Cambridge.

Então Mariana começou a contar a história, do modo mais detalhado e encadeado possível. Ruth ouviu, fazendo que sim às vezes, mas falando pouco. Quando ela terminou, Ruth ficou em silêncio por um instante. Suspirou quase imperceptivelmente, um suspiro triste, cansado, que ecoou a aflição de Mariana com muito mais eloquência que qualquer palavra.

— Percebo a tensão que isso está lhe causando — disse ela. — A necessidade de ser forte, por Zoe, pela faculdade, por você mesma...

Mariana balançou a cabeça.

— Não é por mim. Mas pela Zoe e aquelas meninas... Estou tão assustada... — Os olhos dela se encheram de lágrimas. Ruth se inclinou para a frente e empurrou a caixa de lenços de papel para ela. Mariana pegou um lenço e secou as lágrimas. — Obrigada, foi mal. Nem sei por que estou chorando.

— Você está chorando porque se sente impotente.

Mariana fez que sim.

— Eu me sinto mesmo.

— Mas isso não é verdade. Você sabe disso, não sabe? — Ruth assentiu com a cabeça para reforçar. — Você é mais capaz do que pensa. A faculdade, no fim das contas, é apenas outro grupo, que tem o mal em seu âmago. Se alguma coisa dessa natureza tóxica, maligna e sanguinária estivesse acontecendo com um dos seus grupos...

Ruth deixou a frase no ar. Mariana refletiu.

— O que eu faria? É uma boa pergunta. — Ela assentiu. — Acho que... falaria com eles... em grupo, digo.

— Era o que eu estava pensando. — Havia um brilho no olhar dela. — Fale com essas meninas, as Musas, não *individualmente*... mas em *grupo*.

— Uma terapia de grupo, você diz?

— Por que não? Faça uma sessão com elas... veja o que acontece.

Mariana sorriu involuntariamente.

— É uma ideia interessante. Não sei qual vai ser a reação delas.

— Pense nisso. Como você sabe, a melhor maneira de tratar um grupo...

— ...é tratá-lo *como grupo*. — Mariana assentiu. — Sim, concordo.

Ela ficou em silêncio por um instante. Era um bom conselho — não muito fácil de ser colocado em prática, mas se relacionava com algo que ela já sabia e em que acreditava — e já não se sentia tão perdida. Sorriu, agradecida.

— Muito obrigada.

Ruth hesitou.

— Tem mais uma coisa. Uma coisa mais difícil de dizer... uma coisa que me ocorre... em relação a esse homem, Edward Fosca. Quero que você seja muito cuidadosa.

— Estou sendo cuidadosa.

— Com *você*?

— Como assim?

— Bem, pelo jeito, isso está lhe trazendo todos os tipos de sentimentos e associações... Fico surpresa que não tenha mencionado seu pai.

Mariana olhou perplexa para Ruth.

— O que meu pai tem a ver com Fosca?

— Bem, os dois são carismáticos, influentes na comunidade... e, pelo que entendi, altamente narcisistas. Me pergunto se você não tem o mesmo impulso de conquistar esse homem, Edward Fosca, que tinha com o seu pai.

— Não. — Mariana ficou irritada com Ruth por ter sugerido tal coisa. — Não — repetiu. — E, de qualquer forma, eu tenho uma transferência muito negativa em relação a Edward Fosca.

Ruth hesitou.

— Os seus sentimentos em relação ao seu pai não eram de todo positivos.

— Isso é diferente.

— É mesmo? Ainda é muito difícil para você, mesmo agora, não é... criticá-lo, ou admitir que ele a decepcionou em níveis reais, fundamentais. Ele nunca te deu o amor de que você precisava. Levou muito tempo para você admitir isso, para expressar isso verbalmente.

Mariana balançou a cabeça.

— Sinceramente, Ruth, eu não acho que meu pai tenha alguma coisa a ver com isso.

Ruth olhou para ela com tristeza.

— A minha intuição me diz que seu pai é, de certo modo, central nisso tudo. Pode significar pouco agora. Mas um dia, talvez, signifique muito.

Mariana não soube o que dizer. Deu de ombros.

— E o Sebastian? — perguntou Ruth depois de uma pausa. — Como você tem se sentido em relação a ele?

Mariana meneou a cabeça.

— Não quero falar do Sebastian. Hoje não.

Mariana não ficou lá por muito mais tempo depois disso. A menção ao seu pai lançou uma névoa sobre a sessão, que só se dissipou por completo quando ela chegou ao hall de entrada da casa de Ruth.

Ao sair, Mariana deu um abraço nela. Sentiu o calor e a afeição daquele abraço, e seus olhos se encheram de lágrimas.

— Muito obrigada, Ruth. Por tudo.

— Pode me ligar se precisar... a qualquer hora. Não quero que você pense que está sozinha.

— Obrigada.

— Sabe — disse Ruth, depois de uma ligeira hesitação —, pode ser útil, para você, conversar com o Theo.

— Com o Theo?

— Por que não? Psicopatia é, afinal, a especialidade dele. O Theo é brilhante. Qualquer *insight* que ele tiver pode ser útil.

Mariana considerou a sugestão. Theo era um psicoterapeuta forense que tinha estagiado com ela em Londres. Apesar de terem compartilhado Ruth como terapeuta, não se conheciam muito bem.

— Sei lá — disse ela. — Quer dizer, faz muito tempo que não vejo o Theo... Acha que ele toparia?

— Sem dúvida. Você pode tentar vê-lo antes de voltar a Cambridge. Vou dar uma ligadinha para ele.

Ruth ligou, e Theo disse sim, lógico que se lembrava de Mariana e ficaria muito feliz em conversar com ela. Marcaram de se encontrar num pub em Camden.

E naquela noite, às seis horas, Mariana foi se encontrar com Theo Faber.

8

Mariana foi a primeira a chegar ao Oxford Arms. Pediu uma taça de vinho branco enquanto aguardava.

Estava curiosa para ver Theo, mas também receosa. Era como se fossem irmãos por terem compartilhado Ruth como terapeuta, cada um cobiçando a atenção que a mãe dava para o outro. Mariana costumava se sentir um pouco enciumada, até ressentida em relação a Theo — sabia que Ruth tinha um carinho especial por ele. A voz de Ruth sempre assumia um tom protetor quando ela falava dele, o que levou Mariana, praticamente sem nenhum fundamento, a criar para si mesma a fantasia de que Theo era órfão. Foi um choque quando os pais dele compareceram à formatura, vivos e saudáveis.

Na verdade, Theo tinha uma característica que remetia à fragilidade com a qual Mariana implicava, uma certa alteridade. Não estava relacionada ao físico, mas era inteiramente sugerida por seus modos: uma espécie de reticência, um ligeiro distanciamento dos demais — uma falta de jeito, algo que Mariana observava também em si mesma.

Theo chegou alguns minutos atrasado. Cumprimentou Mariana afetuosamente. Pegou uma Coca Diet no bar e se sentou com ela à mesa.

Parecia o mesmo de sempre; não tinha mudado nada. Tinha uns 40 anos e era magro. Usava um blazer de veludo meio surrado e uma camisa branca amarrotada, e tinha um leve cheiro de cigarro. Tinha um rosto bonito, pensou ela, uma cara de quem se importava com os outros, mas havia algo de — qual era a palavra? — ansioso em seu olhar, ou apreensivo até. E ela se deu conta de que, embora gostasse dele, não se sentia à vontade em sua companhia. Não sabia bem por quê.

— Obrigada por concordar em se encontrar comigo — disse ela. — Assim, de última hora.

— Imagina. Estou intrigado. Tenho acompanhado a história, como todo mundo. É fascinante. — Theo se corrigiu rapidamente. — Quer dizer, é *terrível*, lógico. Mas também fascinante. — Sorriu. — Queria saber o que você pensa de tudo isso.

Mariana sorriu.

— Na verdade, eu queria saber o que *você* pensa.

— Ah. — Theo pareceu surpreso ao ouvir isso. — Mas você estava *lá*, Mariana, em Cambridge. Eu não. Seus *insights* são muito mais valiosos que qualquer opinião minha.

— Eu não tenho muita prática nesse tipo de coisa... em investigação forense.

— Não faz a menor diferença, sério... porque, pela minha experiência, cada caso é único.

— Engraçado. O Julian disse exatamente o contrário. Que os casos são sempre os mesmos.

— Julian? Julian Ashcroft?

— É. Ele está trabalhando com a polícia.

Theo ergueu uma sobrancelha.

— Eu me lembro do Julian no instituto. Era um pouco... estranho, eu achava. Meio sedento de sangue. E, de qualquer maneira, ele está enganado: cada caso é bem diferente. Afinal de contas, ninguém teve a mesma infância.

— Pois é, eu concordo. — Mariana assentiu com a cabeça. — Mesmo assim, não existe algo que possamos procurar?

Theo tomou um gole da Coca e deu de ombros.

— Olha. Digamos que eu seja o homem que você quer pegar. Digamos que eu seja muito desequilibrado e extremamente perigoso. É provável que eu consiga esconder tudo isso de você. Não por muito tempo, talvez, nem em algum ambiente terapêutico... mas, num nível superficial, é muito fácil exibir uma falsa identidade para o mundo. Até para as pessoas que vemos todos os dias. — Ele brincou com a aliança de casamento por um instante, girando-a no dedo. — Quer um conselho? Esqueça *quem*. Comece com *por quê*.

— Por que ele mata, é isso?

— Isso. — Theo assentiu com a cabeça. — Para mim, tem alguma coisa que não se encaixa. As vítimas... foram atacadas sexualmente?

Mariana fez que não.

— Não, nada disso.

— Então, o que isso nos diz?

— Que o assassinato em si, o esfaqueamento e a mutilação, são gratificantes? Talvez. Não acho que seja tão simples.

Theo concordou.

— Nem eu.

— O patologista disse que a causa da morte foi o talho no pescoço... e o esfaqueamento foi *post mortem*.

— Entendo — disse Theo, intrigado. — O que significa que nisso tudo há um aspecto performático. É uma representação num palco... para a plateia.

— E nós somos a plateia?

— Isso mesmo. — Theo fez que sim com a cabeça. — Por que você acha que ele faz isso? Por que ele quer que a gente veja essa violência pavorosa?

Mariana pensou por um instante.

— Eu acho que... ele quer nos fazer *acreditar* que elas foram mortas num acesso de cólera... por um assassino em série... um louco com uma faca. Mas, na verdade, ele se manteve calmo, controlado... e esses assassinatos foram intencionais, planejados com cuidado.

— Exato. O que sugere que estamos lidando com alguém muito mais inteligente... e muito mais perigoso.

Mariana pensou em Edward Fosca e assentiu.

— Sim, é o que eu acho.

— Eu tenho uma pergunta. — Theo a fitou. — Quando você viu o corpo de perto, qual foi a primeira coisa que lhe passou pela cabeça?

Mariana piscou — e por um segundo viu os olhos de Veronica. Ela expulsou aquela imagem de seus pensamentos.

— Não sei... que aquilo era um horror.

Theo balançou a cabeça.

— Não. Não foi isso que você pensou. Me diz a verdade. Qual foi a primeira coisa que lhe passou pela cabeça?

Mariana deu de ombros, um tanto constrangida.

— Por mais estranho que pareça... foi o trecho de uma peça.

— Interessante. Prossiga.

— *A duquesa de Malfi*. "Cubram seu rosto, meus olhos se ofuscam... ela morreu jovem."

— Sim. — Os olhos de Theo se iluminaram de repente, e ele se inclinou para a frente, empolgado. — Sim, é isso.

— Eu... Não sei se entendi.

— Meus olhos se *ofuscam*. Os corpos são apresentados dessa maneira... para nos *ofuscar*. Para nos cegar de horror. *Por quê?*

— Não sei.

— Pense nisso. Por que ele tenta nos cegar? *O que ele não quer que a gente veja?* Ele está tentando desviar a nossa atenção de quê, exatamente? Responda a esta pergunta, Mariana... e você vai pegá-lo.

Mariana fez que sim enquanto assimilava aquilo. Ficaram ali sentados num silêncio contemplativo, se olhando. Theo sorriu.

— Você possui o dom raro da empatia. Dá para sentir isso. Agora vejo por que a Ruth faz tantos elogios a você.

— Eu não mereço tanto, mas obrigada. É bom saber.

— Não seja tão modesta. Não é fácil ser tão acessível e receptiva a outro ser humano a ponto de sentir o que ele sente... É um cálice envenenado em vários sentidos. Sempre achei isso. — Então fez uma pausa e disse baixinho: — Perdão. Eu não deveria falar nada... mas estou percebendo algo mais em você... — E se deteve. — Uma espécie de... medo. Você está com medo de alguma coisa. E pensa que esse medo está do lado de fora... — Ele gesticulou no ar. — Mas não está... está aqui... — disse, tocando o próprio peito. — Bem no seu íntimo.

Mariana piscou, sentindo-se exposta e envergonhada. Balançou a cabeça.

— Não sei... Não sei o que você quer dizer com isso.

— Bem, meu conselho é: preste atenção. Tente compreender. Temos sempre que prestar atenção quando o nosso corpo nos revela alguma coisa. É o que a Ruth sempre diz.

De repente ele ficou meio estranho, talvez percebendo que tinha passado dos limites. Olhou para o relógio.

— Preciso ir. Tenho que ir ao encontro da minha mulher.

— Sem problemas. Muito obrigada por vir me ver, Theo.

— De nada. Foi bom ver você, Mariana... A Ruth me disse que você tem um consultório particular agora?

— Isso mesmo. E você está no Broadmoor?

— Pagando meus pecados. — Theo sorriu. — Não sei quanto tempo vou aguentar, para ser sincero. Não estou nem um pouco satisfeito. Seria bom procurar outro emprego, mas, sabe como é... Não dá nem tempo.

Assim que ele disse isso, Mariana lembrou de algo.

— Só um segundo — disse ela.

Ela enfiou a mão na bolsa. Retirou o exemplar da *British Journal of Psychiatry* que vinha carregando. Folheou as páginas até localizar o que estava procurando. Mostrou a revista para Theo, indicando o anúncio.

— Olha aqui.

Era um anúncio para o cargo de psicoterapeuta forense no Grove, um hospital psiquiátrico judiciário em Edgware.

Mariana olhou de relance para ele.

— O que você acha? Eu conheço o professor Diomedes... é ele quem administra o hospital. A especialidade dele é trabalho com grupos... ele me deu aula durante um tempo.

— Sim. — Theo assentiu. — Sim, sei quem ele é. — Examinou o anúncio com evidente interesse. — O Grove? Não foi para lá que mandaram a Alicia Berenson? Depois que ela matou o marido.

— Alicia Berenson?

— A pintora... que não fala.

— Ah... lembrei. — Mariana abriu um sorriso encorajador. — Talvez você devesse se candidatar ao emprego. E fazê-la falar de novo.

— Talvez. — Theo sorriu e pensou nisso por um instante. Fez que sim com a cabeça. — Talvez eu faça isso.

9

A viagem de volta a Cambridge passou num piscar de olhos.

Mariana ficou o tempo todo perdida em pensamentos, repassando a conversa com Ruth e o encontro com Theo. A ideia dele de que os assassinatos eram intencionalmente horripilantes para desviar a atenção de alguma coisa deixou Mariana intrigada — e fazia sentido, do ponto de vista emocional, de um jeito que ela não sabia explicar.

Quanto à sugestão de Ruth, de que ela organizasse um grupo de terapia com as Musas, bem, não seria fácil, e talvez nem mesmo viável, mas com certeza valia a pena tentar.

O que Ruth tinha dito sobre o pai de Mariana era bem mais problemático. Mariana não entendia por que ela o havia mencionado. O que Ruth tinha dito?

Pode significar pouco agora. Mas, um dia, talvez signifique muito.

Não poderia ser mais enigmático. Era evidente que Ruth estava insinuando alguma coisa, mas o quê?

Mariana refletia sobre isso, com o olhar fixo nos campos passando em velocidade pela janela. Pensou na infância em Atenas e no pai: em como, quando criança, ela o havia adorado — aquele homem bonito, inteligente, carismático —, venerado e idealizado. Mariana levou muito tempo para perceber que o pai não era bem o homem que ela pensava que fosse.

A revelação ocorreu quando ela estava com vinte e poucos anos, depois que se formou em Cambridge. Estava morando em Londres e estagiando para ser professora. Tinha iniciado a terapia com Ruth, com a intenção de processar a perda da mãe, mas percebeu que falava principalmente do pai.

Ela se sentiu compelida a convencer Ruth de como ele era um homem maravilhoso: de quão inteligente, de quão trabalhador, do quanto se esforçou para criar, sozinho, duas crianças, e do quanto ele a amava.

Depois de vários meses ouvindo Mariana, sem dizer quase nada... um dia Ruth finalmente a interrompeu.

O que ela disse foi simples, direto e devastador.

Ruth sugeriu, do modo mais delicado possível, que Mariana estava em negação quanto ao pai. Que, depois de tudo o que escutara, precisava questionar a avaliação que Mariana fazia dele como pai amoroso. O homem cuja descrição Ruth ouvia parecia autoritário, frio, emocionalmente indisponível, frequentemente crítico e rude demais — cruel até. Nenhuma dessas características tinha nada a ver com amor.

— O amor é incondicional — disse Ruth. — Não depende de fazer malabarismos para agradar alguém... e sempre falhar. Não se pode amar alguém se a pessoa lhe causa medo, Mariana. Eu sei que é difícil ouvir isso. É um tipo de cegueira... mas, se você não acordar e não enxergar isso, é algo que vai persistir por toda a sua vida, afetando como você vê a si mesma e aos outros.

Mariana balançou a cabeça.

— Você está enganada com relação ao meu pai — disse ela. — Sei que ele é difícil... mas ele me ama. E eu o amo.

— Não — disse Ruth com firmeza. — Na melhor das hipóteses, vamos chamar isso de desejo de ser amada. Na pior, é um apego patológico a um homem narcisista: mistura de gratidão, medo, ansiedade e obediência respeitosa que nada tem a ver com amor no sentido verdadeiro da palavra. Você não o ama. E não conhece a si mesma, nem se ama.

Ruth estava certa — era difícil ouvir isso; mais difícil ainda era aceitar. Mariana se levantou e saiu, lágrimas de raiva vertendo dos olhos. Jurou nunca mais voltar.

Mas então, na rua onde Ruth morava, algo a deteve. De repente, pensou em Sebastian, em como se sentia desconfortável quando ele a elogiava.

— Você não faz ideia de como é bonita — dizia Sebastian.

— Para com isso — dizia Mariana, o rosto ruborizando de constrangimento, ao mesmo tempo que rechaçava o elogio com um aceno da mão. Sebastian estava enganado; ela não era inteligente nem bonita; não era assim que ela se via.

Por que não?

Com os olhos de quem ela se via? Com os próprios olhos?

Ou com os do pai?

Sebastian não olhava para ela com os olhos do seu pai, nem com os olhos de qualquer outra pessoa; ele olhava para ela com os próprios olhos. E se Mariana fizesse o mesmo? E se ela, como a Dama de Shalott, parasse de olhar a vida através de um espelho e se virasse para se olhar diretamente?

E então começou — uma fissura na parede da fantasia e da negação, deixando entrar alguma luz; não muita, mas o suficiente para fazê-la enxergar. Esse momento foi uma epifania para Mariana; impeliu-a numa jornada de autoconhecimento da qual preferia ter se privado. Acabou abandonando o treinamento para se tornar professora e deu início à formação como terapeuta. Embora muitos anos tenham se passado desde então, ela nunca decifrara por completo seus sentimentos em relação ao pai; agora que ele estava morto, era provável que nunca mais fosse conseguir fazer isso.

10

Mariana desceu do trem na estação de Cambridge, imersa em pensamentos melancólicos, e foi andando de volta para o Saint Christopher's College, quase sem prestar atenção no entorno. Quando chegou, a primeira pessoa que viu foi Morris. Estava na portaria dos bedéis com alguns policiais. Vê-lo trouxe de volta a sensação desagradável do encontro que tiveram. Sentiu o estômago revirar.

Evitou olhar para ele — passou direto. Pelo canto do olho, viu quando ele tocou a aba do chapéu, como se nada tivesse acontecido. Era evidente que ele achava que estava no controle da situação.

Ótimo, pensou ela, *que ele continue acreditando nisso.*

Até aquele momento, estava decidida a não comentar nada com ninguém sobre o ocorrido, em parte porque antecipava a reação do inspetor Sangha: sua sugestão de que Morris estivesse em conluio com Fosca não despertaria nada além de descrença e zombarias. Como Fred tinha dito, ela precisava de provas. Seria melhor ficar em silêncio, deixar Morris acreditar que tinha se safado e lhe dar bastante corda para se enforcar.

Sentiu um desejo repentino de ligar para Fred, conversar com ele... e parou.

Que raio de pensamento era esse? Seria possível que estivesse se afeiçoando a ele? Àquele *menino*? Não — não admitiria nem mesmo uma hipótese dessas. Era desleal — e também assustador. Na verdade, melhor seria se nunca mais ligasse para Fred.

Assim que Mariana chegou ao quarto, viu a porta entreaberta.

Ficou paralisada. Apurou os ouvidos, mas não escutou nenhum barulho. Lentamente, esticou o braço e empurrou a porta, que rangeu ao abrir.

Mariana olhou para o interior e o que viu a deixou perplexa. Era como se alguém tivesse destruído o quarto: todas as gavetas e os armários tinham sido abertos e revirados, os pertences de Mariana espalhados pelo quarto, as roupas rasgadas.

Mais que depressa, ligou para Morris na portaria dos bedéis — e lhe pediu que enviasse um policial até lá.

Pouco depois, Morris e dois policiais estavam em seu quarto, inspecionando os danos.

— A senhora tem certeza de que nada foi roubado? — perguntou um policial.

Mariana assentiu.

— Acho que não.

— A gente não viu ninguém suspeito sair da faculdade. É mais provável que seja um trabalho interno.

— Parece coisa de algum aluno vingativo — disse Morris. Ele sorriu para Mariana. — A senhorita andou aborrecendo alguém?

Mariana o ignorou. Agradeceu aos policiais e concordou que provavelmente não era um roubo. Eles se ofereceram para coletar impressões digitais, e Mariana estava disposta a concordar — quando viu algo que a fez mudar de ideia.

Uma faca, ou algum instrumento afiado, tinha sido usado para entalhar uma cruz na escrivaninha de mogno.

— Não vai ser necessário — disse ela. — Não vou prestar queixa.

— Bem, se a senhora tem certeza...

Quando eles saíram do quarto, Mariana passou os dedos nos sulcos do crucifixo.

Ficou ali, pensando em Henry.

E, pela primeira vez, teve medo dele.

11

Eu estava pensando no tempo.

Em como talvez nada passe de verdade. Ele está aqui o tempo todo — meu passado, digo — e me alcança porque jamais foi a lugar nenhum.

De um jeito estranho, sempre estarei lá, terei sempre 12 anos, preso no tempo, naquele dia terrível, o dia depois do meu aniversário, quando tudo mudou.

É como se estivesse acontecendo agora, enquanto escrevo isto.

Minha mãe está me mandando sentar para me dar a notícia. Sei que tem alguma coisa errada porque ela me trouxe para a sala que fica na parte da frente da casa, a que nunca usamos, e me fez ocupar a cadeira de madeira desconfortável.

Achei que fosse dizer que estava morrendo, que tinha alguma doença terminal — era o que o seu olhar me transmitia.

Mas era muito pior.

Ela me disse que estava indo embora. A situação com meu pai estava muito ruim — ela exibia um olho roxo e o lábio cortado para comprovar o que dizia. E finalmente encontrou coragem para deixá-lo.

Senti uma onda de felicidade; "júbilo" é a palavra mais adequada.

Mas meu sorriso logo se desfez ao ouvir minha mãe revelar seus planos imediatos, que envolviam dormir no sofá da casa de um primo, depois visitar os pais, até que ela pudesse cuidar de si; e ficou óbvio, pelo jeito como evitava meu olhar e pelo que era omitido, que não iria me levar.

Encarei-a em estado de choque.

Fui incapaz de sentir ou pensar, não lembro o que mais ela falou. Mas concluiu com a promessa de mandar me buscar quando estivesse estabelecida em sua nova moradia. O que poderia muito bem ser em outro planeta diante de toda a realidade que se descortinava à minha frente. Ela estava me deixando para trás. Me deixando ali. Com ele.

Eu estava sendo sacrificado. Condenado ao inferno.

E então, com aquela estranha falta de tato que lhe era peculiar, ela mencionou que ainda não tinha dito ao meu pai que iria embora. Queria dizer a mim primeiro.

Não acredito que ela tivesse a intenção de dizer a ele. Esse era o seu único adeus — para mim, aqui e agora. Então, se ela tivesse algum bom senso, faria uma mala e fugiria noite adentro.

Isso era o que eu teria feito.

Pediu que eu guardasse segredo e prometesse não contar a ele. Minha mãe linda, imprudente e crédula — em vários sentidos, eu era mais maduro e sensato que ela. Eu era sem dúvida mais desleal. Tudo o que eu precisava fazer era contar a ele. Contar àquele homem louco e violento os planos dela de abandonar o navio. E ela seria impedida de partir. Eu não a perderia. E não queria perdê-la.

Queria?

Eu a amava... não amava?

Alguma coisa estava acontecendo comigo — com os meus pensamentos. Começou naquela conversa com a minha mãe, e, horas depois... um tipo de consciência, lenta e rasteira: uma estranha epifania.

Eu achava que ela me amava.

Mas, no fim, havia mais de uma dela.

E agora, de repente, eu começava a ver essa outra pessoa — eu a via ali, no plano de fundo, só olhando enquanto meu pai me torturava. Por que ela não o impedia? Por que não me protegia?

Por que não me mostrou que eu merecia ser protegido?

Ela defendeu o Rex, apontou uma faca para o peito do meu pai e ameaçou esfaqueá-lo. Mas nunca fez isso por mim.

Eu sentia um fogo ardendo, uma raiva crescente, do tipo que não iria embora. Sabia que estava errado, sabia que devia refrear o sentimento antes que ele me dominasse. Mas, em vez disso, aticei as chamas. E me queimei.

Todos os horrores que suportei... aguentei tudo para o bem dela, para mantê-la a salvo. Mas ela nunca me colocou em primeiro lugar. Era cada um por si, ao que parecia. Meu pai estava certo: ela era egoísta, mimada, inconsequente. Cruel.

Precisava ser punida.

Eu nunca teria conseguido dizer isso a ela naquela época. Não possuía vocabulário suficiente. Se tivesse sido anos mais tarde, eu poderia tê-la confrontado — lá pelos meus vinte e poucos anos, talvez —, quando a idade já tivesse me tornado uma pessoa mais articulada. E, depois de beber demais, depois do jantar, eu me voltaria contra ela, contra aquela mulher idosa, e tentaria magoá-la, do mesmo jeito que uma vez ela me magoou. Listaria as minhas queixas — e então, no meu devaneio, ela ficaria arrasada, prostrada e suplicaria o meu perdão. E eu, com benevolência, a perdoaria.

Que privilégio teria sido perdoar. Mas jamais tive essa oportunidade.

Naquela noite, fui para a cama enfurecido, ardendo de ódio... Por dentro, era como um magma incandescente subindo por um vulcão. Adormeci... e sonhei que descia a escada, tirava da gaveta uma enorme faca de trinchar e a usava para cortar a cabeça da minha mãe. Cortava e serrava o pescoço ao meio com a faca, até a cabeça se separar dele. Então a escondia na sua bolsa de tricô listrada de vermelho e branco e a colocava debaixo da minha cama, onde eu sabia que ficaria em segurança. Do corpo eu me desfazia na vala com as outras carcaças, onde ninguém jamais o encontraria.

Quando despertei desse sonho, sob a horrível luz do alvorecer, estava grogue, desorientado — e com medo, confuso sobre o que tinha acontecido.

A incerteza era tanta que desci a escada e fui até a cozinha para verificar. Abri a gaveta onde as facas eram guardadas.

Peguei a maior. Examinei-a, procurando algum vestígio de sangue. Não havia nenhum. A lâmina brilhava, refletindo a luz do sol.

Então ouvi passos. Rapidamente escondi a faca atrás das costas. Minha mãe entrou, viva e sem ferimentos.

Por mais estranho que pareça, ver minha mãe com a cabeça intacta não me tranquilizou.

Na verdade, eu fiquei decepcionado.

12

Na manhã seguinte, Mariana se encontrou com Zoe e Clarissa para o café da manhã no Hall.

O bufê dos professores era servido num recanto da parede ao lado da mesa alta. Havia uma generosa seleção de pães, bolos e potinhos com manteiga, geleias e marmelada; e terrinas grandes de prata contendo pratos quentes, como ovos mexidos, bacon e linguiça.

Enquanto estavam na fila do bufê, Clarissa enaltecia as virtudes de um café da manhã reforçado.

— Deixa a pessoa pronta para o dia — disse ela. — Para mim, nada é mais importante. Arenque defumado é um *must*, sempre que possível. Ela contemplou as várias opções diante delas.

— Mas hoje não. Hoje vamos de kedgeree, certo? A boa e velha comida caseira. Tão prazerosa. Hadoque, ovos e arroz. Não tem erro.

A declaração de Clarissa se provou equivocada, assim que todas se sentaram e ela deu a primeira garfada. Ficou vermelha feito um pimentão, engasgada — e tirou da boca uma espinha de peixe enorme. Olhou para ela com espanto.

— Deus do céu. Parece que o chef quer nos matar. Cuidado, queridas.

Clarissa sondou com o garfo o restante do peixe enquanto Mariana lhes relatava a viagem a Londres, comunicando a sugestão de Ruth de organizar uma sessão em grupo com as Musas.

Mariana viu Zoe erguer a sobrancelha ao ouvir isso.

— Zoe? O que você acha?

Zoe lançou um olhar desconfiado para ela.

— Eu não tenho que estar lá, tenho?

Mariana disfarçou o fato de ter achado graça da reação de Zoe.

— Não, você não precisa estar lá, não se preocupa.

Zoe pareceu aliviada e deu de ombros.

— Então vai em frente. Mas não acho que elas vão concordar com isso, para ser sincera. A menos que ele diga a elas que concordem.

Mariana assentiu.

— Acho que você está certa.

Clarissa cutucou o braço de Mariana.

— E por falar no diabo...

Mariana e Zoe ergueram o olhar enquanto Edward Fosca se aproximava da mesa alta.

Fosca se sentou do outro lado da mesa. Percebendo que Mariana o observava, ele olhou em sua direção e se deteve nela por alguns segundos. Depois, desviou o olhar.

De repente, Mariana se levantou. Zoe a encarou, alarmada.

— O que você vai fazer?

— Só tem um jeito de descobrir.

— Mariana...

Mas ela ignorou Zoe e foi até a outra ponta da mesa, onde o professor Fosca estava sentado. Ele bebia um café enquanto lia um livro fino de poesia.

Percebeu a presença de Mariana a seu lado. Ergueu o olhar.

— Bom dia.

— Professor — disse ela —, tenho um pedido a fazer.

— Ah, tem? — Fosca lhe dirigiu um olhar interrogativo. — E o que seria, Mariana?

Ela o encarou por um segundo.

— Você faria alguma objeção se eu conversasse com as suas alunas... as suas alunas especiais, digo. As Musas?

— Pensei que você já tivesse conversado com elas.

— Em grupo, digo

— Em grupo?

— É. Um grupo de terapia.

— Isso não depende mais delas do que de mim?

— Não acho que vão concordar, a não ser que você peça isso a elas.

Fosca sorriu.

— Então, na verdade, você não está pedindo a minha permissão... e sim a minha cooperação?

— Acho que você poderia colocar dessa forma.

Fosca ainda olhava para ela atentamente, com um sorrisinho nos lábios.

— Já decidiu onde e quando gostaria que essa sessão se realizasse?

Mariana pensou por um segundo.

— Que tal às cinco horas hoje... no OCR?

— Você acha que eu tenho muita influência sobre elas, Mariana. Posso lhe garantir que não é o caso. — Fez uma pausa. — Se me permite, qual é o objetivo exato do grupo? O que você espera alcançar?

— Não espero alcançar nada. Não é assim que funciona a terapia. Eu só quero oferecer um espaço para essas jovens processarem alguns dos acontecimentos terríveis que têm enfrentado nesses últimos dias.

Fosca bebeu um gole de café enquanto pensava no assunto.

— E esse convite se estende a mim? Na condição de integrante do grupo?

— Eu preferiria que você não participasse. Acho que a sua presença poderia inibir as meninas.

— E se eu fizesse disso a minha condição para concordar em colaborar com você?

Mariana deu de ombros.

— Então eu não teria escolha.

— Nesse caso, vou comparecer.

Ele sorriu. Ela não.

— Isso me faz pensar, professor — disse, franzindo ligeiramente a testa —, o que será que você tenta esconder a todo custo?

Fosca sorriu.

— Não tento esconder nada. Digamos apenas que pretendo comparecer para proteger as minhas alunas.

— Protegê-las? Do quê?

— De você, Mariana — disse ele. — De você.

13

Às cinco horas daquela tarde, Mariana aguardava as Musas no OCR.

Tinha reservado o lugar das cinco às seis e meia. O OCR — o Old Combination Room — era um salão usado pelos professores como sala comunal: tinha vários sofás, mesas de centro baixas e uma mesa de jantar longa que ocupava toda a extensão de uma parede. Antigos professores jaziam pendurados nas paredes; pinturas escuras e esmaecidas em contraste com o papel de parede de aparência aveludada em tons de carmim e dourado.

Um fogo baixo ardia na lareira de mármore, e o cintilar das labaredas refletia no mobiliário dourado da sala. A atmosfera era aconchegante e acolhedora e, para Mariana, perfeita para a sessão.

Ela dispôs nove cadeiras num círculo.

Sentou-se numa das cadeiras, verificando que dali dava para ver o relógio no aparador da lareira. Já se passavam alguns minutos das cinco.

Mariana se perguntava se elas viriam. Nem de longe se surpreenderia se não viessem.

Mas, logo em seguida, a porta se abriu.

E, uma a uma, as cinco jovens se apresentaram. A julgar pela expressão impassível no rosto de cada uma, estavam ali obrigadas.

— Boa tarde — disse Mariana com um sorriso. — Muito obrigada por terem vindo. Querem se sentar?

As meninas observaram a disposição das cadeiras e em seguida se entreolharam, antes de se sentarem, aparentando um certo receio. A loira alta devia ser a líder; Mariana percebeu que as demais se submetiam a ela. Ela se sentou primeiro, e as outras a acompanharam.

Sentaram-se uma ao lado da outra, deixando cadeiras vazias em cada ponta, e encararam Mariana. Ela se sentiu um tanto intimidada, de repente, por essa parede de rostos jovens pouco amigáveis.

Que ridículo, pensou, ficar intimidada por um punhado de meninas de vinte e poucos anos, ainda que fossem bonitas e inteligentes. Mariana se sentiu de volta à escola, o patinho feio nos cantos do pátio, confrontada por uma gangue de meninas populares. O lado criança de Mariana sentiu medo, e ela se perguntou, por um segundo, como seria o lado criança de cada uma dessas meninas; se aquela autoconfiança que exibiam também mascarava sentimentos de inferioridade. Por baixo da atitude de superioridade, será que se sentiam tão pequenas quanto ela? Por algum motivo, era difícil imaginar isso.

Serena era a única com quem Mariana tinha conversado e parecia ter dificuldade de encará-la. Morris devia ter lhe contado sobre o confronto. Ela permanecia de cabeça baixa, parecendo estar constrangida.

As outras a encaravam inexpressivas. Pareciam esperar que ela falasse. Mariana não disse uma palavra. Ficaram ali sentadas em silêncio.

Mariana olhou de relance para o relógio; agora eram cinco e dez. O professor Fosca não havia chegado e, com alguma sorte, teria resolvido não comparecer.

— Acho que podemos começar — disse, por fim.

— E o professor? — perguntou a loira.

— Pode ser que algum compromisso o tenha impedido de vir. Vamos iniciar sem ele. Por que não começamos dizendo os nossos nomes? Eu sou Mariana.

Houve uma ligeira pausa. A jovem loira deu de ombros.

— Carla.

As outras seguiram o exemplo.

— Natasha.

— Diya.

— Lillian.

Era a vez de Serena.

Ela olhou para Mariana e deu de ombros.

— Você sabe o meu nome.

— Sim, Serena, eu sei.

Mariana organizou os pensamentos. Então se dirigiu a elas como um grupo.

— Eu me pergunto como é a sensação de estarem aqui sentadas juntas.

Esse comentário foi recebido por silêncio. Nenhuma reação, nem um dar de ombros sequer. Mariana percebia a hostilidade implacável e fria em relação a ela. Continuou, sem desanimar.

— Vou dizer como é para mim. É estranho. Meus olhos são atraídos para os lugares vazios. — Ela indicou com um aceno de cabeça as três cadeiras vazias no círculo. — As pessoas que deveriam estar aqui e não estão.

— O professor, por exemplo — disse Carla.

— Não quis dizer só o professor. Quem mais você acha que eu quis mencionar?

Carla olhou de relance para as cadeiras desocupadas e revirou os olhos com ar de deboche.

— É por isso que essas outras cadeiras estão aí? Tara e Veronica? Que coisa mais idiota.

— Idiota por quê?

— Porque elas não vêm. Óbvio.

Mariana deu de ombros.

— Isso não quer dizer que elas não façam parte do grupo. Sempre conversamos sobre isso em terapia de grupo, sabe... mesmo as pessoas que não estão mais entre nós podem continuar sendo uma presença marcante.

Ao dizer isso, olhou para uma das cadeiras vazias e viu Sebastian sentado lá, olhando para ela com uma expressão de divertimento.

Ela o tirou da cabeça e prosseguiu:

— Me faz pensar o que significa fazer parte de um grupo assim... O que significa para vocês?

Nenhuma delas respondeu. Olhavam para Mariana sem nenhuma expressão no rosto.

— Na terapia de grupo, muitas vezes transformamos o grupo em nossa família. Atribuímos a condição de irmãos, figuras parentais, tios e tias. Isto aqui não é mais ou menos uma família? De certa forma, vocês perderam duas de suas irmãs.

Nenhum comentário. Ela continuou, com cautela.

— Presumo que o professor Fosca seja o "pai" de vocês. — Uma pausa. Ela tentou de novo. — Ele é um bom pai?

Natasha exalou ruidosamente, irritada.

— Que *palhaçada* — falou com um forte sotaque russo. — Isso que você está fazendo é óbvio.

— Como assim?

— Você está tentando fazer com que a gente fale mal do professor. Está tentando nos ludibriar. Criar uma armadilha para ele.

— Por que você acha que eu quero criar uma armadilha para ele?

Natasha deu um suspiro desdenhoso e não se deu ao trabalho de responder.

Carla falou por ela:

— Olha, Mariana. A gente sabe o que você pensa. Mas o professor não tem nada a ver com os assassinatos.

— Pois é — concordou Natasha com um movimento vigoroso de cabeça. — A gente estava com ele o tempo *todo*.

Houve um tom de revolta repentino em sua voz, um ressentimento.

— Você está com raiva, Natasha — disse ela. — Sinto isso em você.

Natasha deu uma risada.

— Que bom... porque está direcionada a você.

Mariana assentiu com a cabeça.

— É fácil ter raiva de mim. Eu não represento nenhuma ameaça. Deve ser mais difícil ter raiva do seu "pai", por exemplo... por ele deixar que duas filhas dele morressem?

— Pelo amor de Deus... não é culpa dele elas estarem mortas — disse Lillian, falando pela primeira vez.

— Então de quem é a culpa? — perguntou Mariana.

Lillian deu de ombros.

— Delas.

Mariana olhou para ela fixamente.

— O quê? Como pode ser culpa delas?

— Deviam ter sido mais cuidadosas. A Tara e a Veronica eram duas tontas.

— Isso mesmo — disse Diya.

Carla e Natasha concordaram.

Mariana as encarou por um instante, sem ter ideia do que dizer. Sabia que era mais fácil sentir raiva que tristeza, mas ela, que era tão sensível para captar emoções, não percebia nenhuma tristeza ali. Nenhum pesar, nem remorso, nem sentimento de perda. Somente desdém. Somente desprezo.

Era estranho... Normalmente, diante de um ataque externo, um grupo se une em defesa própria, se aproxima, mas o que impressionava Mariana era que a única pessoa no Saint Christopher's que tinha expressado qualquer emoção legítima em relação à morte de Tara, ou de Veronica, era a Zoe.

Mariana se lembrou de repente do grupo de terapia de Henry, em Londres. Havia aqui algo reminiscente dele, o jeito como a presença de Henry dividia o grupo por dentro, atacando-o de forma que não funcionasse normalmente.

Era isso que estava acontecendo com esse grupo também? Em caso afirmativo, isso significava que o grupo não estava reagindo a uma ameaça externa.

Significava que a ameaça já estava ali.

Neste momento, houve uma batida à porta. Ela se abriu...

E lá estava o professor Fosca.

Ele sorriu.

— Posso me juntar a vocês?

14

— Desculpe o atraso — disse Fosca. — Surgiu um imprevisto.

Mariana franziu a testa de leve.

— É que já começamos.

— Bem, ainda tenho permissão de entrar?

— Isso não depende de mim; depende do grupo. — Ela olhou para as outras. — Quem acha que o professor Fosca deve ser aceito no grupo?

Antes mesmo que ela terminasse de falar, cinco mãos foram levantadas ao redor do círculo. Todas, exceto a de Mariana.

Fosca sorriu.

— Você não levantou a mão, Mariana.

Ela balançou a cabeça.

— Não, não levantei. Mas fui voto vencido.

Mariana percebeu que a energia na sala mudou quando Fosca se juntou a elas no círculo. Sentiu que as meninas ficaram tensas e notou uma breve troca de olhares entre Fosca e Carla assim que ele se sentou.

Fosca sorriu para Mariana.

— Por favor, continue.

Mariana fez uma pausa e decidiu tentar uma abordagem diferente. Abriu um sorriso ingênuo.

— Você ensina tragédia grega a elas, professor?

— Correto.

— Vocês já estudaram *Ifigênia em Áulis*? A história de Agamenon e Ifigênia?

Ela analisou o professor atentamente quando disse isso, mas não houve reação aparente à peça mencionada. Ele assentiu.

— Estudamos, sim. Como você sabe, Eurípides é um dos meus preferidos.

— É verdade. Bem, você sabe, sempre achei a personagem de Ifigênia muito curiosa... Gostaria de saber o que as suas alunas pensam.

— Curiosa? Em que sentido?

Mariana parou para pensar por um instante.

— Bem, o que me irrita, acho, é ela ser tão passiva... ou submissa.

— Submissa?

— Ela não luta pela própria vida. Não está amarrada nem sendo contida; ela se deixa levar voluntariamente para a morte, com o consentimento do pai.

Fosca sorriu e olhou para as outras.

— Esse é um ponto interessante que Mariana está ressaltando. Alguém gostaria de comentar...? Carla?

Carla pareceu satisfeita em ser solicitada. Sorriu para Mariana, como se estivesse fazendo a vontade de uma criança.

— O modo como Ifigênia morre é o *xis da questão*.

— Como assim?

— É desse jeito que ela atinge sua estatura trágica: por meio da morte heroica.

Carla olhou para Fosca esperando aprovação. Ele lhe lançou um leve sorriso.

Mariana meneou a cabeça.

— Sinto muito. Mas não concordo com isso.

— Não? — Fosca pareceu intrigado. — Por que não?

Mariana olhou de relance para as jovens no círculo.

— Acho que a melhor maneira de responder a essa pergunta... é trazer Ifigênia para cá, para esta sessão... fazer com que ela se junte a nós, em uma dessas cadeiras vazias. O que acham?

Duas meninas trocaram olhares de desdém.

— Isso é tão idiota — disse Natasha.

— Por quê? Ela era da idade de vocês, não era? Talvez mais nova. Dezesseis, dezessete? Que pessoa corajosa, extraordinária ela era. Imaginem o que teria feito da vida... se tivesse sobrevivido... o que teria alcançado. O que diríamos a Ifigênia agora, se ela estivesse sentada aqui? O que diríamos a ela?

— Nada. — Diya pareceu indiferente. — Dizer o quê?

— Nada? Você não tentaria avisar a ela... sobre o pai psicopata? Não tentaria salvá-la?

— Salvá-la? — Diya olhou para Mariana com desdém. — Do quê? Do destino dela? Não é assim que as tragédias funcionam.

— De qualquer maneira, não foi culpa de Agamenon — disse Carla. — Foi Artêmis que exigiu a morte de Ifigênia. Foi a vontade dos deuses.

— E se não existissem deuses? — disse Mariana. — Nada além de uma jovem e seu pai. Como seria?

Carla deu de ombros.

— Então não seria uma tragédia.

Diya concordou, assentindo com a cabeça.

— Só uma família grega fodida.

Enquanto falavam, Fosca se manteve em silêncio, assistindo ao debate com uma satisfação contida. Mas agora a curiosidade parecia ter sido mais forte que ele.

— O que *você* diria a ela, Mariana? A essa menina que morreu para salvar a Grécia? A propósito, ela era mais jovem do que você pensa... mais perto dos catorze ou quinze anos. Se ela estivesse aqui agora... o que você diria a ela?

Mariana refletiu por um momento.

— Acho que gostaria de saber do relacionamento dela com o pai... e por que ela se sentiu impelida a se sacrificar por ele.

— E por que você acha que foi assim?

Mariana deu de ombros.

— Porque as crianças fazem qualquer coisa para ser amadas. Quando são pequenas, é uma questão de sobrevivência física, e, depois, de sobrevivência psicológica. Vão fazer de tudo para ter quem cuide delas. — Ela baixou a voz e se dirigiu não a Fosca, mas às jovens sentadas ao redor dele. — E algumas pessoas se aproveitam disso.

— E o que isso significa, exatamente? — perguntou ele.

— Significa que, se eu fosse a terapeuta dela, tentaria ajudar Ifigênia a ver... ver o que era *invisível* aos seus olhos.

— E o que seria isso? — perguntou Carla.

Mariana escolheu bem as palavras.

— Seria o seguinte: quando era bem nova, Ifigênia confundiu maus-tratos com amor. E esse engano influenciou a maneira como ela se via... e a maneira como o mundo ao redor lhe parecia. Agamenon não era um herói: era um louco, um psicopata infanticida. Ifigênia não precisava amar e honrar aquele homem. Não precisava morrer para agradá-lo.

Mariana olhou bem nos olhos das jovens. Estava desesperada para fazer com que entendessem. Esperava que tivessem assimilado o que tinha dito... mas será que assimilaram? Ela não sabia. Podia sentir os olhos de Fosca voltados para ela e percebeu que ele estava prestes a interrompê-la. Ela retomou a palavra depressa.

— E se Ifigênia parasse de mentir para si mesma quanto ao seu pai... se tivesse despertado para a verdade terrível, devastadora, de que *aquilo não era amor*, de que ele não a amava, porque ele não sabia amar, naquele momento ela deixaria de ser uma donzela indefesa com a cabeça no bloco de madeira. Ela pegaria o machado das mãos do carrasco. Ela se tornaria a deusa.

Mariana se virou e encarou Fosca. Tentou controlar a raiva contida na voz. Mas não conseguiu disfarçar completamente.

— Não foi o que aconteceu com a Ifigênia, foi? Nem com a Tara, nem com a Veronica. Elas jamais tiveram a chance de se tornar deusas. Jamais tiveram a chance de crescer.

Quando fixou o olhar nele, do outro lado do círculo, viu um lampejo de raiva em seus olhos. Mas, da mesma forma que ela, Fosca disfarçou bem.

— Percebo que você, de certo modo, me escolheu para ser o pai nesta situação aqui. Como Agamenon? É isso que está sugerindo?

— Interessante você dizer isso. Antes da sua chegada, estávamos debatendo seus méritos de "pai" do grupo.

— Ah, é mesmo? E qual foi o consenso?

— Não chegamos a um consenso. Mas perguntei às Musas se elas se sentiam menos seguras sob a sua supervisão... agora que duas meninas do grupo estavam mortas.

Quando ela disse isso, seu olhar se moveu lentamente para duas cadeiras vazias. Fosca seguiu o seu olhar.

— Ah. Agora entendo — disse ele. — As cadeiras vazias representam as integrantes que faltam no grupo... Uma cadeira para Tara e uma cadeira para Veronica?

— Correto.

— Nesse caso — disse ele, depois de uma ligeira pausa —, não falta uma cadeira?

— Como assim?

— Você não sabe?

— Não sei o quê?

— Ah. Ela não te contou. Que interessante. — Fosca continuou sorrindo. Parecia se divertir. — Talvez deva direcionar essa poderosa lente analítica para você mesma, Mariana. Que tipo de "mãe" você é?

— Médico, cura-te a ti mesmo — disse Carla, com uma risada.

Fosca deu uma risadinha.

— Pois é... exatamente.

Ele se virou e apelou às demais, imitando um terapeuta falando.

— O que vocês concluem desta mentira... na condição de *grupo*? O que acham que *significa*?

— Bem — disse Carla —, acho que diz *muito* sobre a relação entre elas.

Natasha assentiu.

— Ah, é. Elas não são, nem de longe, íntimas como Mariana pensa.

— Está claro que ela não confia na Mariana — disse Lillian.

— Por que não?, eu me pergunto — murmurou Fosca, ainda sorrindo.

Mariana sentiu o rosto ficar vermelho, queimando de irritação diante desse joguinho que estavam fazendo — parecia coisa de pátio de escola; assim como qualquer *bully*, Fosca tinha manipulado o grupo, fazendo com que as meninas se unissem contra ela. Todas estavam participando da cena, sorrindo, zombando dela. De repente, ela as odiava.

— Do que vocês estão falando? — perguntou.

Fosca passou os olhos pelo círculo.

— Bem, quem se habilita? Serena? Que tal você?

Serena assentiu com a cabeça e se levantou. Afastou-se do grupo e foi até a mesa de jantar. Pegou outra cadeira, trouxe para o círculo e a ajeitou no espaço ao lado da cadeira de Mariana. Então foi se sentar de novo.

— Obrigado — disse Fosca. Olhou para Mariana. — Faltava uma cadeira, está vendo? Para a última integrante das Musas.

— E quem é?

Mas Mariana já havia adivinhado o que Fosca ia dizer. Ele sorriu.

— Sua sobrinha — disse ele —, a Zoe.

15

Depois daquela sessão, Mariana saiu aos tropeços pelo Pátio Principal, meio aturdida.

Precisava falar com Zoe e ouvir o lado dela da história. De um jeito cruel, o grupo tinha feito uma boa observação: Mariana precisava olhar para si mesma e para Zoe de perto e entender por que Zoe não tinha confiado a ela a informação de que fazia parte das Musas. Mariana precisava saber o motivo.

Ela se viu a caminho do quarto de Zoe, para encontrá-la e confrontá-la. Mas, assim que chegou à arcada que conduzia ao Pátio Eros, Mariana se deteve.

Precisava lidar com esse assunto com cuidado. Não só Zoe estava fragilizada e vulnerável mas também, por alguma razão — que Mariana só conseguia atribuir ao próprio Edward Fosca —, ela não lhe contara a verdade.

E Fosca tinha traído a confiança de Zoe de caso pensado, na tentativa de provocar Mariana. Logo, era importante que ela não mordesse a isca. Não podia entrar de repente no quarto de Zoe e acusá-la de mentir.

Precisava apoiar Zoe e pensar muito bem em como deveria proceder.

Decidiu refletir melhor e conversar com Zoe na manhã seguinte, quando estivesse mais calma. Mariana deu meia-volta e, perdida em pensamentos, não notou a presença de Fred até ele surgir das sombras.

Ele parou no meio do caminho, bem na frente dela.

— Oi, Mariana.

Ela prendeu a respiração.

— Fred. O que você está fazendo aqui?

— Eu estava te procurando. Queria saber se está tudo bem com você.

— Está, sim... mais ou menos.

— Sabe, você disse que daria notícias depois que voltasse de Londres.

— Eu sei, foi mal. É que... É que eu tenho andado ocupada.

— Tem certeza de que você está bem? Parece que... está precisando de uma bebida.

Mariana sorriu.

— Estou mesmo.

Fred sorriu também.

— Bem, nesse caso... que tal?

Mariana pareceu indecisa.

— Ah, sabe, eu...

Fred se apressou em dizer:

— Por acaso, tenho um borgonha maravilhoso roubado de uma cerimônia no Hall. Guardei para uma ocasião especial... O que me diz? Está no meu quarto.

Mal não vai fazer, pensou Mariana. Ela fez que sim.

— Tudo bem. Por que não?

— Sério? — O rosto de Fred se iluminou. — Certo, ótimo. Vamos...

Ele lhe ofereceu o braço, mas Mariana não deu o braço para ele. Ela começou a andar, e Fred andou depressa para alcançá-la.

16

O quarto de Fred, no Trinity, era mais espaçoso que o de Zoe, mas o mobiliário era um pouco mais antigo. A primeira coisa que Mariana notou foi como era organizado: não havia nenhuma bagunça, nenhuma sujeira, só muito papel — folhas e folhas com rabiscos e fórmulas matemáticas. Parecia o trabalho de um louco — ou de um gênio — ligado por setas e comentários ilegíveis de cima a baixo nas margens das folhas.

Os únicos itens pessoais que Mariana viu foram duas fotos em porta-retratos na prateleira. Uma delas estava um pouco esmaecida, como se remontasse aos anos oitenta: dois belos jovens, um homem e uma mulher, supostamente os pais de Fred, de pé em frente a uma cerca de estacas num prado. A outra foto era de um menino com um cachorro; um menino com cabelo de cuia e olhar sério.

Mariana olhou para Fred. Ele mantinha a mesma expressão agora, enquanto acendia algumas velas concentrado. Então ligou o som: "Variações Goldberg", de Bach. Juntou a papelada que estava no sofá, ajeitando tudo numa pilha desajeitada em cima da mesa.

— Foi mal pela bagunça.

— É a sua tese? — perguntou ela, indicando com a cabeça as pilhas de papéis.

— Não. — Fred balançou a cabeça. — São... só umas coisas que eu estou escrevendo. Meio que um... livro, acho. — Ele parecia não saber ao certo como descrever o que era. — Você não vai se sentar?

Apontou para o sofá. Mariana se sentou. Sentiu uma mola solta no assento e chegou ligeiramente para o lado.

Fred apareceu com uma garrafa de borgonha *vintage*. Exibiu-a com orgulho.

— Nada mau, hein? Eles me matariam se me pegassem roubando isto.

Pegou o saca-rolhas e se enrolou todo para abrir a garrafa. Por um instante, Mariana achou que ele ia derrubá-la. Mas conseguiu retirar a rolha com um estouro bem alto e serviu o vinho tinto em duas taças ligeiramente lascadas e diferentes uma da outra. Entregou a Mariana a menos danificada.

— Obrigada.

Ele ergueu a taça.

— Saúde!

Mariana provou o vinho — era excelente, lógico. Fred evidentemente estava de acordo. Ele suspirou, satisfeito, um toque de vinho tinto acima do lábio superior.

— Delicioso — disse ele.

Ficaram em silêncio por um tempo. Mariana escutava a música, deixando-se levar pelas escalas ascendentes e descendentes de Bach, tão elegantes, tão matemáticas em termos de composição; provavelmente por isso agradavam ao cérebro matemático de Fred.

Ela olhou para a pilha de papéis em cima da escrivaninha.

— Esse livro que você está escrevendo... é sobre o quê?

— Sinceramente? — Fred deu de ombros. — Não faço ideia.

Mariana riu.

— Você deve ter alguma ideia.

— Bem... — Fred desviou o olhar. — De certa forma, acredito que seja... sobre a minha mãe.

Olhou timidamente para ela de relance, como se esperasse que ela fosse reagir com uma risada.

Mas Mariana não achou engraçado. Olhou para ele com curiosidade.

— Sua mãe?

Fred fez que sim.

— É. Ela me deixou... quando eu era pequeno... Ela... morreu.

— Sinto muito — disse Mariana. — Minha mãe também.

— Morreu? — Os olhos de Fred se arregalaram. — Não sabia. Então nós dois somos órfãos.

— Eu não era órfã. Tinha o meu pai.

— Sei. — Fred fez que sim e falou em voz baixa: — Eu também.

Ele pegou a garrafa e começou a encher de novo a taça de Mariana.

— Já está bom — disse ela. Mas ele a ignorou e encheu até a borda. Na verdade, ela não se importava: estava relaxando pela primeira vez depois de muitos dias, e era grata a ele.

— Sabe — disse Fred, servindo-se de mais vinho —, a morte da minha mãe foi o que me levou à matemática pura... e aos universos paralelos. É sobre isso a minha tese.

— Não sei se entendi.

— Nem eu, na verdade. Mas, se existem outros universos, idênticos ao nosso, significa que em algum lugar existe outro universo... no qual a minha mãe não morreu. — Ele deu de ombros. — Então... fui procurá-la.

Ele tinha uma expressão de tristeza, o olhar distante, como um menino perdido. Mariana se compadeceu.

— Você a encontrou? — perguntou ela.

Ele deu de ombros.

— De certo modo... descobri que o tempo não existe, não de verdade, então ela não foi embora. Ela está bem aqui.

Enquanto Mariana tentava compreender aquilo, Fred deixou de lado a taça de vinho, tirou os óculos e olhou para ela.

— Mariana, escuta...

— Não, por favor.

— O quê? Você não sabe o que eu vou dizer.

— Você vai fazer alguma declaração romântica... e eu não quero ouvir.

— Declaração? Não. Só uma pergunta. Tenho permissão para perguntar?

— Depende.

— Eu te amo.

Mariana franziu a testa.

— Isso não é uma pergunta.

— Você quer se casar comigo? Esta é a pergunta.

— Fred, por favor, para de falar...

— Eu te amo, Mariana... Eu me apaixonei por você desde o primeiro segundo que te vi sentada no trem. Quero ficar com você. Quero cuidar de você...

Ele não deveria ter dito isso. Mariana sentiu a temperatura subir; as maçãs do rosto arderam, tamanha a sua irritação.

— Eu não quero que ninguém *cuide* de mim! Nem pensar. Não sou uma dama em perigo, nem uma... *donzela* esperando para ser resgatada. Não preciso de um cavaleiro de armadura reluzente... Eu quero... Eu quero...

— O quê? O que você quer?

— Eu quero ficar *sozinha*.

— Não. — Fred balançou a cabeça. — Não acredito nisso. — E então, mais que depressa, disse: — Você se lembra da minha premonição: um dia, eu vou te pedir em casamento... e você vai dizer sim.

Mariana não conseguiu conter o riso.

— Sinto muito, Fred. Não neste universo.

— Bem, você sabe, em outro universo, já somos casados.

Antes que ela protestasse, Fred se inclinou para a frente e encostou os lábios nos dela; ela sentiu a suavidade do beijo, o calor e a delicadeza. Sentiu-se ao mesmo tempo perplexa e desarmada.

Terminou tão rápido como começou. Ele se afastou, seus olhos procurando os dela.

— Foi mal. Eu não... Não consegui evitar.

Mariana balançou a cabeça; não falou nada. Ficou abalada de um jeito que não conseguia explicar.

— Eu não quero te magoar, Fred.

— Não dou a mínima. Tudo bem se você me magoar, sabe. Afinal, "melhor ter amado, e depois perdido, do que jamais saber o que é amor".

Fred riu. Então percebeu que Mariana ficou séria e pareceu preocupada.

— O quê? Foi alguma coisa que eu disse?

— Não é nada. — Ela olhou para o relógio. — É tarde, preciso ir.

Fred pareceu angustiado.

— Já? Tudo bem. Vou descer com você.

— Não precisa...

— Eu faço questão.

Foi como se a atitude de Fred tivesse mudado um pouco; ele parecia um tanto ríspido. Um pouco de sua amabilidade tinha evaporado. Ele se levantou sem olhar para ela.

— Vamos — falou ele.

17

Fred e Mariana desceram os degraus em silêncio. Não voltaram a falar até chegar à rua. Mariana olhou para ele.

— Boa noite, então.

Fred não se mexeu.

— Vou sair para andar.

— Agora?

— Eu costumo caminhar à noite. Algum problema?

Havia uma certa hostilidade, um quê de impaciência em seu tom. Ele se sentia rejeitado, ela percebia. Talvez injustamente, Mariana se irritou com ele. Mas o ressentimento de Fred não era uma preocupação sua. Tinha assuntos mais importantes a tratar.

— Nenhum — disse ela. — Tchau.

Fred não saiu do lugar. Ficou olhando para ela. E então, de repente, disse:

— Espera. — Levou a mão ao bolso de trás e puxou algumas folhas dobradas. — Eu ia entregar isto para você outra hora, mas... pode levar agora. — E lhe entregou. Ela não fez menção de pegar.

— O que é isso?

— Uma carta. É para você... Explica os meus sentimentos melhor do que se eu falasse pessoalmente. Leia. Aí você vai entender.

— Não quero.

Ele insistiu.

— Mariana. Pega.

— Não. Para. Você não vai me convencer.

— Mariana...

Mas ela se virou e foi embora. Enquanto seguia pela rua, de início teve raiva, depois sentiu uma surpreendente pontada de tristeza e, então, remorso. Não porque o tivesse magoado, mas por tê-lo rejeitado, fechando a porta para essa outra narrativa que poderia ter se desenrolado.

Seria possível? Será que Mariana poderia aprender a amar esse jovem sério? Poderia abraçá-lo à noite e lhe contar suas histórias? Só de pensar nisso, sabia que era impossível.

Como seria capaz?

Tinha tanto a contar. Mas era só para os ouvidos de Sebastian.

Quando Mariana retornou ao Saint Christopher's, não se dirigiu imediatamente ao quarto. Em vez disso, vagou pelo Pátio Principal... e entrou no prédio que abrigava a cafeteria.

Percorreu a passagem escura até ficar cara a cara com o quadro.

O retrato de Tennyson.

O quadro permanecera em sua mente, e ela não parava de pensar nele, sem saber exatamente por quê. O triste e belo Tennyson.

Não, triste não era a palavra certa para descrever aquele olhar. O que era?

Examinou seu rosto, tentando interpretar aquela expressão. Mais uma vez, teve a impressão de que ele olhava para um ponto atrás dela, acima do seu ombro, encarando alguma coisa... alguma coisa pouco além do campo de visão dele.

Mas o quê?

Então, de repente, Mariana compreendeu. Compreendeu o que ele estava olhando; ou, melhor, para *quem*.

Era Hallam.

Tennyson estava olhando fixamente para Hallam — para Hallam, de pé, além da luz... atrás do véu. Era o que se via nos olhos dele. Olhos de um homem em comunhão com os mortos.

Tennyson estava perdido... Apaixonado por um fantasma. Tinha virado as costas para a vida. Será que Mariana tinha feito o mesmo?

Houve um tempo em que ela pensava que sim.

E agora...?

Agora, talvez... não sabia ao certo.

Mariana ficou ali por mais um tempo, pensando. Depois, quando se virou para ir embora... ouviu passos. Ela parou.

Os sapatos de solado reforçado de um homem andavam devagar no piso de pedra da passagem longa e lúgubre...

E se aproximavam.

De início, Mariana não conseguiu ver ninguém. Mas logo... quando ele chegou mais perto, ela viu algo se movendo nas sombras... e o brilho de uma faca.

Ela se deteve, paralisada, prendendo a respiração, tentando ver quem era. E então, lentamente... Henry surgiu das sombras.

Ele a encarou.

Tinha um olhar aterrorizante; nada racional, ligeiramente perturbado. Tinha se metido numa briga, e o nariz sangrava. Havia sangue espalhado pelo rosto e respingado na camisa. Ele empunhava uma faca de uns vinte centímetros de comprimento.

Mariana tentou se mostrar calma e destemida. Mas não conseguiu disfarçar um ligeiro tremor na voz.

— Henry? Por favor, baixa essa faca.

Ele não falou nada. Só a encarou. Seus olhos estavam enormes, parecendo dois faróis, e era óbvio que estava sob o efeito de alguma substância química.

— O que você está fazendo aqui? — perguntou ela.

Por um instante, Henry não respondeu.

— Eu precisava te ver, né? Você não vai me ver em Londres, então tive que vir até aqui.

— Como foi que você me encontrou?

— Eu te vi na televisão. Você estava junto da polícia.

Mariana falou com cuidado:

— Não me lembro disso. Fiz o possível para ficar longe da câmera.

— Você acha que estou mentindo? Acha que te segui até aqui?

— Henry, foi você que invadiu o meu quarto, não foi?

Um tom histérico dominou a voz dele.

— Você me abandonou, Mariana. Você... Você me *sacrificou*...

— O quê? — Mariana o encarou, irritada. — Por que... você usou essa palavra?

— É verdade, não é?

Ele ergueu a faca e deu um passo na direção dela. Mas Mariana se manteve firme.

— Baixa essa faca, Henry.

Ele continuou andando.

— Não aguento mais. Preciso me libertar. Preciso cortar as amarras.

— Henry, por favor, para...

Ele ergueu a faca, como se estivesse se preparando para atacar. O coração de Mariana disparou.

— Vou me matar agora mesmo, na sua frente — disse ele. — E você vai ver tudo.

— Henry...

Henry levantou a faca mais alto, e então...

— Ei!

Henry ouviu a voz atrás dele e se virou quando Morris surgiu das sombras e avançou sobre ele. Os dois lutaram pela faca, e Morris o dominou com facilidade, jogando-o de lado como se fosse feito de palha. Henry desabou no chão.

— Deixa ele em paz — disse Mariana a Morris. — Não machuca ele.

Ela se aproximou para ajudá-lo a se levantar, mas Henry empurrou sua mão.

— Eu te odeio — disse ele, parecendo uma criança. Os olhos vermelhos cheios de lágrimas. — Eu te odeio.

Morris chamou a polícia, então Henry foi preso, mas Mariana insistiu em que ele precisava de cuidados psiquiátricos, e o levaram para o hospital, onde foi internado. Foram receitados a ele antipsicóticos, e Mariana combinou de conversar com o psiquiatra pela manhã.

Ela se culpava pelo ocorrido, lógico.

Henry tinha razão: ela o sacrificara, a ele e às demais pessoas vulneráveis que estavam sob seus cuidados. Se ela estivesse disponível, como Henry precisava, a situação não teria chegado a esse ponto. Essa era a verdade.

E agora Mariana precisava garantir que esse enorme sacrifício não tenha sido em vão... a qualquer custo.

18

Era quase uma da manhã quando Mariana voltou para o quarto. Estava exausta, mas muito alerta para conseguir dormir, ansiosa demais e agitada.

O quarto estava frio, então ela ligou o antigo aquecedor elétrico na parede. Não devia ser usado desde o inverno anterior — assim que aqueceu, exalou cheiro de poeira queimada. Mariana se sentou na cadeira dura de espaldar reto e fixou o olhar na barra elétrica que brilhava alaranjada na escuridão, sentindo o calor, ouvindo o zumbido do aparelho. Ficou sentada ali, pensando... pensando em Edward Fosca.

Era tão presunçoso, tão cheio de si. *Ele acha que se safou*, pensou ela. Achava que tinha vencido.

Mas não tinha. Ainda não. Mariana estava determinada a ser mais esperta que ele. Tinha que ser. Passaria a noite inteira acordada pensando, e daria um jeito nisso.

Ficou sentada ali durante horas, em vigília, num tipo de transe — pensando, pensando —, examinando tudo que tinha acontecido desde que Zoe ligara para ela na segunda-feira à noite.

Repassou cada ponto da história, todas as diversas facetas — examinando tudo de todos os ângulos, tentando entender a situação —, tentando enxergar as coisas com nitidez.

A resposta devia ser óbvia — devia estar bem na sua frente. Mesmo assim, ela não conseguia encontrá-la — era como montar um quebra--cabeça no escuro.

Fred diria que, em outro universo, Mariana já teria resolvido tudo. Em outro universo, ela era mais inteligente.

Mas não neste, infelizmente.

Ficou sentada ali até a cabeça doer. Então, quase ao amanhecer, exausta e deprimida, desistiu. Arrastou-se até a cama e pegou no sono imediatamente.

Enquanto dormia, ela teve um pesadelo. Sonhou que procurava por Sebastian através de paisagens desoladas, andando com dificuldade contra o vento e a neve. Por fim o encontrou no bar precário de um hotel, um hotel isolado nos Alpes, no meio de uma tempestade de neve. Ela o cumprimentou, mas, para seu assombro, Sebastian não a reconheceu. Disse que ela estava mudada, que era uma pessoa diferente. Mariana jurou várias vezes que era ela mesma: *Sou eu, sou eu*, gritou ela. Mas, quando tentou beijá-lo, ele virou a cara. Sebastian a deixou e saiu no meio da tempestade. Mariana ficou arrasada e começou a chorar, inconsolável, e Zoe apareceu, envolvendo-a num cobertor azul. Mariana disse a Zoe o quanto amava Sebastian — mais que o ar que respirava, mais que a própria vida. Zoe balançou a cabeça e disse que amor só trazia tristeza e que Mariana devia acordar.

— Acorda, Mariana.

— O quê?

— Acorda... Acorda!

Então, de repente, Mariana acordou com um susto, suando frio, o coração disparado.

Alguém esmurrava a porta.

19

Mariana se sentou na cama, o coração acelerado. As pancadas na porta continuavam.

— Espera — gritou ela. — Já vai.

Que horas são? A luz do sol se infiltrava pela fresta da cortina. Oito? Nove?

— Quem é?

Nenhuma resposta. As batidas ficaram mais fortes, assim como as batidas na sua cabeça, que latejava; devia ter bebido mais que do imaginava.

— Está bem. Um minuto.

Mariana se levantou da cama. Estava desorientada e grogue. Andou quase se arrastando até a porta. Destrancou-a e a abriu.

Era Elsie, prestes a bater de novo. Abriu um sorriso.

— Bom dia, querida.

Tinha um espanador debaixo do braço e segurava o balde com o material de limpeza. As sobrancelhas estavam pintadas num ângulo acentuado que lhe emprestava uma aparência assustadora, e no seu olhar havia um certo brilho de ansiedade, um brilho que pareceu a Mariana sinistro e predatório.

— Que horas são, Elsie?

— Passa das onze, querida. Não te acordei, né?

Ela se inclinou para entrar, dando uma olhada na cama desarrumada. Mariana sentiu o cheiro da fumaça de cigarro que ela exalava, e aquilo era álcool no hálito de Elsie? Ou em seu próprio hálito?

— Não dormi bem — disse Mariana. — Tive um pesadelo.

— Ah, querida. — Elsie fez um muxoxo, solidarizando-se. — Mas é natural, com tudo o que tem acontecido. E eu tenho outra notícia ruim, querida. Mas acho que você deveria saber.

— O quê? — Mariana a encarou, os olhos arregalados. De repente, estava completamente desperta e se sentia apavorada. — O que foi que aconteceu?

— Eu conto se você me deixar falar. Não vai mandar a Elsie entrar?

Mariana deu um passo atrás, e Elsie entrou no quarto. Sorriu para Mariana e pôs o balde no chão.

— Assim é melhor. Se prepara, querida.

— O que foi?

— Encontraram outro corpo.

— O quê? Quando?

— Hoje cedo, perto do rio. Outra menina.

Mariana levou um segundo para conseguir falar.

— Zoe... Cadê a Zoe?

Elsie balançou a cabeça.

— Não esquenta a sua linda cabecinha com a Zoe. Ela está sã e salva. Provavelmente ainda curtindo uma preguicinha na cama, se eu bem a conheço. — Ela sorriu. — Estou vendo que é de família.

— Pelo amor de Deus, Elsie... quem é? Me diz.

Elsie sorriu. Tinha mesmo algo de macabro na expressão dela.

— Foi a pequena Serena.

— Ai, meu Deus... — Os olhos de Mariana se encheram de lágrimas de repente. Ela prendeu o choro.

Elsie fez outro muxoxo, compassiva.

— Pobrezinha da Serena. Ah, bem, os caminhos do Senhor são misteriosos... É melhor eu ir andando... não há descanso para os ímpios.

Ela se virou para ir embora, então se deteve.

— Olha só. Quase ia me esquecendo... Isto aqui estava debaixo da sua porta, querida.

Elsie retirou do balde alguma coisa. Entregou a Mariana.

— Aqui...

Era um cartão-postal.

A ilustração Mariana reconhecia: uma ânfora grega antiga, preta e branca, de milhares de anos atrás; representava o sacrifício de Ifigênia, imposto por Agamenon.

Quando Mariana virou o cartão, sua mão tremia. E, no verso, como esperava, havia uma citação em grego clássico escrita a mão.

τοιγάρ σέ ποτ᾽οὐρανίδαι
πέμψουσιν θανάτοις: ἦ σὰν
ἔτ᾽ ἔτι φόνιον ὑπὸ δέραν
ὄψομαι αἷμα χυθὲν σιδάρῳ

Mariana teve uma estranha sensação de vertigem, de tontura, enquanto encarava o cartão-postal; como se o visse de uma grande altura e corresse o risco de perder o equilíbrio e cair... num abismo profundo e escuro.

20

Por um instante, Mariana não se mexeu. Ficou paralisada, enraizada ali mesmo. Nem reparou que Elsie tinha saído do quarto.

Ficou encarando o cartão-postal, ainda o segurando, incapaz de desviar o olhar, horrorizada; como se as letras em grego clássico tivessem pegado fogo em sua mente, ardendo e queimando dentro do seu cérebro.

Com algum esforço, ela virou o cartão, quebrando o feitiço. Precisava pensar racionalmente, precisava decidir o que fazer.

Tinha que avisar a polícia, lógico. Mesmo que achassem que ela estava louca, o que provavelmente já achavam, não poderia guardar esses cartões-postais para si mesma por mais tempo; precisava falar com o inspetor Sangha.

Precisava encontrá-lo.

Colocou o cartão-postal no bolso de trás e saiu do quarto.

A manhã estava nublada; o sol não havia atravessado as nuvens, e um tapete espesso de neblina ainda pairava acima do solo feito fumaça. E, através da penumbra, do outro lado do pátio, Mariana vislumbrou a figura de um homem.

Lá estava Edward Fosca.

O que ele fazia ali? Esperava para ver a reação de Mariana ao cartão-postal? Estava achando tudo aquilo excitante, sentindo prazer com o tormento dela? Não conseguia ver a expressão dele, mas tinha certeza de que estava sorrindo.

De repente, Mariana sentiu muita raiva.

Não era do feitio dela se descontrolar — mas agora, porque quase não tinha dormido e porque estava tão indignada, assustada e zangada... ela se deixou levar. Foi mais desespero que bravura: uma explosão violenta de sua angústia — direcionada para Edward Fosca.

Quando se deu conta, já estava cruzando o pátio em direção a ele. Será que ele recuou um pouco? Talvez. Essa aproximação repentina foi algo inesperado, mas ele se manteve firme, mesmo quando ela o alcançou e parou a poucos centímetros dele, a cara vermelha, os olhos arregalados e a respiração ofegante.

Não disse uma palavra. Apenas o encarou, com uma raiva crescente.

Ele abriu um sorriso incerto.

— Bom dia, Mariana.

Mariana ergueu o cartão-postal.

— O que significa isso?

— Hein?

Fosca pegou o cartão-postal. Olhou a inscrição no verso. Murmurou em grego ao ler. Houve o lampejo de um sorriso em seus lábios.

— O que significa isso? — repetiu ela.

— É de *Electra*, de Eurípides.

— Me diz o que está escrito.

Fosca sorriu e olhou fixamente para Mariana.

— Significa: "Os deuses desejaram a tua morte; e, em breve, o fio da espada vai fazer jorrar rios de sangue da tua garganta."

Quando Mariana ouviu isso, sua raiva irrompeu; a bolha de fúria incandescente estourou, e ela cerrou os punhos. Com toda a sua força, atingiu-o no rosto.

Fosca perdeu o equilíbrio, dando um passo para trás.

— Meu Deus...

Mas, antes que ele pudesse recobrar o fôlego, Mariana lhe deu outro soco. E mais outro.

Ele ergueu as mãos para se proteger, mas ela continuou com os socos, gritando:

— Seu desgraçado... seu maníaco desgraçado...

— Mariana... para! Para...

Mas Mariana não parava, não parava... até que duas mãos a agarraram, puxando-a para trás.

Um policial a segurou e a conteve à força.

Uma aglomeração de curiosos se formava. Julian estava lá, assistindo a tudo incrédulo.

Outro policial se aproximou de Fosca para lhe prestar assistência — mas o professor o dispensou, gesticulando com raiva. O nariz de Fosca sangrava — e havia sangue respingado por toda a camisa branca impecável. Ele parecia transtornado e constrangido. Foi a primeira vez que Mariana o viu perder a compostura, e isso lhe deu uma certa satisfação.

O inspetor-chefe Sangha surgiu. Encarou Mariana, abismado, como se estivesse olhando para uma pessoa enlouquecida.

— Que diabos está acontecendo aqui?

21

Pouco depois, Mariana se viu na sala do diretor, e lhe foi solicitado que desse explicações sobre seus atos. Estava sentada diante do inspetor-chefe Sangha, de Julian, do diretor... e de Edward Fosca.

Foi difícil encontrar as palavras certas. Quanto mais falava, mais sentia que não acreditavam nela. Contando sua história em voz alta, percebia como parecia implausível.

Edward Fosca tinha recuperado a compostura; ficou sorrindo para Mariana o tempo todo, como se ela estivesse contando uma piada longa e ele já soubesse qual seria o desfecho.

Mariana também havia se acalmado e fazia o seu melhor para se manter tranquila. Apresentou a narrativa da maneira mais simples e direta que pôde, com o mínimo de emoção possível. Explicou, passo a passo, como chegara a essa incrível dedução: de que o professor tinha assassinado as três estudantes.

As Musas despertaram suas suspeitas logo de cara, disse ela. Um grupo de preferidas, todas mulheres jovens. Ninguém sabia o que se passava naqueles encontros. E, como terapeuta de grupo e mulher, Mariana dificilmente conseguiria não se preocupar. O professor Fosca exercia um controle meio estranho sobre suas pupilas, feito um guru, disse Mariana. Ela mesma havia testemunhado isso — até sua sobrinha tinha expressado uma certa hesitação quanto a trair Fosca e o grupo.

— Esse é um típico comportamento grupal pouco saudável... um desejo de se conformar e se sujeitar. Expressar opiniões contrárias ao grupo, ou ao líder do grupo, gera muita ansiedade, isso se as opiniões puderem ser expressadas, para começo de conversa. Foi o que senti quando a Zoe falou do professor... Tinha alguma coisa errada. Percebi que ela estava *com medo* dele.

Grupos pequenos como esse, explicou Mariana, como as Musas, eram vulneráveis à manipulação inconsciente ou a diversos tipos de violência. Inconscientemente, as jovens podem tratar o líder do grupo como tratavam o pai quando pequenas: com dependência e obediência.

— E, se você for uma jovem traumatizada — continuou ela — em negação com relação à própria infância e ao sofrimento que suportou, poderia muito bem ser conivente com outro agressor para manter essa negação e fingir que o comportamento dele é perfeitamente normal. Se você abrisse os olhos e o condenasse, teria que condenar outros em sua vida também. Não sei como foi a infância dessas meninas. É fácil não levar a Tara a sério e tratá-la como uma jovem privilegiada, sem problemas. Mas, para mim, o uso excessivo de álcool e drogas sugere que ela era problemática... e vulnerável. A Tara linda e fodida da cabeça... ela era a preferida dele.

Manteve contato visual com Fosca ao dizer isso, ciente da crescente raiva em sua voz e fazendo o possível para se controlar. Fosca olhava para ela com frieza, um sorriso no rosto. Ela continuou, tentando manter a calma:

— Percebi que estava olhando para os assassinatos do jeito errado. Não era o trabalho de um louco, de um psicopata homicida motivado por uma raiva incontrolável... Só era feito para ser visto dessa maneira. Essas meninas foram mortas de um jeito metódico e racional. Mas a única que precisava morrer era a Tara.

— E por que você acha isso? — perguntou Edward Fosca, falando pela primeira vez.

Mariana olhou nos olhos dele.

— Porque a Tara era sua amante. E então alguma coisa aconteceu... ela descobriu que você tinha outras?... e ameaçou expor você... e então como seria? Você perderia seu emprego e esse mundo acadêmico elitista que tanto valoriza; isso acabaria com a sua reputação... Você não podia deixar isso acontecer. Ameaçou matar a Tara. E então cumpriu a ameaça. Infelizmente para você, ela contou para a Zoe... e a Zoe me contou.

Fosca a encarou. Seus olhos escuros cintilavam feito gelo preto.

— Essa é a sua teoria?

— É. — Mariana sustentou o olhar dele. — Essa é a minha teoria. Veronica e Serena te forneceram um álibi... estavam ambas suficientemente enfeitiçadas por você para agirem assim... mas, depois, o que aconteceu? Mudaram de ideia... ou ameaçaram mudar? Ou você queria garantir que jamais mudariam de ideia?

Ninguém respondeu a essa pergunta. Houve apenas silêncio.

O inspetor-chefe não disse uma palavra sequer; serviu-se de um pouco de chá. O diretor, perplexo, encarava Mariana, evidentemente incapaz de acreditar no que escutava. Julian evitava olhar para ela e fingiu verificar suas anotações.

Edward Fosca foi o primeiro a falar. Dirigiu-se ao inspetor-chefe Sangha.

— Obviamente, eu nego isso. Tudo. E respondo de bom grado a qualquer pergunta que você possa ter. Mas, antes de tudo, inspetor... eu preciso de um advogado?

O inspetor ergueu a mão.

— Acho que ainda não chegamos a esse ponto, professor. Poderia aguardar um instante? — Sangha olhou para Mariana. — Você tem alguma prova que sustente essas acusações?

Mariana fez que sim.

— Tenho... esses cartões-postais.

— Ah. Os famosos cartões-postais.

Sangha olhou para os cartões à sua frente. Pegou-os e os embaralhou devagar; em seguida os dispôs como se fossem cartas de baralho.

— Se entendi corretamente — disse ele —, você acredita que eles foram enviados às vítimas antes de cada assassinato, como se fossem um aviso? Anunciando a intenção dele de matar?

— Exatamente.

— E agora que você recebeu um deles... acha que está em perigo iminente? Por que acha que ele a escolheu para vítima?

Mariana deu de ombros.

— Acho que... eu me tornei uma ameaça para ele. Cheguei perto demais. Entrei na mente dele.

Ela não olhou para Fosca; não queria perder a compostura.

— Sabe, Mariana — ela ouviu Fosca dizer —, qualquer um pode copiar uma citação grega de um livro. Não é necessário um diploma de Harvard.

— Estou ciente disso, professor. Mas, quando estive nas suas dependências, vi a mesma citação sublinhada no seu exemplar de Eurípides. É só coincidência?

Fosca riu.

— Se fôssemos agora até as minhas dependências... e pegássemos qualquer livro da estante... vocês veriam que eu sublinho praticamente *tudo*. — E continuou, antes que ela falasse: — E você acredita sinceramente que, se fui eu que matei essas meninas, teria mandado cartões-postais com citações de textos que *eu* ensinei a elas? Acha que eu seria tão burro?

Mariana balançou a cabeça.

— Não se trata de ser burro... você não imaginou que essas mensagens seriam entendidas ou notadas pela polícia... ou por qualquer outra pessoa. Era a sua piada interna... à custa das meninas. Foi isso que me fez ter certeza de que foi você. Do ponto de vista psicológico, é o tipo de coisa que você *faria*.

O inspetor Sangha reagiu antes que Fosca falasse.

— Para a sorte do professor Fosca, ele foi visto na faculdade na hora exata do assassinato de Serena... à meia-noite.

— Quem o viu?

O inspetor foi se servir de mais chá, mas constatou que a garrafa térmica estava vazia. Franziu a testa.

— Morris. O chefe dos bedéis. Ele encontrou o professor fumando do lado de fora, e os dois conversaram por um tempo.

— Ele está mentindo.

— Mariana...

— Me ouve...

Antes que Sangha pudesse interrompê-la, Mariana disse que suspeitava que Morris estivesse chantageando Fosca, e que o tinha seguido e presenciado o encontro dele com Serena.

O inspetor-chefe pareceu ligeiramente surpreso. Inclinou-se para a frente e a encarou.

— Você os viu... no cemitério? É melhor me dizer exatamente o que estava fazendo lá.

Então ela contou, dando mais detalhes e, para sua frustração, quanto mais a conversa se distanciava de Edward Fosca, mais o inspetor parecia se empolgar com a ideia de Morris como suspeito.

Julian também.

— Isso explica como o assassino conseguia se deslocar sem ser visto. Quem circula pela faculdade sem ser notado? Quem nós não vemos? Um homem uniformizado, um homem que tem todo o direito de estar ali. Um bedel.

— Exatamente.

O inspetor-chefe refletiu por um instante. Então acenou para um dos policiais e o instruiu a trazer Morris para ser interrogado.

Mariana estava prestes a intervir, mesmo sabendo que não adiantaria muito. Mas, nesse momento, Julian sorriu para ela. Ele disse:

— Escuta, Mariana. Eu estou do seu lado... então não fica chateada com o que vou dizer.

— O quê?

— Para ser sincero, notei isso assim que vi você aqui em Cambridge. Tive a sensação de que parecia um pouco estranha... meio paranoica.

Mariana não conseguiu conter uma risada.

— O quê?

— Sei que é difícil ouvir isso, mas é óbvio que você está sofrendo de mania de perseguição. Você não está bem, Mariana. Precisa de ajuda. E eu gostaria de te ajudar, se me deixar...

— Vai se foder, Julian.

O inspetor bateu na mesa com a garrafa térmica.

— Basta!

Fez-se silêncio. O inspetor-chefe falou com firmeza.

— Mariana, você testou a minha paciência várias vezes. Fez acusações totalmente infundadas contra o professor Fosca... sem mencionar que o atacou fisicamente. Ele tem todo o direito de prestar queixa.

Ela tentou interrompê-lo, mas Sangha continuou a falar.

— Não. Chega... agora você precisa me escutar. Quero que vá embora amanhã cedo. Que fique longe desta faculdade e do professor Fosca, longe desta investigação, longe de mim. Ou vou mandar prender você e acusá-la de obstrução de justiça. Entendeu? Escuta o Julian. Liga para o seu médico. Procura ajuda.

Mariana abriu a boca e reprimiu um grito, um uivo de frustração. Engoliu a raiva e ficou em silêncio. Não havia por que argumentar mais. Baixou a cabeça, indignada, derrotada.

Ela havia perdido.

Parte 5

A mola está bem tensionada. Vai se desenrolar por si própria. É isso que é tão conveniente na tragédia. O menor movimento do pulso faz o serviço.

JEAN ANOUILH, *Antígona*

I

Uma hora depois, a fim de evitar a imprensa, uma viatura da polícia passou pelos fundos da faculdade e parou perto do portão, que se abria para uma rua estreita. Mariana estava no meio de vários alunos e funcionários que se juntaram para ver Morris ser preso, algemado e conduzido à viatura. Alguns bedéis o vaiaram e zombaram dele quando passou. O rosto de Morris ficou vermelho, mas ele não reagiu. Sua mandíbula estava tensionada, e ele olhava para baixo.

No último minuto, Morris olhou para cima, e Mariana seguiu seu olhar... até a janela onde estava Edward Fosca.

Fosca observava os acontecimentos com um sorrisinho. ***Está rindo de nós***, pensou Mariana.

E, quando ele fez contato visual com Morris, um espasmo de raiva passou pelo rosto do bedel.

Em seguida, o policial retirou o chapéu-coco de Morris, e ele foi empurrado para dentro da viatura. Mariana observou o carro partir, levando-o embora, e o portão foi fechado.

Mariana olhou para cima outra vez, para a janela de Fosca.

Mas ele tinha desaparecido.

— Graças a Deus — ouviu o diretor dizer. — Pelo menos, acabou.

Ele estava enganado, lógico. Ainda faltava muito para acabar.

* * *

Quase que imediatamente o tempo mudou. Como se reagisse aos acontecimentos na faculdade, o verão, depois de perdurar por tanto tempo, enfim cedeu. Um vento frio assobiava pelos pátios. Começou a chuviscar, e, ao longe, ouvia-se o estrondo de uma tempestade.

Mariana e Zoe bebiam com Clarissa no Fellows' Parlor — o salão comunal dos professores. Nessa tarde, o recinto estava deserto, a não ser pela presença das três mulheres.

Era um salão grande, escuro, mobiliado com poltronas e sofás antigos, de couro, escrivaninhas de mogno e mesas cobertas por jornais e revistas. Tinha cheiro de defumado, de madeira e da cinza das lareiras. Lá fora, o vento chacoalhava as vidraças e a chuva tamborilava no vidro. Para Clarissa, fazia frio o bastante para solicitar que uma pequena lareira fosse acesa.

As três mulheres estavam sentadas em poltronas baixas, perto do fogo, bebendo uísque. Mariana agitou o copo, fazendo o líquido girar, enquanto observava a cor âmbar brilhar à luz das chamas. Sentia-se aconchegada naquele lugar, encasulada diante da lareira com Clarissa e Zoe. Esse pequeno grupo lhe dava força e coragem. Precisava de coragem agora; todas elas precisavam.

Zoe tinha chegado de uma aula da Faculdade de Inglês. Provavelmente sua última aula, disse Clarissa; havia rumores sobre o fechamento iminente da faculdade enquanto se aguardava uma investigação policial.

Zoe tinha pegado chuva; enquanto ela se secava perto da lareira, Mariana lhes contou o que tinha acontecido e o confronto com Edward Fosca. Quando terminou, Zoe disse baixinho:

— Isso foi um erro. Confrontar o professor desse jeito... Agora ele sabe que você sabe.

Mariana olhou para Zoe.

— Achei que você tivesse dito que ele era inocente.

Zoe olhou bem nos olhos dela e balançou a cabeça.

— Mudei de ideia.

Clarissa olhou de uma para a outra.

— Vocês duas têm certeza, então, de que ele *é* culpado? É difícil acreditar.

— É mesmo — disse Mariana. — Mas eu acredito.

— E eu também — disse Zoe.

Clarissa não falou nada. Pegou o decantador e completou seu copo. Mariana notou que a mão dela tremia.

— E agora, o que vamos fazer? — perguntou Zoe. — Você não vai embora, vai?

— Claro que não. — Mariana balançou a cabeça. — Que ele me prenda, não me importo. Não vou voltar para Londres.

Clarissa ficou perplexa.

— O quê? Mas por que não?

— Não posso fugir. Não mais. Estou fugindo desde que o Sebastian morreu. Preciso ficar... preciso enfrentar isso, seja o que for. Não tenho medo. — A frase soou estranha ao sair de sua boca. Mariana tentou de novo. — *Eu não tenho medo.*

Clarissa fez um muxoxo.

— Isso é o uísque falando.

— Talvez. — Mariana sorriu. — Coragem alcoólica é melhor que coragem nenhuma. — Virou-se para Zoe. — Vamos em frente. É o que fazemos. Vamos em frente... e vamos pegá-lo.

— Como? Precisamos de alguma prova.

— Pois é.

Zoe hesitou.

— E a arma do crime?

Algo no jeito como Zoe disse isso fez Mariana olhar para ela.

— Você quer dizer a faca?

Zoe fez que sim.

— Ainda não a encontraram, né? Acho... que sei onde está.

Mariana olhou para ela fixamente.

— Como é que você sabe?

Por um segundo, Zoe evitou o olhar dela. Manteve o olhar na lareira — uma atitude furtiva, culpada, que Mariana reconhecia da infância.

— Zoe?

— É uma longa história, Mariana.

— Agora é uma boa hora para contar. Não acha? — Ela baixou a voz. — Sabe, quando me encontrei com as Musas, elas me disseram uma coisa, Zoe... Elas me disseram que *você* fazia parte do grupo.

Os olhos de Zoe se arregalaram. Ela balançou a cabeça.

— Isso não é verdade.

— Zoe, não mente...

— Não estou mentindo! Eu fui lá só uma vez.

— Bem, por que você não me contou? — perguntou Mariana.

— Não sei. — Zoe balançou a cabeça. — Eu estava com medo. Sentia tanta vergonha... Faz tempo que eu queria contar para você, mas eu...

Ela se calou. Mariana estendeu o braço e tocou na mão dela.

— Me conta agora. Conta para nós duas.

Os lábios de Zoe tremeram um pouco, e ela fez que sim. Começou a falar. Mariana se preparou psicologicamente para o que estava por vir...

E a primeira coisa que Zoe disse fez o sangue de Mariana gelar.

— Eu acho — disse Zoe — que a coisa toda começa com Deméter... e Perséfone. — Ela olhou de relance para Mariana. — Você conhece as duas, né?

Mariana levou um segundo para conseguir falar.

— Sim — disse, assentindo. — Eu conheço as duas.

2

Zoe bebeu o uísque de um gole só. Deixou o copo no aparador da lareira. O fogo produzia uma fumaça acinzentada que rodopiava perto dela.

Mariana observava Zoe, as chamas vermelhas e amarelas dançando atrás dela, e teve a sensação curiosa de estar num acampamento ao redor de uma fogueira, prestes a ouvir uma história de terror... o que, de certa forma, estava.

Aos poucos, e inicialmente com uma certa hesitação, Zoe começou a contar a história de que o professor Fosca tanto gostava — os ritos secretos de Elêusis em honra a Perséfone; ritos que podiam levar alguém a uma viagem da vida até a morte e de volta.

O professor conhecia o segredo, disse ele — e o compartilhou com um grupo pequeno e seleto de alunas.

— Ele me fez jurar sigilo. Eu não poderia contar nada a ninguém. Pode parecer estranho, mas... fiquei lisonjeada de pensar que ele me achava especial... que me achava inteligente. E também fiquei curiosa. E então... foi a minha vez de ser iniciada no grupo das Musas... Ele me disse que o encontrasse na casinha em ruínas, à meia-noite, para a cerimônia.

— Casinha em ruínas?

— Sabe... aquela construção ornamental de pedra na beira do rio, perto do Paradise.

Mariana fez que sim.

— Prossiga.

— Antes da meia-noite, a Carla e a Diya se encontraram comigo na casa de barcos e me escoltaram... pelo rio, numa canoa.

— Numa canoa, por quê?

— É o jeito mais fácil de chegar lá, saindo daqui... a trilha está cheia de arbustos de amoras-silvestres lotados de espinhos. — Ela fez uma breve pausa. — As outras estavam lá quando eu cheguei. A Veronica e a Serena estavam de pé na entrada da casinha em ruínas. Usavam máscaras... representando Perséfone e Deméter.

— Meu Deus do céu — disse Clarissa, dando um suspiro involuntário de incredulidade. Em seguida, gesticulou para que Zoe continuasse.

— Lillian me levou até lá... o professor estava me esperando. Ele colocou uma venda nos meus olhos, e então... bebi o *kykeon*... que ele disse ser apenas água de cevada. Mas estava mentindo. A Tara depois me disse que era batizado com "boa noite, Cinderela"... ele costumava comprar do Conrad.

Mariana sentia uma tensão insuportável; preferia não ouvir mais nada. Mas sabia que não tinha escolha.

— Prossiga.

— E então — disse Zoe — ele sussurrou no meu ouvido... que eu ia morrer naquela noite... e renasceria ao amanhecer. Ele pegou uma faca e a encostou no meu pescoço.

— Ele fez isso? — perguntou Mariana.

— Ele não me cortou nem nada... disse que era só um sacrifício ritual. Então retirou a minha venda... E foi quando vi onde ele colocou a faca... Dentro de uma fenda na parede... entre duas lajes.

Zoe fechou os olhos por um segundo.

— Depois disso, não consigo me lembrar muito bem. Minhas pernas pareciam feitas de gelatina, como se eu estivesse derretendo... E a gente deixou a casinha. Estávamos no meio das árvores... no bosque. Algumas das meninas dançavam nuas... as outras estavam no rio, nadando... mas eu não... eu não queria tirar a roupa. — Ela balançou a cabeça. — Não me lembro bem. Mas, de algum jeito, eu perdi as outras de vista... e estava sozinha, e drogada... e com medo... e... ele estava lá.

— Edward Fosca?

— Isso. — Parecia que Zoe não queria pronunciar o nome dele. — Eu tentei falar, mas não consegui. Ele ficou... me beijando... passando as mãos em mim... dizendo que me amava. O olhar dele era selvagem... eu me lembro do olhar dele... enlouquecido. Tentei fugir... Mas não consegui. E então... a Tara apareceu, e eles começaram a se beijar... e de algum jeito eu consegui fugir... Corri no meio das árvores... Continuei correndo... — Ela baixou a cabeça e ficou em silêncio por um instante. — Continuei correndo... Eu fugi.

Mariana a incitou.

— O que aconteceu depois, Zoe?

Zoe deu de ombros.

— Nada. Nunca mais falei com as meninas sobre isso... a não ser com a Tara.

— E o professor Fosca?

— Ele agiu como se nada tivesse acontecido. Então... tentei fazer o mesmo. — Zoe deu de ombros. — Mas depois a Tara se encontrou comigo naquela noite, no meu quarto... Ela me disse que ele ameaçou matá-la. Eu nunca tinha visto a Tara tão assustada... ela estava apavorada.

Clarissa falou em voz baixa:

— Minha querida, você devia ter alertado a faculdade. Devia ter contado a alguém. Devia ter vindo a *mim*.

— Você ia acreditar em mim, Clarissa? É uma história tão louca... é a minha palavra contra a dele.

Mariana concordou, balançando a cabeça, quase chorando. Queria se aproximar de Zoe e abraçá-la.

Mas primeiro precisava saber uma coisa.

— Zoe... por que agora? Por que você está contando isso agora?

Zoe ficou em silêncio por um instante. Foi até a poltrona onde seu casaco estava pendurado, secando perto do fogo. Pôs a mão no bolso.

Retirou de lá um cartão-postal úmido, com respingos de chuva.

Zoe o largou no colo de Mariana.

— Porque eu também recebi um.

3

Mariana olhou fixamente para o cartão-postal em seu colo.

A imagem era de uma pintura rococó escura — Ifigênia nua na cama, e Agamenon se aproximando por trás dela, empunhando uma faca. No verso havia uma inscrição em grego clássico. Mariana nem se deu ao trabalho de pedir a Clarissa que traduzisse. Não havia necessidade.

Precisava ser forte por Zoe. Precisava raciocinar com lucidez e depressa. Evitou deixar qualquer emoção transparecer na voz.

— Quando você recebeu isso, Zoe?

— Hoje à tarde. Estava debaixo da minha porta.

— Entendo. — Mariana fez que sim com a cabeça. — Isso muda tudo.

— Não, não muda.

— Muda, sim. A gente precisa tirar você daqui. Agora. A gente precisa ir para Londres.

— Graças a Deus você falou isso — disse Clarissa.

— Não. — Zoe balançou a cabeça. Tinha uma expressão de profunda teimosia no olhar. — Eu não sou criança. Não vou a lugar nenhum. Vou ficar aqui, como você disse... vamos lutar. Vamos pegá-lo.

Quando ela falou isso, Mariana pensou em quão vulnerável Zoe parecia, no quanto estava cansada e infeliz. Os acontecimentos recentes a tinham afetado e modificado: ela parecia física e mentalmente arrasada.

Tão frágil e, ainda assim, determinada a ir em frente. *Isso é que é coragem*, pensou Mariana. *Isso é coragem.*

Clarissa percebeu o mesmo.

— Zoe, menina querida — disse ela baixinho —, sua valentia é louvável. Mas Mariana está certa. Precisamos ir à polícia, contar tudo o que você acabou de revelar... E em seguida vocês precisam sair de Cambridge... vocês duas. Esta noite.

Zoe fez uma careta e balançou a cabeça.

— Não adianta contar à polícia, Clarissa. Vão pensar que a Mariana me influenciou. É perda de tempo. A gente não tem tempo. A gente precisa de uma *prova*.

— Zoe...

— Não, escuta. — Ela se virou para Mariana. — Vamos até a casinha em ruínas... só para garantir, onde eu vi o professor esconder a faca. E, se não a encontrarmos, então... vamos para Londres, certo?

Antes que Mariana respondesse, a professora interferiu.

— Meu Deus do céu — disse Clarissa. — Vocês querem ser mortas?

— Não. — Zoe meneou a cabeça. — Os assassinatos sempre acontecem à noite... ainda temos algumas horas. — Ela olhou de relance pela janela e dirigiu a Mariana um olhar esperançoso. — E parou de chover. O tempo está abrindo.

— Ainda não — disse Mariana, olhando para fora. — Mas vai abrir. — Ela pensou por um segundo. — Vai tomar uma chuveirada, tira essa roupa molhada. E a gente se vê no seu quarto em vinte minutos.

— Tá bem. — Zoe fez que sim, parecendo satisfeita.

Mariana a observou juntar suas coisas.

— Zoe... por favor, toma cuidado.

Zoe assentiu e saiu da sala. Assim que a porta se fechou, Clarissa se virou para Mariana. Parecia preocupada.

— Mariana, eu preciso me opor. É muito perigoso para você ou para a Zoe se aventurar pelo rio assim desse jeito...

Mariana balançou a cabeça.

— Não tenho a menor intenção de deixar a Zoe chegar perto do rio. Vou dizer a ela que arrume uma bolsa e vamos partir imediatamente. Vamos para Londres, como você disse.

— Graças a Deus. — Clarissa pareceu aliviada. — É a decisão mais acertada.

— Mas presta atenção. Se alguma coisa acontecer comigo... quero que você vá à polícia, está bem? Precisa contar tudo isso a eles... o que a Zoe contou. Entendeu?

Clarissa assentiu. Parecia extremamente triste.

— Queria que vocês duas fossem até a polícia agora.

— Zoe tem razão... não adianta. O inspetor Sangha nem vai me ouvir. Mas ele vai ouvir você.

Clarissa não disse nada. Apenas suspirou e fitou a lareira.

— Eu ligo para você de Londres — disse Mariana.

Nenhum comentário. Clarissa não parecia nem escutar.

Mariana ficou decepcionada. Esperava mais. Esperava que Clarissa fosse uma fortaleza, mas era evidente que tudo isso que vinha acontecendo havia sido demais para ela. Aparentemente, Clarissa tinha envelhecido; como se tivesse encolhido e agora fosse menor e mais frágil.

Ela não seria de grande ajuda, concluiu Mariana. Quaisquer que fossem os horrores que as aguardassem, ela e Zoe estariam por conta própria.

Mariana deu um beijo carinhoso de despedida no rosto da professora. Então a deixou ali, perto da lareira.

4

Enquanto atravessava o pátio a caminho do quarto de Zoe, Mariana pensava nas providências que iria tomar. Fariam as malas depressa e, sem serem vistas, sairiam da faculdade pelo portão dos fundos. Um táxi para a estação; o trem para King's Cross. E então — e sentia o coração palpitar só de pensar — estariam em casa, a salvo, na casinha amarela.

Subiu os degraus de pedra para o quarto de Zoe. O quarto estava vazio; ela ainda devia estar na ala dos chuveiros, no andar de baixo.

Nesse instante, o telefone de Mariana tocou. Era Fred.

Ela hesitou, mas atendeu.

— Alô?

— Mariana, sou eu. — Fred parecia aflito. — Preciso falar com você. É importante.

— Agora não é uma boa hora. Acho que dissemos tudo ontem à noite.

— Não é sobre ontem à noite. Presta atenção. É sério. Eu tive uma premonição... sobre *você*.

— Fred, eu não tenho tempo...

— Sei que você não acredita... mas é verdade. Você está correndo um sério perigo. Agora, neste *segundo*. Onde quer que esteja... sai daí. Vai embora. Corre...

Mariana desligou, exasperada e indignada. Havia muito com o que se preocupar além das bobagens de Fred. Já estava ansiosa antes... e agora se sentia ainda pior.

Por que Zoe estava demorando tanto?

Enquanto aguardava, Mariana andou impacientemente pelo quarto. Passou os olhos pelo ambiente, tocando os pertences de Zoe: uma foto de quando ela era bebê num porta-retratos de prata; a foto de Zoe quando foi dama de honra no casamento de Mariana; vários amuletos, quinquilharias, pedras e cristais que tinha colecionado durante as viagens ao exterior; outras lembranças da infância que Zoe tinha carregado de um lado para outro desde que era pequena, assim como a Zebra, velhinha e acabadinha, em cima do travesseiro.

Mariana se emocionou diante dessa confusão de objetos inúteis. Teve uma lembrança repentina de Zoe, quando pequena, ajoelhada ao lado da cama, as mãos postas para rezar. *Deus abençoe a Mariana, Deus abençoe o Sebastian, Deus abençoe o vovô, Deus abençoe a Zebra* e daí por diante, incluindo pessoas cujos nomes ela nem sabia, como a mulher triste no ponto de ônibus ou o homem resfriado na livraria. Mariana observava esse ritual infantil com afeição, mas nem por um instante via valor no que Zoe estava fazendo. Mariana não acreditava em um Deus que pudesse ser contatado com tanta facilidade ou cujo coração piedoso atenderia às preces de uma menininha.

Mas agora, de repente, sentiu os joelhos fraquejarem, cedendo, como se uma força invisível os empurrasse por trás. Ela caiu de joelhos, juntou as mãos e inclinou a cabeça como se rezasse.

No entanto, Mariana não rezou a Deus, nem a Jesus, nem mesmo a Sebastian.

Em vez disso, rezou para um conjunto de colunas de pedra sujas e desgastadas pelo tempo, no alto de um monte, contra um céu vibrante e sem pássaros.

Rezou à deusa.

— Perdão — sussurrou — pelo que eu fiz... seja lá o que eu tenha feito... para ofendê-la. Você levou o Sebastian. Já é o suficiente. Eu imploro... não leve a Zoe. Por favor... não vou permitir, eu...

Ela se deteve, de repente, desconcertada, constrangida pelas palavras que saíam de sua boca. Sentia-se mais que um pouco enlouquecida — como uma criança doida barganhando com o universo.

Mesmo assim, em um nível muito profundo, Mariana estava ciente de que, finalmente, tinha chegado o momento para o qual tudo isso havia convergido: o confronto por muito tempo adiado, mas inevitável — seu acerto de contas —, com a Donzela.

Mariana se levantou lentamente.

E Zebra tombou do travesseiro, caiu da cama e foi parar no chão.

Mariana pegou o brinquedo e o recolocou sobre o travesseiro. Ao fazer isso, notou que a costura na barriga de Zebra estava se desfazendo; faltavam três pontos. E alguma coisa saía do enchimento.

Mariana hesitou — e então, sem saber muito bem o que estava fazendo, puxou o que estava lá dentro. Olhou para o que tinha nas mãos. Eram alguns papéis, dobrados e redobrados, ocultos no bichinho de pelúcia.

Mariana olhou atentamente. Sentia-se desleal, mas ao mesmo tempo impelida a saber do que se tratava. Tinha que saber.

Com todo cuidado desdobrou os papéis, e eles se abriram em várias folhas de papel de carta. Parecia algum tipo de carta digitada.

Mariana se sentou na cama.

E começou a ler.

5

E então, um dia, minha mãe foi embora.

Não me lembro do momento exato em que ela se foi, nem do último adeus, mas deve ter havido algum. Também não me lembro de meu pai estar presente — é provável que estivesse nos campos quando ela fugiu.

No fim das contas, ela nunca mandou ninguém me buscar, sabe? Nunca mais a vi, na verdade.

Na noite em que ela foi embora, subi até o meu quarto e me sentei à minha escrivaninha — escrevi durante quatro horas no meu diário. Quando terminei, não li o que tinha escrito.

E nunca mais escrevi naquele diário. Coloquei dentro de uma caixa e escondi no meio de outras coisas que eu queria esquecer.

Mas hoje, pela primeira vez, tirei de lá e li. Tudo.

Bem, quase tudo...

Sabe, faltam duas páginas.

Duas páginas foram rasgadas.

Foram destruídas porque eram perigosas. Por quê? Porque contavam uma história diferente.

Tudo bem, acho.

Toda história pode se prestar a uma pequena revisão.

Gostaria de poder revisar os anos seguintes na fazenda — revisá-los ou esquecê-los.

O sofrimento, o medo, a humilhação; a cada dia eu ficava mais determinado a fugir. *Um dia eu vou embora. Vou ser livre. Vou estar a salvo. Vou ser feliz. Vou ser amado.*

Eu repetia isso para mim mesmo, de novo e de novo, debaixo das cobertas à noite. Essas palavras se transformaram no meu mantra nas horas difíceis. Mais que isso, elas se tornaram a minha vocação.

E me guiaram até você.

Nunca pensei que eu fosse capaz disso. De amar, digo. Só conhecia o ódio. Tenho tanto medo de, um dia, odiar você também. Mas, antes que eu machuque você, vou virar a faca para mim e mergulhá-la no fundo do meu coração.

Eu te amo, Zoe.

Por isso estou escrevendo isto.

Quero que você me veja do jeito que eu sou. E depois? Você vai me perdoar, não vai? Vai beijar todas as minhas feridas e curá-las. Você é o meu destino. Você sabe disso, não sabe? Talvez não acredite ainda. Mas eu soube desde o início. Tive uma premonição; desde o primeiro segundo que vi você, eu soube.

No começo, você era tão tímida, tão desconfiada. Tive que provocar o seu amor. Mas eu sou mais que paciente.

Vamos ficar juntos, eu prometo, um dia, assim que meu plano se concretizar. Minha ideia brilhante, maravilhosa.

Quero prevenir você, ele inclui sangue — e sacrifício.

Vou explicar quando estivermos a sós. Até lá, tenha fé.

Para sempre
seu amor,
X

6

Mariana baixou a carta, apoiando-a no colo.

Olhava para ela fixamente.

Era difícil pensar, era difícil respirar; como se tivesse perdido o fôlego depois de receber vários socos na boca do estômago. Não entendia o que tinha acabado de ler. O que significava esse documento monstruoso?

Não fazia sentido. Ela não acreditava que fosse real, não podia acreditar. Não podia significar o que ela pensava. Não podia ser isso. Mesmo assim... era a única conclusão a se chegar, ainda que inaceitável e irracional... ou aterrorizante.

Edward Fosca tinha escrito isso — essa carta de amor infernal — para Zoe.

Mariana balançou a cabeça. Não, não a Zoe, *sua* Zoe. Ela não acreditava nisso; não acreditava que Zoe estivesse envolvida com aquele *monstro*...

Então logo se lembrou daquele olhar estranho de Zoe, encarando Fosca do outro lado do pátio. Um olhar que Mariana interpretara como medo. E se fosse algo mais complicado?

E se, desde o começo, Mariana estivesse analisando os fatos do ponto de vista errado? E se...

Passos, subindo a escada.

Mariana ficou paralisada. Não sabia o que fazer, precisava dizer alguma coisa, fazer alguma coisa. Mas não agora, não desse jeito; precisava pensar primeiro.

Pegou a carta e a colocou no bolso assim que Zoe surgiu à porta.

— Foi mal, Mariana. Eu vim o mais rápido que deu.

Zoe lhe lançou um sorriso quando entrou no quarto. As maçãs do rosto estavam coradas, e os cabelos, molhados. Estava de roupão e segurava duas toalhas.

— Já vou me vestir. Só um segundo.

Mariana não disse uma palavra. Zoe vestiu a roupa, e aquele relance de nudez — a pele jovem e macia — por um instante lembrou Mariana do lindo bebê que ela tanto amara, aquela criança linda e inocente. Aonde tinha ido parar? O que acontecera com ela?

Seus olhos se encheram de lágrimas, mas não eram de emoção; eram de angústia, de dor física — como se alguém tivesse lhe dado um tapa na cara. Ela se virou para que Zoe não visse e secou os olhos.

— Estou pronta — disse Zoe. — Podemos ir?

— Ir? — Mariana olhou inexpressivamente para ela. — Para onde?

— Até a casinha em ruínas, ué. Procurar a faca.

— O quê? Ah...

Zoe olhou para ela, surpresa.

— Você está bem?

Mariana fez que sim devagar. Toda a esperança de fugir, toda a ideia de ir para Londres com Zoe, tudo tinha desaparecido de sua mente. Não havia para onde ir, não havia para onde correr. Não mais.

— Certo — disse ela.

E, parecendo uma sonâmbula, Mariana seguiu Zoe escada abaixo e pelo pátio. Tinha parado de chover; o céu estava carregado, e nuvens opressivas, cor de carvão, circulavam sobre suas cabeças, contorcendo-se e girando ao sabor do vento.

Zoe olhou para ela de relance.

— A gente devia ir pelo rio. É o jeito mais fácil.

Mariana não disse uma palavra, só acenou brevemente com a cabeça.

— Posso conduzir a canoa — disse Zoe. — Não sou tão boa quanto o Sebastian era, mas dou pro gasto.

Mariana assentiu e a seguiu até o rio.

Em frente à casa de barcos, sete daquelas canoas que eram conduzidas como gôndolas rangiam na água, acorrentadas à margem. Zoe pegou uma das varas apoiadas na parede da casa de barcos. Esperou que Mariana embarcasse na canoa, e então soltou a corrente pesada que prendia o barco à margem.

Mariana se sentou no banco baixo de madeira; estava úmido por causa da chuva, mas ela nem chegou a reparar nisso.

— Não vai demorar muito — disse Zoe enquanto usava a vara para afastar a canoa da margem. Então ergueu a vara bem no alto, mergulhou-a na água e deu início à jornada.

Não estavam sozinhas no rio, Mariana soube disso desde o início. Tinha a sensação de estar sendo seguida. Resistiu à tentação de olhar para trás. Mas, quando finalmente virou a cabeça, como esperava, viu de relance a figura de um homem a distância, que desapareceu atrás de uma árvore.

Mas Mariana concluiu que devia estar imaginando coisas. Porque não era quem ela esperava ver — não era Edward Fosca.

Era Fred.

7

Como Zoe previra, elas avançaram rapidamente. Logo deixaram as faculdades para trás e se viram ladeadas pelos prados às margens do rio — uma paisagem natural que tinha se mantido inalterada durante séculos.

Nos campos, algumas vacas pretas pastavam. Havia um odor de umidade e de carvalho em decomposição, de lama molhada. E Mariana sentiu o cheiro da fumaça de uma fogueira ardendo em algum lugar, um cheiro de mofo, de folhas úmidas queimando.

Uma camada fina de névoa tinha se erguido do rio e envolvia Zoe enquanto ela conduzia a embarcação. Estava tão bonita, de pé, os cabelos ao vento, aquele olhar distante. Assemelhava-se à Dama de Shalott na sua última e fatídica jornada ao longo do rio.

Mariana tentava pensar, mas estava com dificuldade em fazer isso. E a cada batida seca da vara no leito do rio, e a cada impulso da canoa pela superfície da água, ela sabia que o tempo estava se esgotando. Logo chegariam à casinha na beira do rio.

E então o que aconteceria?

Sentia a carta queimando no bolso, sabia que precisava dar sentido a ela.

Mas devia estar enganada. Tinha que estar.

— Você está muito quieta — disse Zoe. — No que está pensando?

Mariana olhou para cima. Tentou falar, mas a voz não saiu. Balançou a cabeça e deu de ombros.

— Em nada.

— Já vamos chegar. — Zoe apontou para a curva do rio.

Mariana se virou e olhou.

— Ah...

Para sua surpresa, um cisne tinha aparecido na água. Ele deslizou em sua direção, as penas brancas encardidas se agitando ligeiramente à brisa. Quando se aproximou da canoa, o cisne virou seu longo pescoço e olhou diretamente para ela. Seus olhos pretos encararam os dela.

Um arrepio percorreu a espinha de Mariana. Ela virou o rosto.

Quando olhou de novo, o cisne tinha desaparecido.

— Chegamos — avisou Zoe. — Olha.

Mariana viu a casinha em ruínas na margem do rio. Não era uma estrutura grande — quatro colunas de pedra apoiando um teto inclinado. Originalmente branca, tinha desbotado após dois séculos de chuva e vento incessantes, que a deixaram manchada de amarelo e verde por causa da ferrugem e do limo.

Era uma localização estranha para uma estrutura ornamental — isolada, à beira da água, cercada pelo bosque e pelo pântano. Zoe e Mariana passaram por ela, pelos lírios selvagens que cresciam na água e por arbustos de rosas, cobertos de espinhos, bloqueando a trilha.

Zoe guiou a canoa até a margem. Ela forçou a vara no fundo da lama, atracando a canoa, deixando a embarcação à beira do rio.

Zoe subiu à margem e estendeu a mão para ajudar Mariana. Mas Mariana não segurou a mão dela. Não suportava a ideia de tocá-la.

— Você tem certeza de que está bem? — perguntou Zoe. — Está tão esquisita.

Mariana não respondeu. Saiu da canoa para a terra coberta de relva e seguiu Zoe até a casinha em ruínas.

Deteve-se do lado de fora e a contemplou.

Tinha um brasão acima da entrada, esculpido na pedra — o emblema de um cisne em meio a uma tempestade.

Mariana congelou quando viu aquilo. Olhou fixamente para o brasão por um segundo.

Mas então foi em frente.

Seguiu Zoe para dentro.

8

No interior da casinha, havia duas janelas na parede de pedra, de onde se avistava o rio, e um banco de pedra. Zoe apontou, pela janela, o bosque verde perto dali.

— Foi lá que encontraram o corpo da Tara... no meio das árvores, no pântano. Vou mostrar para você. — Então se ajoelhou e olhou por baixo do banco. — E foi aqui que ele colocou a faca. Aqui...

Zoe enfiou o braço no espaço entre duas lajes. E sorriu.

— Arrá!

Zoe retirou a mão e estava segurando uma faca. Tinha mais ou menos vinte centímetros de comprimento. Estava ligeiramente manchada de ferrugem... ou de sangue ressecado.

Mariana observou Zoe segurá-la pelo cabo; segurava-a com familiaridade, e então ela se levantou e virou a faca para Mariana.

Apontou a lâmina para ela. Encarou Mariana sem piscar, seus olhos azuis irradiando trevas.

— Vem comigo — disse ela. — Vamos dar uma volta.

— O quê?

— Por ali... no meio das árvores. Vamos.

— Espera. Para. — Mariana balançou a cabeça. — Essa não é você.

— O quê?

— Não é você, Zoe. É *ele*.

— Do que você está falando?

— Escuta. *Eu sei.* Eu encontrei a carta.

— Que carta?

Em resposta, Mariana tirou a carta do bolso. Desdobrou-a e mostrou para Zoe.

— Esta carta.

Por um segundo, Zoe não falou nada. Só olhou fixamente para Mariana. Nenhuma reação emocional. Só um olhar vazio.

— Você leu?

— Não foi minha intenção encontrar isso. Foi por acaso...

— *Você leu?*

Mariana assentiu com a cabeça e sussurrou:

— Li.

Houve um lampejo de fúria nos olhos de Zoe.

— Você não tinha o direito!

Mariana a encarou.

— Zoe, eu não entendo. Não... Não é possível... Não é possível que...

— O quê? O que não é possível?

Mariana teve dificuldade em encontrar as palavras.

— Que você tenha tido alguma coisa a ver com esses assassinatos... que *você e ele*... estão, de alguma forma, *envolvidos*...

— Ele me amava. Nós nos amávamos...

— Não, Zoe. Isso é importante. Digo isso porque eu te amo. Você é a vítima aqui. Pense o que quiser, mas *não era amor*...

Zoe tentou interromper, mas Mariana não permitiu. Continuou:

— Eu sei que você não quer ouvir isso. Eu sei que você acha que foi tudo muito romântico, mas, seja lá o que ele tenha oferecido a você, não foi amor. Edward Fosca não é capaz de amar. Ele é traumatizado demais, perigoso demais...

— Edward Fosca? — Zoe a encarou com espanto. — Você acha que *Edward Fosca* escreveu essa carta?... E que foi por isso que eu a guardei escondida no meu quarto? — Ela balançou a cabeça com desdém. — Não foi *ele* que escreveu.

— Então quem foi?

O sol de repente se escondeu por trás de uma nuvem, e o tempo pareceu se arrastar. Mariana foi capaz de escutar as primeiras gotas de chuva tamborilando no parapeito de pedra da casinha em ruínas, e o piado de uma coruja em algum lugar distante. E, nesse espaço atemporal, Mariana compreendeu uma coisa: ela sabia o que Zoe ia dizer, e talvez, em algum nível, sempre soubera.

Então o sol reapareceu — o tempo voltou a andar com um solavanco abrupto. E Mariana repetiu a pergunta:

— Quem escreveu a carta, Zoe?

Zoe a encarou, os olhos cheios de lágrimas. E sussurrou:

— Sebastian, óbvio.

Parte 6

Dizem que a tristeza enfraquece a mente,
E a faz temerosa e degenerada;
Pense, portanto, em vingança, e pare de chorar.

William Shakespeare, *Henrique VI*, parte 2

I

Mariana e Zoe se encaravam em silêncio.

Agora estava chovendo, e Mariana ouvia e sentia o cheiro da chuva caindo na lama lá fora. Via as gotas alterando o reflexo trêmulo das árvores na superfície do rio. Por fim, ela rompeu o silêncio.

— Você está mentindo — disse ela.

— Não. — Zoe balançou a cabeça. — Não estou. O Sebastian escreveu a carta. Escreveu para mim.

— Não é verdade. Ele... — Mariana lutava para encontrar as palavras certas. — O Sebastian... não escreveu isso.

— É claro que escreveu. Acorda. Você é tão cega, Mariana.

Mariana olhou para a carta em sua mão. Encarou-a sentindo-se desamparada.

— Você... e o Sebastian... — Ela não conseguiu terminar a frase. Ergueu o olhar para Zoe, desesperadamente, esperando que ela tivesse compaixão.

Mas Zoe só sentia compaixão por si mesma, e seus olhos cintilavam, transbordando de lágrimas.

— Eu o amava, Mariana. Eu o amava...

— Não. Não...

— É verdade. Eu sou apaixonada pelo Sebastian desde sempre... desde pequena. E ele *me* amava.

— Zoe, para. Por favor...

— Você precisa encarar a verdade agora. Abre os olhos. Nós éramos amantes. Nós viramos amantes naquela viagem à Grécia. No meu aniversário de 15 anos, em Atenas, lembra? Sebastian me levou para o olivedo do lado da casa... e foi lá que fizemos amor, no chão.

— Não. — Mariana queria rir, mas aquilo era doentio demais para isso. Era horrível. — Você está mentindo...

— Não, *você* está mentindo... para si mesma... É por isso que a sua cabeça é tão ferrada... porque no fundo você sabe a verdade. Foi tudo uma mentira. O Sebastian nunca amou *você*. Foi a mim que ele amou... desde sempre. Ele só se casou com você para ficar perto de mim... E pelo *dinheiro*, lógico... Você sabe disso, não sabe?

Mariana balançou a cabeça.

— Eu não... não quero escutar mais nada.

Ela se virou e saiu da casinha. E continuou andando.

Então, começou a correr.

2

— Mariana — chamou Zoe. — Para onde você está indo? Você não tem como fugir. Não mais.

Mariana a ignorou e seguiu em frente. Zoe foi atrás dela.

Das nuvens escuras acima vieram trovões, e de repente houve um imenso relâmpago. O céu estava quase verde. E eis que desabou o mundo. Uma chuva forte começou a cair, açoitando a terra, revolvendo a superfície do rio.

Mariana correu para o bosque. Estava escuro e lúgubre em meio às árvores. O solo estava molhado, grudento e cheirava a umidade. Os galhos entrelaçados das árvores estavam cobertos de teias de aranha, moscas-varejeiras mumificadas e outros insetos suspensos em fios de seda acima de sua cabeça.

Zoe a seguia, zombando de Mariana; sua voz ecoava pelas árvores.

— Um dia, meu avô flagrou a gente no olivedo. Ele ameaçou contar para você... então o Sebastian teve que acabar com a vida dele. Sebastian enforcou meu avô lá mesmo, com aquelas mãos enormes dele. Então meu avô deixou para você todo aquele dinheiro... *Tanto dinheiro*... O Sebastian ficou fascinado... ele tinha que ficar com aquela fortuna. Era para mim que ele a queria... para *nós*. Mas você era uma pedra no caminho...

Os galhos das árvores agarravam Mariana enquanto ela lutava para passar, rasgando e arranhando suas mãos e seus braços.

Ela ouvia Zoe se aproximando por trás, irrompendo no meio das árvores, como uma Fúria vingativa. E falava o tempo todo.

— O Sebastian dizia que se alguma coisa acontecesse a você, ele seria o primeiro suspeito. "A gente precisa de uma distração", ele dizia, "*feito um truque de mágica.*" Você se lembra dos truques de mágica que ele fazia para mim quando eu era pequena? "A gente precisa fazer com que todo mundo olhe para a coisa errada... e para o lugar errado." Contei a ele sobre o professor Fosca e as Musas... e foi nesse momento que ele teve a ideia. Essa ideia germinou dentro dele feito uma flor muito bonita, ele disse... Sebastian tinha um jeito poético de falar, lembra? Ele cuidou de cada detalhe. E foi lindo. Foi perfeito. Mas depois... você o levou embora... e ele nunca mais voltou. O Sebastian não queria ir para Naxos. Você insistiu. É por sua culpa que ele está morto.

— Não — sussurrou Mariana. — Isso não é justo...

— É, sim — disse Zoe. — Foi você que matou o Sebastian. *E me matou também.*

De repente, as árvores escassearam, e as duas se viram numa clareira. O pântano se descortinava diante delas. Era uma poça grande de água límpida e verde, cheia de plantas e arbustos silvestres. Havia uma árvore caída, rachada ao meio e começando a apodrecer, coberta de musgo verde-amarelado e cercada de cogumelos que pareciam venenosos.

E havia um cheiro estranho de deterioração, um fedor de algo imundo e podre. Era a água estagnada?

Ou era a morte?

Ofegante, Zoe encarou Mariana, empunhando a faca. Seus olhos estavam vermelhos e cheios de lágrimas.

— Quando ele morreu, foi como se eu tivesse recebido uma facada na barriga. Eu não sabia o que fazer com toda a minha raiva... com toda a minha dor... Então, um dia... eu entendi... eu vi. Precisava levar adiante o plano do Sebastian, por ele, do jeito que ele queria. Era a última coisa que eu poderia fazer por ele. Honrar a ele e à sua memória... e ter a minha vingança.

Mariana olhava para ela fixamente, incrédula. Parecia ter perdido a voz. Falou num sussurro:

— O que você fez, Zoe?

— *Eu*, não. *Ele*. Foi tudo o *Sebastian*... Eu só fiz o que ele mandou. Foi um trabalho de amor... copiei as citações que ele selecionou, deixei os cartões-postais nos lugares que ele indicou, sublinhei os trechos nos livros do Fosca. Durante as sessões de estudo dirigido, eu fingia ir ao banheiro e deixava alguns fios do cabelo da Tara no fundo do armário do Fosca... também respinguei um pouco do sangue dela por lá. A polícia ainda não encontrou. Mas vai encontrar.

— O Edward Fosca é inocente? Você o incriminou?

— Não. — Zoe balançou a cabeça. — *Você* o incriminou, Mariana. O Sebastian disse que tudo o que eu precisava fazer era convencer você de que eu tinha medo do Fosca. Você fez o resto. Foi a parte mais divertida de toda essa encenação: ver você bancar a detetive. — Ela sorriu. — Você não é a detetive... Você é a *vítima*.

Mariana ficou olhando bem fundo nos olhos de Zoe enquanto todas as peças se encaixavam em sua mente, e ela finalmente enfrentou a verdade terrível que tinha tentado ignorar. Havia uma palavra para este momento na tragédia grega: anagnórise — reconhecimento —, quando o herói finalmente depara com a verdade e compreende seu destino e como a verdade esteve o tempo todo diante dele. Mariana costumava se perguntar como seria esse momento. Agora sabia.

— Você matou... aquelas meninas... Como pôde fazer isso?

— As Musas nunca foram importantes, Mariana... Não passavam de uma distração. Uma pista falsa, era o que o Sebastian dizia. — Ela deu de ombros. — A Tara foi... difícil. Mas o Sebastian disse que era um sacrifício que eu precisava fazer. Ele estava certo. Foi um alívio, de certo modo.

— Alívio?

— Poder finalmente me ver direito. Agora eu sei quem sou... sou como Clitemnestra, sabe?... ou Medeia. É disso que eu sou feita.

— Não. Não, você está enganada. — Mariana se virou. Não conseguia mais suportar olhar para Zoe. As lágrimas rolavam pelo seu rosto. — Você não é uma deusa, Zoe. Você é um monstro.

— Se eu sou — ela ouviu Zoe dizer —, foi Sebastian quem fez de mim um monstro. E você também.

E então Mariana sentiu um empurrão.

Ela foi derrubada no chão, com Zoe nas suas costas. Mariana se debateu, mas Zoe usou toda a sua força, imobilizando-a na lama. A terra estava fria e molhada no rosto de Mariana. E ela ouviu Zoe sussurrando em seu ouvido:

— Amanhã, quando encontrarem o seu corpo, vou dizer ao inspetor que tentei deter você, que implorei para que não viesse investigar este lugar sozinha... mas você insistiu. A Clarissa vai contar para ele a minha história sobre o professor Fosca... vão fazer uma busca nas dependências dele... e vão encontrar as provas que eu deixei lá...

Zoe se levantou e virou Mariana de barriga para cima. Pairou sobre ela ameaçadoramente, erguendo a faca. Seus olhos exibiam um olhar selvagem, monstruoso.

— E você será lembrada apenas como outra vítima de Edward Fosca. Vítima número quatro. Ninguém vai saber a verdade... que fomos *nós* que matamos você... *Sebastian e eu.*

Ela ergueu a faca ainda mais, prestes a atacar...

Mas, de repente, Mariana conseguiu reunir suas forças. Ela ergueu as mãos e agarrou o braço de Zoe. As duas lutaram por um instante, até que Mariana balançou a mão de Zoe, o mais forte que pôde — fazendo Zoe perder o controle da faca.

A faca escapou da sua mão e zumbiu no ar, desaparecendo no meio do mato com um baque seco.

Com um grito, Zoe se levantou e correu para procurar a faca.

Enquanto Zoe procurava, Mariana se levantou e notou que alguém surgia do meio das árvores.

Era Fred.

Ele estava afobado, parecendo preocupado. Não viu Zoe ajoelhada na grama, e Mariana tentou alertá-lo.

— Fred... para! Para...

Mas Fred não parou, e rapidamente alcançou Mariana.

— Você está bem? Eu te segui... Estava preocupado, e...

Por cima do ombro dele, Mariana viu Zoe se levantando, empunhando a faca. Mariana gritou:

— Fred...

Mas foi tarde demais... Zoe cravou fundo a faca nas costas de Fred. Ele arregalou os olhos e encarou Mariana em estado de choque.

Fred caiu no chão e lá ficou, parado, imóvel. Uma poça de sangue se formou por baixo dele. Zoe o cutucou com a faca, conferindo se estava morto. Não parecia convencida.

Sem pensar, Mariana fechou a mão em torno de uma pedra fria enterrada na lama. E a desenterrou.

Ela cambaleou até Zoe, que estava inclinada sobre o corpo de Fred.

Quando Zoe estava prestes a esfaqueá-lo no peito... Mariana bateu com a pedra na cabeça de Zoe, por trás.

O golpe derrubou Zoe de lado. Ao tombar no chão, escorregando na lama, ela caiu de bruços — sobre a faca.

Zoe ficou imóvel por um instante. Mariana pensou que estivesse morta.

Mas, logo, com um gemido animalesco, Zoe se virou de costas. Lá permaneceu, uma criatura ferida, de olhos arregalados, apavorados. Viu a faca cravada em seu peito...

E começou a gritar.

Não parava de gritar: estava histérica, gritando de agonia, e medo, e horror — gritos de uma criança aterrorizada.

Pela primeira vez na vida, Mariana não foi ao socorro de Zoe. Em vez disso, pegou o telefone. Ligou para a polícia.

O tempo todo, Zoe ficou gritando, gritando, até que, eventualmente... os gritos se misturaram com o som estridente da sirene que se aproximava.

3

Zoe foi levada numa ambulância, acompanhada por dois policiais armados.

A escolta nem seria necessária, porque ela voltou a ser criança: uma menina assustada e indefesa. Mesmo assim, Zoe foi acusada de tentativa de assassinato; mais acusações se sucederiam. Apenas "tentativa" de assassinato — porque Fred tinha sobrevivido ao ataque, por pouco. O ferimento era grave, e ele foi levado para o hospital em outra ambulância.

Mariana, em estado de choque, sentou-se num banco à beira do rio. Segurava uma xícara de chá, forte e doce, que o inspetor Sangha tinha lhe servido da garrafa térmica — por causa do choque e como proposta de paz.

Tinha parado de chover. O céu agora estava azul; as nuvens haviam se dissipado depois da chuva, deixando somente traços acinzentados na luz pálida. O sol baixava lentamente por trás das árvores, pincelando o céu de rosa e laranja.

Sentada ali, Mariana levava a xícara quente aos lábios e tomava o chá. Uma policial veio consolá-la, pondo um braço em seu ombro, mas Mariana nem se deu conta. Um cobertor foi colocado sobre seus joelhos. Ela quase não notou. Sua mente estava em branco enquanto seus olhos percorriam o rio, e ela viu o cisne. Ele singrava a água, ganhando velocidade.

Enquanto ela o observava, o cisne abriu as asas e voou. Foi para o alto, e os olhos dela o seguiram até os céus.

O inspetor Sangha se aproximou dela e se sentou no banco.

— Você vai gostar de saber — disse ele. — Fosca foi demitido. Acabou que ele estava dormindo com todas elas. Morris confessou que o estava chantageando... o que significa que você tinha razão. Se tudo der certo, ambos vão ter o que merecem.

Olhando para Mariana, viu que ela não estava assimilando o que ele dizia. Ele indicou o chá com um aceno de cabeça.

— Como você está? Um pouco melhor? — perguntou, com ternura.

Mariana olhou para ele. Balançou de leve a cabeça. Não se sentia melhor; talvez se sentisse pior...

Mesmo assim, alguma coisa havia mudado. O que era?

Ela se sentia alerta, de certa maneira — talvez *acordada* fosse uma palavra melhor: tudo parecia mais nítido, como se uma névoa tivesse se dissipado; as cores estavam mais vivas, os contornos dos objetos, mais definidos. Agora o mundo não parecia esmaecido, cinzento e distante — por trás de um véu.

Parecia vivo outra vez, e vívido, e colorido, lavado por uma chuva outonal; e vibrando com a eterna atividade de infinitos nascimentos e mortes.

Epílogo

Durante muito tempo depois disso, Mariana permaneceu em estado de choque.

Quando voltou para casa, passou a dormir no sofá, no andar de baixo. Nunca mais conseguiria dormir naquela cama; a cama que dividira com ele — aquele homem. Não sabia mais quem ele era. Ela o considerava um estranho, um impostor com o qual tinha vivido todos aqueles anos — um ator com o qual havia compartilhado a própria cama e que planejara matá-la.

Quem era ele, essa pessoa de faz de conta? O que havia por trás de sua linda máscara? Foi tudo uma encenação — tudo?

Agora que o espetáculo tinha acabado, Mariana precisava avaliar o papel que ela havia representado nessa história, o que não era fácil.

Quando fechava os olhos e tentava visualizar o rosto dele, tinha dificuldade em ver seus traços. Ele estava se apagando, como a lembrança de um sonho — e ela ficava vendo o rosto do pai... os olhos do pai, em vez dos de Sebastian; como se de algum modo eles fossem, essencialmente, a mesma pessoa.

O que foi mesmo que Ruth lhe disse — sobre seu pai ser central nisso tudo? Naquele momento, Mariana não entendeu.

Mas agora talvez estivesse começando a entender.

Ainda não tinha visto Ruth de novo. Ainda não. Não estava preparada para chorar, nem conversar, nem sentir. Estava tudo recente demais.

Da mesma forma, Mariana não tinha retomado as sessões de terapia de grupo. Como ela poderia ousar ajudar qualquer pessoa, ou dar qualquer conselho, de novo na vida?

Estava perdida.

E, quanto a Zoe... bem, ela nunca se recuperou do ataque histérico. Apesar de ter sobrevivido à facada, o incidente precipitou um sério colapso nervoso. Depois de sua prisão, Zoe tentou o suicídio várias vezes, então sofreu um grave surto psicótico.

Zoe acabou sendo considerada incapaz de ir a julgamento. Por fim, foi internada num hospital psiquiátrico judiciário, o Grove, na região norte de Londres. O hospital em que Mariana tinha recomendado a Theo que se candidatasse a uma vaga de emprego.

E acabou que Theo seguiu seu conselho. Agora trabalhava no Grove, e Zoe era sua paciente.

Theo tentou contatar Mariana várias vezes em nome de Zoe. Mas Mariana se recusou a falar com ele e não retornou as ligações.

Ela sabia o que Theo pretendia. Ele queria que ela falasse com Zoe. Não o culpava por isso. Se estivesse no lugar dele, teria feito o mesmo. Qualquer tipo de comunicação entre as duas seria fundamental para a recuperação de Zoe.

Mas Mariana tinha sua própria recuperação com que se preocupar.

Não tinha estômago nem para pensar em falar com Zoe outra vez. Essa possibilidade a deixava nauseada. Simplesmente não conseguiria suportar isso.

Não era uma questão de perdão. Perdoar não dependia da decisão de Mariana, na verdade. Ruth sempre dizia que o ato de perdoar não pode ser imposto — deve acontecer espontaneamente, como um ato de clemência, e só acontece quando a pessoa está preparada.

E Mariana não estava preparada. Nem tinha certeza se algum dia estaria.

Sentia tanta raiva, tanta mágoa. Se algum dia visse Zoe de novo, não sabia o que seria capaz de dizer ou fazer; certamente não poderia se responsabilizar pelas próprias atitudes. Era melhor manter distância e deixar Zoe entregue ao próprio destino.

Mas visitou Fred algumas vezes, enquanto estava hospitalizado. Mariana se sentia responsável por Fred, e grata a ele. Afinal de contas, ele havia salvado a sua vida; ela nunca se esqueceria disso. No começo, ele estava debilitado, incapaz de conversar — mas sorria o tempo todo quando Mariana estava presente. Os dois ficavam sentados num silêncio amigável, e Mariana pensava como era estranha aquela sensação, como se sentia à vontade e familiarizada com ele — esse homem que mal conhecia. Era cedo para dizer se iria rolar alguma coisa entre eles algum dia. Mas ela já não descartava totalmente essa possibilidade.

Ela vinha se sentindo muito diferente em relação a tudo.

Era como se cada coisa que ela havia conhecido, ou em que tinha acreditado, ou confiado, tivesse desmoronado — deixando apenas um espaço vazio. Ela existia num limbo onde não havia coisa nenhuma, o que perdurou por semanas e, depois, meses...

Até que, um dia, recebeu uma carta de Theo.

Nessa carta, Theo pediu outra vez a Mariana que reconsiderasse a sua recusa em visitar Zoe. Fez comentários interessantes sobre Zoe, com grande empatia, antes de voltar sua atenção para Mariana.

Sinto que o encontro pode ser benéfico tanto para você quanto para ela — e fornecer a você um fechamento para essa história. Sei que não será agradável, mas pode ajudar. Nem imagino o que você tem enfrentado. Zoe está começando a se abrir mais — e estou passado com o mundo secreto que ela compartilhou com seu falecido marido. Ouço relatos assustadores. E devo dizer, Mariana, acho que você tem muita sorte de estar viva.

Theo encerrou dizendo o seguinte:

Sei que não é fácil. Mas tudo o que peço é que considere o fato de que, em algum nível, ela também é uma vítima.

Essa última frase deixou Mariana muito revoltada. Rasgou a carta e a jogou no lixo.

Mas, naquela noite, quando se deitou para dormir e fechou os olhos, um rosto apareceu em sua mente. Não era o rosto de Sebastian, nem do pai, mas o rosto de uma menina.

De uma menina pequena, assustada, de 6 anos.

O rosto de Zoe.

O que tinha acontecido com ela? O que foi feito àquela criança? O que ela precisou suportar — bem debaixo do nariz de Mariana — nas sombras, nos bastidores?

Mariana tinha falhado com Zoe. Não conseguiu protegê-la — falhou até em *ver* — e precisava assumir essa responsabilidade.

Como pôde ser tão cega? Precisava saber. Tinha que compreender. Tinha que enfrentar. Tinha que encarar...

Ou então enlouqueceria.

E foi por isso que, numa manhã de neve em fevereiro, Mariana acabou se dirigindo à região norte de Londres, para o hospital Edgware — e para o Grove. Theo a aguardava na recepção. Ele a cumprimentou afetuosamente.

— Nunca achei que veria você aqui — disse ele. — É estranho como as coisas acontecem.

— Pois é.

Theo a conduziu passando pela segurança e seguindo em frente, pelos corredores velhos do hospital. Enquanto andavam, ele avisou a Mariana que Zoe estava bem diferente do que quando ela a tinha visto pela última vez.

— Zoe está muito mal, Mariana. Você vai ver que ela está muito mudada. É melhor se preparar.

— Entendo.

— Estou tão feliz por você ter vindo. Vai ajudar mesmo. Ela fala de você com frequência, sabe? Quase sempre pede para te ver.

Mariana não falou nada. Theo olhou de relance para ela.

— Olha, eu sei que não vai ser fácil — disse ele. — Não espero que você se sinta *afável* em relação a ela.

Eu não me sinto assim mesmo, pensou Mariana.

Theo pareceu ser capaz de ler sua mente. Ele fez que sim.

— Compreendo. Sei que ela tentou te ferir.

— Ela tentou me matar, Theo.

— Acho que não é tão simples assim, Mariana. — Theo hesitou. — *Ele* tentou te matar. A Zoe fez isso por procuração. Era a marionete dele. Estava sob o controle absoluto dele. Mas era só uma parte dela, você sabe... Em outra parte, ela ainda te ama... e precisa de você.

Mariana se sentia cada vez mais apreensiva. Tinha sido um erro ir até ali. Não estava pronta para ver Zoe; não estava pronta para o que iria sentir e para o que poderia dizer ou fazer.

Quando chegaram à sala dele, Theo apontou para a porta no fim do corredor.

— Zoe está na sala de recreação, seguindo por ali. Ela não costuma socializar com os demais, mas sempre fazemos com que se junte a eles nas horas vagas. — Theo olhou o relógio e fez uma careta. — Ah, perdão... Você se importa de esperar um minuto? Preciso atender rapidamente outra paciente na minha sala. E então vou intermediar o seu encontro com a Zoe.

Antes que Mariana pudesse dizer alguma coisa, Theo apontou para um banco de madeira encostado na parede em frente à sala dele.

— Não quer se sentar?

Mariana fez que sim.

— Obrigada.

Theo abriu a porta da sala. E Mariana viu de relance uma mulher bonita, de cabelos ruivos, sentada, esperando, olhando fixamente pela janela gradeada para o céu cinzento do lado de fora. A mulher se virou e dirigiu a Theo um olhar cansado assim que ele entrou na sala e fechou a porta.

Mariana olhou para o banco. Mas não se sentou. Em vez disso, seguiu em frente. Foi até a porta no fim do corredor.

Parou diante dela. Hesitou.

Então esticou a mão à frente, girou a maçaneta...

E entrou.

Agradecimentos

Escrevi a maior parte deste livro durante a pandemia da Covid-19. Fiquei tão agradecido por ter no que me concentrar durante aqueles longos meses, vivendo sozinho e em isolamento em Londres. E me senti agradecido também por poder fugir do meu apartamento para o mundo no interior da minha mente — em parte real, em parte imaginário, um exercício no campo da nostalgia — na tentativa de revisitar minha juventude e um lugar que amo.

Foi também a nostalgia por um certo tipo de romance, por livros que me encantaram na adolescência: o romance policial, de mistério, de crime, seja lá como queiram chamar. Portanto, primeiramente, devo reconhecer a imensa dívida de gratidão que tenho para com essas escritoras de romances policiais clássicos que me proporcionaram tamanha inspiração e alegria ao longo dos anos. Este romance é minha carinhosa homenagem a elas: Agatha Christie, Dorothy L. Sayers, Ngaio Marsh, Margaret Millar, Margery Allingham, Josephine Tey, P. D. James e Ruth Rendell.

Não é segredo que escrever um segundo romance é um monstro muito diferente quando comparado a uma estreia. *A paciente silenciosa* foi escrito num estado de total isolamento, sem nenhum público em mente e nada a perder. O livro mudou e expandiu a minha vida exponencialmente. Por outro lado, com *As Musas*, senti uma pressão bem maior; no entanto, desta vez não estive só — havia ao meu redor um vilarejo de pessoas incrivelmente talentosas e brilhantes, me dando apoio e orientação. Há muita gente a agradecer, então espero não deixar ninguém de fora.

Devo começar agradecendo ao meu agente, e querido amigo, Sam Copeland, por ser uma rocha e uma fonte de sabedoria, bom humor e bondade. Do mesmo modo, sou muito agradecido à equipe genial e dedicada da Rogers, Coleridge & White: Peter Straus, Stephen Edwards, Tristan Kendrick, Sam Coates, Katharina Volckmer e Honor Spreckley, entre outros.

Do ponto de vista criativo, trabalhar na edição deste livro foi, para mim, a experiência profissional mais agradável da vida. Aprendi tanto. E meu agradecimento, de coração, se destina ao meu fantástico editor Ryan Doherty, da Celadon; e, em Londres, aos igualmente talentosos Emad Akhtar e Katie Espiner, da Orion. Foi muito divertido trabalhar com todos vocês, e sou grato por sua maravilhosa ajuda. Espero que possamos trabalhar juntos para sempre.

Obrigado a Hal Jensen pelas observações absolutamente detalhadas e úteis, assim como por sua amizade, ao lidar com minha obsessão interminável por este bendito livro.

Obrigado a Nedie Antoniades por todo o apoio e por evitar que eu me desesperasse várias vezes; confio tanto em você e sou verdadeiramente grato.

Igualmente, Ivan Fernandez Soto, obrigado por Santa Luzia e por todas as outras ideias e por me deixar partilhar com você as reviravoltas insanas da trama nos últimos três anos.

E um muito obrigado a Uma Thurman por todas as excelentes observações e sugestões e pelas refeições caseiras em Nova York. Serei sempre grato.

E, Diane Medak, obrigado por sua amizade e ajuda e por me deixar ficar em sua casa por tempo indeterminado. Não vejo a hora de voltar.

Ao professor Adrian Poole, o melhor professor que tive, agradeço os comentários tão úteis e por me explicar as questões de grego clássico; e, antes de tudo, por inspirar meu amor pelas tragédias.

E obrigado ao Trinity College, em Cambridge, por me acolher de volta com tanto carinho e me proporcionar inspiração para o Saint Christopher's College.

Obrigado a todos os amigos maravilhosos na Celadon — não consigo imaginar como seria a minha vida sem vocês.

A Jamie Raab e Deb Futter sou eternamente grato por sua ajuda. Rachel Chou e Christine Mykityshyn, vocês duas são geniais, e grande parte do sucesso do livro anterior se deve a vocês. Obrigado. Também a Cecily van Buren-Freedman, seus comentários muito contribuíram para o aperfeiçoamento do livro e sou muito grato.

Também na Celadon, obrigado a Anne Twomey, Jennifer Jackson, Jaime Noven, Anna Belle Hindenlang, Clay Smith, Randi Kramer, Heather Orlando-Jerabek, Rebecca Ritchey e Lauren Dooley.

E obrigado a Will Staehle pela capa sensacional e a Jeremy Pink por aprontar tudo em tempo recorde. Igualmente, um muito obrigado à equipe de vendas da Macmillan: vocês são simplesmente demais!

Na Orion e na Hachette, gostaria de agradecer a David Shelley todo o apoio. Eu me senti incentivado e amparado por você; sou muito grato. Também obrigado a Sarah Benton, Maura Wilding, Lynsey Sutherland, Jen Wilson, Esther Waters e Victoria Laws: obrigado por seu trabalho fantástico!

E obrigado a Emma Mitchell e a FMCM pela divulgação.

Um agradecimento especial também a María Fasce, em Madri, pelas observações criteriosas e úteis — e também pelo encorajamento.

Obrigado, Christine Michaelides, pela ajuda nas descrições. Noventa por cento delas não constaram no livro, mas pelo menos aprendi alguma coisa! Obrigado a Emily Holt por suas observações necessárias e por me motivar tanto.

Também a Vicky Holt e ao meu pai, George Michaelides, pelo apoio.

E um muito obrigado à fabulosa Katie Haines. Mais uma vez, trabalhar com você é uma alegria. Não vejo a hora de irmos ao teatro de novo.

Obrigado a Tiffany Gassouk por me fazer sentir tão à vontade em Paris enquanto estive por lá e pela motivação.

Do mesmo modo, obrigado a Tony Parsons pelas conversas animadoras e pelo apoio. Sou realmente grato. Obrigado também a Anita Baumann, Emily Koch e Hannah Beckerman pelo incentivo e pelos conselhos valiosos. E a Katie Marsh, boa amiga, por seu constante entusiasmo. Também agradeço muito à National Portrait Gallery, por me mostrar o retrato do jovem Tennyson. E a Kam Sangha pelo seu sobrenome. Por último, mas não menos importante, minha gratidão a David Fraser.

Este livro foi composto na tipografia Minion Pro,
em corpo 11/15,2, e impresso em papel off-white,
no Sistema Cameron da Divisão Gráfica
da Distribuidora Record.